Yasmine Galenorn vit aux États-Unis où sa série *Les Sœurs de la lune* est un best-seller. Elle et son mari ont changé leur nom de famille pour Galenorn, un terme inspiré du *Seigneur des Anneaux* et qui signifie « arbre vert ». En revanche son mari s'appelle Samwise et c'est son vrai prénom ! Yasmine est considérée comme une sorcière accomplie au sein de la communauté païenne. Elle collectionne les théières, les dagues, les cornes et les crânes d'animaux et cultive une passion pour le tatouage.

Du même auteur, chez Milady :

Les Sœurs de la lune :
1. *Witchling*
2. *Changeling*
3. *Darkling*
4. *Dragon Wytch*
5. *Night Huntress*
6. *Demon Mistress*

www.milady.fr

Yasmine Galenorn

Demon Mistress

Les Sœurs de la lune – 6

Traduit de l'anglais (États-Unis) par Cécile Tasson

Milady

Milady est un label des éditions Bragelonne

Titre original : *Demon Mistress*

Cet ouvrage a été publié avec l'accord de Berkley,
membre de Penguin Group (USA) Inc.

Illustration de couverture :
© Tony Mauro

ISBN : 978-2-8112-0393-1

Bragelonne – Milady
35, rue de la Bienfaisance – 75008 Paris

E-mail : info@milady.fr
Site Internet : www.milady.fr

À mon mari, Samwise,
Mon geek préféré
Qui est aussi le plus beau nerd du monde

REMERCIEMENTS

Merci à mon agent, Meredith Bernstein, et à mon éditrice Kate Seaver, la meilleure équipe dont je puisse rêver. À Tony, le plus talentueux des illustrateurs. Aux Witchy Chicks, merci mesdames pour votre soutien. Aux filles Galenorn qui m'offrent un amour inconditionnel. Toute ma dévotion à Ukko, Rauni, Mielikki et Tapio, mes gardiens spirituels. Un clin d'œil également à Pele, personnification de l'île de la passion et du feu tropical.

Merci à mes lecteurs, anciens comme récents. Votre soutien nous aide, nous auteurs, à écrire et à entretenir notre amour pour les histoires et, croyez-moi, j'apprécie chacune des merveilleuses lettres que vous m'envoyez, que ce soit par MySpace, e-mail ou courrier traditionnel.

Retrouvez-moi sur le net sur Galenorn En/Visions (www.galenorn.com) et sur MySpace (www.myspace.com/yasminegalenorn). Si vous voulez m'écrire (vous trouverez l'adresse sur mon site web ou *via* mon éditeur), n'oubliez pas d'inclure une enveloppe pré-timbrée à votre envoi pour que je puisse vous répondre. Des articles promotionnels sont également disponibles. Rendez-vous sur mon site pour plus de renseignements.

Ne te moque pas des premiers de la classe. Un jour ou l'autre, tu finiras par travailler pour l'un d'eux.
Charles J. Sykes

Seules deux choses sont infinies : l'univers et la stupidité de l'homme. Et encore, je ne suis pas sûr de la première !
Albert Einstein

Chapitre premier

— Tu pourrais au moins attendre que j'aie ouvert la fenêtre pour secouer ce truc ! s'exclama Iris en me regardant méchamment, tandis que je soulevais mon tapis tressé pour le taper contre le mur. Il y a tellement de poussière que j'arrive à peine à respirer !

Je laissai tomber le tapis d'un air coupable. Comme la poussière ne me dérangeait pas, j'oubliais parfois que les autres avaient besoin de respirer.

— Désolée. Ouvre la fenêtre. Je vais le secouer dehors.

L'air exaspéré, Iris entreprit d'ouvrir la fenêtre à guillotine le plus haut possible. Je l'aidai. Aussitôt, une bouffée d'air chaud estival emplit la pièce, suivie de bruits de klaxons, de musique assourdissante et des rires des gamins du quartier, occupés à fumer de l'herbe dans l'allée derrière *Le Voyageur*. Il flottait dans l'atmosphère une impression de légèreté, un brin d'excitation, comme si une fête allait éclater au beau milieu de la rue.

Je m'appuyai contre le rebord de la fenêtre et fis signe de la main à l'un des garçons qui me regardait. Son vrai nom était Chester, mais il se faisait appeler Chit. Depuis quelques semaines, ses potes et lui étaient devenus des habitués des alentours du bar. Comme ils n'avaient pas l'âge pour entrer, ils traînaient derrière et s'arrangeaient pour obtenir les restes du grill. Je les aimais bien. Ils ne payaient pas de mine, mais ils avaient le mérite de ne pas causer de problèmes.

Ce n'étaient pas des voyous, ni des junkies. Ils faisaient même fuir beaucoup d'indésirables.

Chit me rendit mon salut.

— Hé Menolly ! Ça boume, chérie ?

Je ne pus m'empêcher de sourire. Malgré les apparences, j'étais beaucoup, beaucoup plus vieille que lui. Bien sûr, il ne le savait pas et, comme un grand nombre de HSP que j'avais rencontrés, il draguait toutes les femmes en dessous de quarante ans, surtout les Fae. Il ne semblait pas se soucier du fait que j'étais à moitié humaine et un vampire par-dessus le marché. Il me traitait comme n'importe quelle autre fille du coin.

— C'est le ménage de printemps, lui répondis-je.

Après un ultime signe de la main, je reportai mon attention sur Iris qui s'occupait d'une vieille malle de l'ancien monde, dissimulée dans un coin de la pièce. À présent que tout le bâtiment du *Voyageur* m'appartenait, j'avais décidé de nettoyer certaines chambres au-dessus du bar pour les louer. Mes sœurs et moi pourrions les meubler et les proposer à des visiteurs outremondiens. Cela constituerait une nouvelle source de revenus.

Même si la Cour et la Couronne avaient recommencé à nous payer, l'argent sortait plus vite de notre compte en banque qu'il y entrait. Surtout depuis que nous avions engagé Tim Winthrop pour s'occuper du réseau informatique de la communauté surnaturelle.

Le premier étage du *Voyageur* comportait dix pièces, dont deux salles de bains. Visiblement, aucune n'avait servi depuis des années. Les ordures et la poussière recouvraient le tout. Avec l'aide d'Iris, j'avais déjà terminé de nettoyer une chambre, mais ça nous avait pris deux nuits pour trier toutes les boîtes remplies de journaux et de vieux vêtements. M'étirant de tout mon long, je secouai la tête.

— Quel bordel !

La pièce avait fait office de débarras. Sûrement une idée de Jocko qui n'avait pas été le propriétaire le plus organisé du *Voyageur*. Malheureusement, le petit géant avait connu une triste fin entre les mains de Luc le Terrible, un démon des Royaumes Souterrains. Quand il était encore vivant, Jocko habitait en ville dans un appartement de l'OIA. J'étais presque sûre qu'il n'avait jamais dormi ici. Après tout, nous n'avions découvert aucun vêtement de géant nulle part. Du moins, pas encore. En tout cas, il semblait évident qu'une femme outremondienne avait vécu ici pendant quelque temps car il restait beaucoup de ses affaires. J'avais reconnu le tissage des différentes tuniques. Rien à voir avec les techniques terriennes.

Iris ricana.

— Il n'y a pas d'autre mot, c'est vrai. Allez, bouge ton petit cul d'albinos et viens m'aider à déplacer cette malle !

Les mains sur les hanches, elle me désigna la caisse en bois d'un signe de la tête. Elle avait retiré tous les journaux qui la recouvraient. Sortant de mes pensées, je soulevai la malle d'une main et la portai sans effort jusqu'au centre de la pièce. L'avantage d'être un vampire. Je possédais une force surhumaine. Je n'étais pas beaucoup plus grande qu'Iris ; je n'atteignais même pas le mètre soixante, soit à peine trente centimètres de plus qu'elle. Pourtant, j'étais capable de soulever une créature cinq fois plus lourde.

— Où diable se cachent tes sœurs ? Elles ne devaient pas nous aider ?

La *Talon-Haltija*, esprit de maison finlandais, balaya une toile d'araignée de son front, y laissant une traînée grisâtre. Elle avait relevé ses cheveux longs jusqu'aux chevilles en une queue-de-cheval avant de l'enrouler en un épais chignon pour éviter qu'ils la gênent. Elle portait un short en jean avec une chemise à carreaux rouge et blanc nouée sous la poitrine. Une paire de tennis bleue venait compléter son ensemble « fille de la campagne ».

— Elles nous aident à leur façon, dis-je en souriant. Camille est allée acheter d'autres produits ménagers et notre repas. Et Delilah nous cherche une camionnette pour pouvoir jeter tout ça.

J'avais confié le bar à Chrysandra pour la soirée. Elle savait où je me trouvais et c'était ma meilleure serveuse. De plus, Luke était derrière le comptoir. Il saurait s'occuper de la vermine en cas de problème. Et comme d'habitude, Tavah surveillait le portail au sous-sol.

— À leur façon, mon œil ! marmonna Iris, avec néanmoins un sourire éclatant. (Elle avait de bonnes dents, pas de doute.) Voyons voir ce que contient cette vieille malle. Avec notre chance, on n'y trouvera que des cadavres de rats !

— Si c'est le cas, n'en parle surtout pas à Delilah ! Elle voudra jouer avec ! (Je m'agenouillai près d'elle pour examiner la serrure.) On va avoir besoin d'un passe-partout si tu ne veux pas que je la brise.

— Pas besoin de clé, dit Iris. (Elle inséra avec dextérité une épingle à cheveux dans le trou et se mit à murmurer une incantation. Quelques secondes plus tard, le verrou s'ouvrit. Quand je lui jetai un regard effaré, elle se contenta de hausser les épaules.) Quoi ? Je peux forcer les serrures basiques, c'est tout. La vie est plus simple quand on n'a pas à s'inquiéter de finir enfermée derrière des barreaux.

— Tout à fait d'accord, acquiesçai-je en soulevant le couvercle.

Le bois craqua doucement et un léger parfum de cèdre emplit l'air ambiant. Je n'avais pas besoin de respirer, mais je pouvais toujours sentir les odeurs, du moins, quand je le décidais, comme cette fois où je la laissai m'envahir.

Un mélange de tabac et d'encens rendait le tout poussiéreux, une ambiance qui n'était pas sans rappeler celle d'une vieille bibliothèque remplie de reliures en cuir et de meubles en chêne. Un peu comme notre salon en Outremonde.

Iris jeta un coup d'œil à l'intérieur.

— Ça alors !

J'observai à mon tour les entrailles de la malle. Pas de rat mort. Ni de pierres précieuses ou de bijoux. À la place, il y avait des vêtements, plusieurs livres et ce qui ressemblait à une boîte à musique. Je la soulevai délicatement du coussin de robes sur lequel elle avait été déposée. Le bois venait sans nul doute d'Outremonde.

— De l'arnikcah ! murmurai-je en l'examinant de plus près. Ça vient d'Outremonde.

— J'avais compris, rétorqua Iris en se penchant vers moi.

Le bois d'arnikcah était dur, sombre et épais, pourvu d'un lustre naturel, il étincelait lorsqu'on le polissait. Facile à reconnaître grâce à ses tons bordeaux, sa couleur se situait entre l'acajou et le rouge cerise.

La boîte était fermée par une charnière en argent. Je l'ouvris doucement et soulevai le couvercle où un petit cabochon péridot incrusté brillait. Le tintement des premières notes de musique retentit. Il ne s'agissait pas de flûte de Pan, mais d'une flûte en argent qui rappelait les chants des oiseaux des bois à l'approche du crépuscule.

Iris ferma les yeux pour mieux savourer la mélodie. Quand celle-ci s'arrêta, la jeune femme se mordit la lèvre.

— C'est magnifique !

— Oui. (J'observai l'intérieur.) Ma mère avait une boîte comme celle-ci. Père la lui avait offerte. Je ne sais pas ce qu'elle est devenue. Camille s'en souvient sûrement. L'air est très connu en Outremonde. C'est une berceuse.

L'intérieur de la boîte à musique était doublé d'un velours chamarré que j'avais déjà vu sur les jupes de certaines femmes de la Cour. Le tissu couleur prune avait pris l'odeur du bois d'arnikcah.

Passant les doigts sur la pierre fine, je frissonnai, envahie par un sentiment de tristesse intense. La mélodie recommença, succession de trilles au cœur de cette pièce empoussiérée. Les yeux fermés, je me laissai emporter vers le passé, vers les longues nuits d'été de ma jeunesse, lorsque je dansais dans les champs pendant que Camille récitait ses sorts à la lune et que Delilah chassait les papillons sous sa forme féline. Tout ça me paraissait bien loin désormais.

Iris examina la boîte à son tour.

—Regarde, il y a un médaillon.

Après avoir délicatement déposé la boîte à terre, je m'emparai du médaillon en forme de cœur. Il était en argent, orné de gravures de roses et de vignes. À peine effleurai-je le rebord qu'il s'ouvrit, révélant une photo et une mèche de cheveux. La photo était terrienne, mais elle représentait un elfe. Un homme. La mèche de cheveux, elle, était extrêmement claire, presque couleur platine. Pourtant, elle semblait naturelle. Elle n'avait pas été décolorée. Je la tendis à Iris.

Elle la serra au creux de sa main et réfléchit intensément.

—Quel joli pendentif! Je me demande à qui il appartient.

—Je n'en ai pas la moindre idée, répondis-je. Qu'est-ce qu'il y a d'autre dans la malle?

Iris souleva les livres et la pile de vêtements. Les livres avaient visiblement été écrits sur Terre: *Vivre sur Terre pour les nuls* et *L'Anglais américain à l'usage des elfes*. Et les vêtements étaient ceux d'une femme: une tunique, plusieurs paires de leggings, une ceinture, une veste, une brassière. Je pris le sous-vêtement dans mes mains. Sa propriétaire avait vraiment de tout petits seins. Le tissu était de fabrication elfique.

Sous les vêtements, au fond de la malle, se trouvait un journal intime. Je l'ouvris à la première page. On pouvait y lire « Sabele » en écriture manuscrite. Le nom avait été rédigé en alphabet romain, mais le reste du journal était en Melosealfôr, un langage Crypto d'Outremonde aussi beau que rare. Je savais le reconnaître, mais je ne le lisais pas. Ça, c'était la spécialité de Camille.

— On dirait un journal intime, remarqua Iris en le feuilletant. Je me demande… (Elle se leva pour jeter un coup d'œil dans la pièce, soulevant des tas de détritus.) Hé ! Il y a un lit ici ! Et une penderie dans le coin. Tu paries que c'était une chambre ? Celle de la propriétaire du pendentif et du journal ?

J'observai la pile de vieux magazines et de journaux, les vieux cartons jaunis.

— Nettoyons d'abord ce bordel. On va tout mettre dans la pièce d'à côté pour l'instant. Je veux juste voir ce qu'il y a dessous.

Tandis que je remettais la boîte à musique et les vêtements dans la malle, j'entendis des rires résonner dans le hall d'entrée depuis l'escalier. Quelques instants plus tard, ma sœur Camille se tenait devant la porte, flanquée de ses deux hommes.

— Pizzas ! s'exclama Camille en entrant dans la pièce, enjambant un tapis roulé.

Comme d'habitude, sa tenue ne passait pas inaperçue : jupe en velours noir, bustier couleur prune et talons aiguilles. Morio la suivait de près avec cinq cartons de pizzas dans les bras. Derrière lui, Flam dépassait tout le monde, l'air intrigué, mais pas très content de se trouver parmi nous.

Iris se releva d'un bond avant de s'essuyer les mains sur son short.

— J'ai tellement faim que je pourrais manger un cheval !

— Tais-toi. Flam pourrait te prendre au mot ! dit Camille tout en adressant un regard taquin au dragon.

Sous ses apparences de grand homme aux cheveux argentés, Flam était en fait un dragon blanc argenté. Il mangeait des chevaux, des vaches et quelques chèvres. Il aimait aussi nous faire savoir qu'il mangeait des humains, mais aucun d'entre nous ne le prenait au sérieux. Toutefois, j'avais le sentiment qu'on pouvait lui attribuer certaines disparitions inexpliquées. Mais Flam n'était pas seulement un dragon qui pouvait prendre forme humaine. Il était aussi le mari de ma sœur. Enfin, l'un d'entre eux.

L'autre, c'était Morio, un *Yokai Kitsune* ou démon renard japonais. Même s'il n'était pas aussi grand que Flam, il était doté d'un charme tout en finesse avec sa queue-de-cheval qui retombait sur ses épaules et son ombre de moustache et de barbe. Camille avait également un troisième amant : Trillian, un Svartan, qui avait disparu depuis trop longtemps. Je savais qu'elle s'inquiétait beaucoup pour lui.

— Ne commence pas avec mes habitudes alimentaires, femme ! rétorqua Flam en lui tapotant légèrement l'épaule.

Il se serait contenté d'offrir un aller simple pour le royaume du charbon à tout autre que Camille pour une telle remarque. On dit que l'amour rend aveugle, mais il avait surtout permis à Flam de développer une patience surhumaine.

Je fronçai les sourcils en voyant les pizzas. J'aurais donné n'importe quoi pour pouvoir en manger. Pour pouvoir manger tout court. J'avais besoin de sang pour vivre. Pourtant, ce régime n'était pas des plus savoureux. Toujours salé. Jamais de sucre.

Soudain, Morio me tendit une bouteille isotherme. Ses yeux avaient un éclat particulier.

— Je n'ai pas soif, lui dis-je.

Le sang en bouteille, je préférais m'en passer. C'était un peu comme la bière sans alcool. Il me nourrissait, mais on ne pouvait pas appeler ça de la grande cuisine. Alors, quand je n'avais pas faim, je n'y touchais pas.

— Bois, insista-t-il.

Je penchai la tête sur le côté.

— Qu'est-ce que tu as derrière la tête ?

Sans me faire prier plus longtemps, j'ouvris la bouteille isotherme. Le sang n'avait pas l'odeur du sang, mais celle de... d'ananas ? J'en approchai les lèvres avec prudence. Tout autre liquide que le sang me donnait d'affreuses crampes d'estomac. Toutefois, à mon grand étonnement et bonheur, même si c'était du sang qui coulait dans ma gorge, j'avais la sensation de boire du lait de coco mélangé à du jus d'ananas. J'observai intensément la bouteille isotherme avant de reporter mon attention sur Morio.

— C'est pas vrai ! Tu as réussi !

— On dirait bien, répondit-il tout sourires. J'ai enfin trouvé le bon sortilège. Alors, j'ai pensé qu'une piña colada serait un bon début.

Depuis quelque temps, Morio cherchait le moyen de donner la saveur des aliments qui me manquaient au sang que je buvais.

— Eh bien, ça a marché !

Dans un éclat de rire, je m'assis sur le rebord de la fenêtre, une jambe relevée contre ma poitrine. À chaque gorgée, mes papilles gustatives faisaient la danse de la joie. Je pris soudain conscience que ça faisait plus de douze ans que je n'avais pas goûté autre chose que du sang.

— Je suis tellement contente que je pourrais t'embrasser !

— Ne te gêne pas, me lança Camille avec un clin d'œil. Il est doué.

Ricanant, je reposai la bouteille isotherme avant de m'essuyer soigneusement la bouche. Je préférais éviter de me balader avec des éclaboussures de sang sur le visage, comme un monstre assoiffé.

— Avec tout le respect que je dois à ton cher mari, je te laisse le soin de l'embrasser toi-même. Il n'est pas vraiment mon genre, remarquai-je en faisant un clin d'œil à Morio. Ne le prends pas mal.

— Pas du tout, répondit-il avec un sourire. La prochaine fois, j'essaierai avec de la soupe. Qu'est-ce qui te ferait plaisir ?

— Voyons… Bœuf et légumes ? Ce serait génial ! (Plus heureuse que je l'avais été depuis un bout de temps, je jetai un coup d'œil à la pièce.) Pendant que vous mangez vos pizzas, je vais commencer à ranger un peu. Iris et moi avons trouvé quelque chose de bizarre. Ne jetez rien qui aurait pu se trouver dans une chambre ou qui aurait pu appartenir à une elfe.

J'empilai des magazines dans un carton et les portai à l'extérieur, les stockant dans une pièce de l'autre côté du hall. Peu intéressé par les pizzas, Flam vint m'aider, suivi de Morio. Iris et Camille, elles, s'installèrent sur un banc et attaquèrent l'hawaiienne.

Pendant que nous travaillions, Camille s'arrêtait de manger de temps en temps pour me tenir au courant de ce que j'avais raté pendant la journée. À l'approche du solstice d'été, ma période d'éveil avait été drastiquement raccourcie. Huit heures tout au plus. Autant dire que j'attendais l'automne et l'hiver avec impatience. J'en avais marre d'aller au lit à 5 h 30 !

— On a enfin reçu les faire-part de mariage de Jason et Tim. Ils ont décidé de l'organiser la nuit. Comme ça, Erin et toi pourrez être présentes.

Elle attrapa une nouvelle part de pizza et la porta à ses lèvres, laissant les fils de mozzarella couler dans sa bouche.

— Je suis contente qu'ils se marient. Ils forment un beau couple.

Tim avait gagné mon respect lorsque j'avais transformé sa meilleure amie, Erin, en vampire. J'avais juré que je ne le ferais jamais, mais je n'avais pas pu la laisser mourir. Et c'était elle qui avait pris la décision. Voilà comment je me retrouvais avec une fille qui semblait plus vieille que moi... Tim était toujours son meilleur ami. Il nous avait aidés lorsque nous avions le plus besoin de lui. Depuis, mon respect pour lui n'avait fait que s'amplifier.

— Au fait, repris-je, Erin va vendre *La Courtisane Écarlate* à Tim. Comme elle ne peut pas y travailler la journée, il va prendre la relève. Maintenant qu'il a son diplôme, il va y ouvrir une entreprise de dépannage informatique.

— Je sais, il me l'a dit, répondit Camille. Je serai triste de ne plus voir Cleo Blanco... même si je n'ai jamais pensé que le costume lui allait. Il est bien plus beau en homme. En revanche, il était doué pour le play-back de Marylin Monroe. (Elle s'humecta les lèvres avant de continuer.) Oh j'oubliais ! Wade a appelé juste avant qu'on parte de la maison. Il doit te parler, apparemment. Je lui ai dit de passer au bar. Il ne devrait pas tarder.

Merde. Je n'avais pas la moindre envie de discuter avec Wade. On se prenait souvent la tête en ce moment et dans ce genre de cas, la distance ne pouvait qu'être une bonne chose. Je ne savais pas s'il s'agissait de la chaleur estivale ou du trop-plein de sommeil, mais on s'énervait pour un rien et le problème n'avait pas l'air de s'arranger.

— Génial, marmonnai-je. Flam, tu peux m'aider à porter ce tapis ? Je peux le soulever, mais il est trop long, je n'arrive pas à le transporter.

Flam se saisit aussitôt d'une extrémité du tapis persan enroulé et la mit sur son épaule. Je fis de même de l'autre côté. Nous le portâmes ainsi au bout du couloir avant de le jeter sur la montagne de débris qui s'accumulaient.

— Où est Delilah ? Il faut déplacer tout ça avant que ça prenne feu. Une étincelle et on crame tous !

Je donnai un coup de pied au tapis qui tressauta.

— Patience, patience ! me souffla Flam. Pour le moment, je vais jeter un sort de givre. Si je recouvre tout de gel, ça prendra feu moins facilement.

— Oui, mais ça deviendra un lit de moisissures, grognai-je. Bah, vas-y après tout. Au moins, je ne m'inquiéterai pas pour le feu.

Une heure plus tard, nous avions retiré de la pièce tout ce qui semblait ne pas en faire partie. Nous avions mis au jour un lit, une penderie, une malle, un bureau, une bibliothèque et un rocking-chair. Tout portait à croire que l'occupante des lieux avait été une elfe.

— Qui habitait ici ? demanda Camille en attrapant les restes de la deuxième pizza.

Flam et Morio avaient rejoint ma sœur et Iris pour manger. Les trois autres pizzas seraient bientôt de l'histoire ancienne. Je haussai les épaules.

— Je n'en ai pas la moindre idée. L'OIA ne m'a jamais dit qui s'occupait du *Voyageur* avant Jocko.

Iris s'assit dans le rocking-chair et passa la main sur l'accoudoir lustré.

— Est-ce qu'on pourrait obtenir cette information ?

— Non, répondit Camille en secouant la tête. Même si l'organisation a repris ses activités, la plupart des dossiers ont été perdus pendant la guerre civile.

— Oui, confirmai-je. Tout l'ancien personnel a été arrêté ou viré, selon son degré de loyauté envers Lethesanar.

Sauf, étrangement, le chef de l'OIA. Père nous avait prévenues qu'il était agent double mais, à l'époque, j'avais eu du mal à y croire.

— Et Jocko est mort. Il ne peut plus nous aider, poursuivit Camille. Et tes serveurs ? Ils pourraient être au courant de quelque chose ?

— J'en doute, mais ça me donne une idée. (Je me relevai d'un bond avant de me diriger vers la porte.) Je reviens tout de suite. En attendant, continuez à fouiller les placards et le bureau. Essayez de trouver des indices. Oh et regardez sous le matelas aussi.

Je dévalai l'escalier. Chrysandra et Luke avaient commencé à travailler là après la mort de Jocko. Cependant, il restait une personne qui se souvenait du géant : Peder, le videur de jour. Je parcourus le carnet d'adresses que nous gardions derrière le bar, décrochai le téléphone et composai rapidement le numéro.

Peder était aussi un géant, mais contrairement à Jocko qui avait été la bête noire de sa famille, Peder, lui, était dans la moyenne de poids et de taille de son espèce. Il décrocha au bout de trois sonneries.

— *Ui ?*

Son anglais était assez limité et son accent atroce. Heureusement, je parlais le calouk, le dialecte commun utilisé par les espèces les plus brutales d'Outremonde.

— Peder, c'est Menolly, dis-je lentement tandis que je traduisais mes pensées en calouk. Je sais que tu travaillais pour Jocko. Est-ce que, par hasard, tu te souviendrais du nom de la personne qui s'occupait du bar avant lui ? Est-ce qu'il s'agissait d'une elfe ? Son nom devait être…

— Sabele, finit-il pour moi. Ouais, Sabele s'occupait bien du bar avant Jocko. Elle est retournée en Outremonde. Elle a disparu sans explication.

Disparu ? Ça me semblait bizarre après avoir vu le pendentif et le journal intime.

— Qu'est-ce que tu veux dire par « disparu » ?

— Elle a démissionné. C'est Jocko qui me l'a dit quand il est arrivé.

Quelque chose clochait. Même si je ne doutais pas de la sincérité de Peder, ça ne signifiait pas qu'il me disait la vérité. Après tout, les géants n'étaient pas connus pour leur intelligence et Peder ne semblait pas le plus futé de son espèce.

— Tu es sûr ? J'ai trouvé des affaires à elle au-dessus du bar en nettoyant l'une des pièces. Je doute qu'elle les ait laissées derrière elle.

— C'est ce que Jocko m'a dit. Il a dit… que l'OIA lui avait dit que Sabele avait déserté son poste. Elle était très gentille, tu sais. Je l'aimais bien. Elle ne se moquait jamais de moi.

À son ton, je compris que Peder avait la même sensibilité extrême que Jocko. Contrairement aux trolls ou aux ogres, les géants se révélaient très sensibles. Le fait d'être un lourdaud n'avait apparemment rien d'incompatible.

— Tu sais si elle avait des amis dans le coin ? Un petit ami peut-être ? Ou un frère ? demandai-je quand la photo de l'elfe dans le pendentif me revint en mémoire.

— Un petit ami ? Oui, elle en avait un. Il venait souvent au bar. Je pensais qu'ils étaient retournés ensemble en Outremonde pour se marier. Laisse-moi réfléchir… (Au bout d'un moment, Peder soupira.) Je ne me souviens que de son prénom : Harish. Oh et son nom de famille, à elle, était Olahava. Ça t'aide un peu ?

— Oui, répondis-je en notant rapidement les noms, bien plus que tu l'imagines. Merci Peder. Au fait, tu fais du bon boulot. Je l'ai tout de suite remarqué.

Les compliments faisaient toujours plaisir. Même aux géants.

— Merci patronne ! s'exclama-t-il d'un ton joyeux.

Tandis que je reposais le combiné, la porte s'ouvrit pour laisser apparaître Wade. Ses cheveux peroxydés semblaient encore plus blancs que d'habitude et il avait enlevé les lunettes derrière lesquelles il se cachait toujours. Il portait un pantalon en skaï sorti de je ne sais où avec un tee-shirt blanc. Le tout était complété par une large ceinture en cuir noir brillant, ornée d'œillets en métal qu'il portait taille basse. Je clignai des yeux. Depuis quand s'habillait-il en punk ?

Avant d'être transformé en vampire, Wade Stevens était psychiatre. À présent, il dirigeait les Vampires Anonymes, un groupe d'entraide pour les nouveaux vampires. Il était devenu mon premier ami vampire quand Camille avait insisté pour que j'y participe. Pourtant, ces derniers temps, il était irritable et cassant et je n'avais pas l'intention de gaspiller mon énergie à comprendre pourquoi. J'avais assez de problèmes comme ça sans ajouter un vampire lunatique à la liste. Il ne fallait pas compter sur moi pour le réconforter. Sa mère s'en chargeait très bien. En fait, sa mère, également vampire, était une des raisons pour lesquelles j'avais cessé de sortir avec lui. Elle avait été l'antidote parfait à toute forme d'attirance que j'avais pu ressentir à son égard. Il s'appuya contre le bar.

— Il faut qu'on parle.

— Je suis occupée, rétorquai-je. (Je n'avais pas l'habitude de me défiler, mais je n'avais aucune envie qu'il gâche ma bonne humeur.) Ça ne peut pas attendre ?

— Non. Il faut qu'on parle tout de suite, répondit-il avec les yeux rouges.

Aucune patience.

— OK. Allons derrière. Je ne veux pas que les clients nous entendent.

Je le conduisis dans mon bureau avant de fermer la porte derrière nous.

— Bien. Qu'est-ce qui est si important que ça ne puisse pas attendre quelques heures ? Voire quelques jours ?

J'attendis qu'il réponde, mais il garda le silence. Énervée, je fis mine de retourner m'occuper du bar. Aussitôt, il me barra le chemin d'un bras.

— OK, je ne sais pas comment te le dire, alors je vais aller droit au but. J'ai retourné tout ça dans ma tête pendant des semaines, pourtant, je n'ai toujours pas trouvé le meilleur moyen de te l'annoncer. Je dois mettre de la distance entre nous. Sinon, tu vas ruiner mes chances de devenir le régent du domaine vampirique du Nord-Ouest.

Je le regardais sans vraiment le voir. Je n'en croyais pas mes oreilles !

— Tu plaisantes ?

— Non, dit-il en me réduisant au silence d'un geste. Je te demande de quitter les Vampires Anonymes sans faire d'histoires. Ne viens plus aux réunions. Ne me contacte plus en public… Toutes nos communications devront se faire en privé. Tu es devenue un poids, Menolly. Pour moi et pour le groupe.

Chapitre 2

Je l'observais intensément. Un poids ? Qu'essayait-il de me dire ?

— J'espère que tu plaisantes ! Où sont passés nos projets ? Tu t'en souviens ? Ceux où je devenais ton second si tu gagnais ? Et tous ces discours à propos de créer une police vampirique de l'ombre pour traquer les vampires hors-la-loi ? Ils se sont tous envolés en fumée ?

Wade évitait de croiser mon regard.

— Je sais, je sais. Mais il faut faire face à la réalité. Ta présence au sein des Vampires Anonymes a divisé le groupe. La moitié des membres souhaite ta mort et l'autre te vénère comme une déesse. Au sein de la communauté vampirique, ton nom est devenu synonyme d'ennuis. Menolly, tu me ferais perdre beaucoup trop de voix…, dit-il d'un ton suave avant de donner un coup de poing dans le mur près de moi. Si je ne gagne pas ces élections, Terrance deviendra régent. Alors, tout ce pourquoi nous nous sommes battus disparaîtra.

Je l'observai longuement, me demandant où il était allé chercher ce nouvel aspect désagréable de sa personnalité. D'habitude, Wade était d'un naturel aimable et posé. Que s'était-il passé ? Dans mon cœur, je connaissais déjà la réponse. Depuis que les vampires terriens avaient commencé à sortir du placard, ils s'étaient regroupés et choisissaient des meneurs pour les représenter. Le poste de régent du domaine du Nord-Ouest venait tout juste d'être créé. Wade voulait s'en emparer. Plus que tout.

— OK, dis-je en ouvrant la porte si fort qu'un gond se brisa. Alors va-t'en ! Je ne vous embêterai plus, toi et ton foutu groupe. En ce qui me concerne, vous pouvez brûler en enfer. Et n'oublie surtout pas de prendre ta mère sous le bras.

La surprise que je lus sur son visage me fit beaucoup de bien. J'espérais lui avoir fait mal. Très mal. Personne ne se servait de moi pour me rejeter au dernier moment. Plus tôt il s'en rendrait compte, mieux ce serait.

— Menolly, ne sois pas comme ça, reprit-il d'une voix douce.

Il aurait pu fondre en larmes que je n'aurais pas réagi.

— Ne sois pas comment ? Tu me fous à la porte de ton groupe, tu me dis que tu ne veux pas être vu avec moi ! Tu t'attendais que je fasse un sourire et te remercie ? Réveille-toi, dis-je en pointant la porte du doigt. Dégage.

— Je savais que tu serais en colère, rétorqua-t-il, énervé. Mais essaie de comprendre ! C'est l'occasion pour moi de marquer des points pendant que le domaine prend forme. C'est vrai, on avait dit que tu serais mon second, mais c'était bien avant que tu décides d'enfoncer un pieu dans le cœur de Dredge ! Quand tu l'as tué, la communauté vampirique a subi un choc dont elle ne s'est toujours pas remise.

Dégoûtée par ses propos, je le foudroyai du regard.

— Imbécile. Dredge était un monstre ! Il aurait probablement gâché toutes les chances des vampires de vivre auprès des HSP sans être chassés ! Ce que j'ai fait a été plus dur que tout ce que tu auras jamais à surmonter de toute ton existence. Tu sais exactement par quoi je suis passée. Est-ce que tu comprends la douleur que j'ai ressentie en revivant la torture, le viol et mon propre meurtre afin de me libérer des liens qui me rattachaient à mon sire?

— Oui, je sais...

— Tu ne sais rien du tout! l'interrompis-je, tellement en colère que je le repoussai parce que je ne supportais pas sa présence si près de moi. Quand tu auras vécu le dixième de ce que j'ai subi, on en reparlera et on verra si tu peux me regarder dans les yeux et me dire que ce que j'ai fait n'était pas justifié. Mais tu en aurais été incapable, pas vrai? Tu aurais fini à quatre pattes devant Dredge, à lui sucer la queue et à le supplier de t'épargner. Tu te serais rangé dans son camp pour que la torture cesse.

Je me fichais bien désormais que quelqu'un puisse nous entendre. Quand il s'agissait de Dredge, je n'avais rien à cacher. À personne.

Le regard de Wade prit une teinte rouge sang. Il se pencha pour me regarder dans les yeux, ses longs cils battant contre sa peau pâle.

— Arrête ça, je sais très bien par quoi tu es passée! Je sais que tu devais le tuer. Mais Menolly, réfléchis cinq minutes. Si je perds, Terrance gagnera. Et on sait tous les deux que Terrance risque fort de devenir comme Dredge. Il espère rendre son aspect effrayant et mystique à la communauté vampirique.

Propriétaire du *Fangtabula*, Terrance était un vampire de la vieille école. Arrogant et méchant, il n'avait aucun scrupule à vider un humain de son sang pour son repas, puis à le jeter sur le bas-côté. Mais comparé à Dredge, il restait un boy-scout.

— Que des conneries!

J'évitai son regard. Même si je refusais de l'admettre, je savais qu'il avait raison. J'étais devenue un sujet de controverse, de division au sein de la communauté des vampires.

Je resterais un poids pour sa campagne tant qu'il ne choisirait pas de se battre à mon côté et de me défendre. C'était une option envisageable, mais Wade n'aimait pas être le méchant de l'histoire. Il voulait gagner grâce à son charme, pas sa capacité à diriger.

Je sentis des larmes de sang me monter aux yeux et m'efforçai de les retenir. Il ne parviendrait pas à me faire pleurer.

— Va te faire foutre ! J'ai énormément donné aux Vampires Anonymes ! Alors être jetée dehors comme ça, c'est une vraie claque…

— Menolly…

— Ne commence pas. Si tu avais des couilles, Terrance n'aurait pas obtenu la popularité qu'il a aujourd'hui. Tu fuis la confrontation et tu essaies de contenter tout le monde, alors que tu sais bien que c'est impossible. Si tu avais éliminé Terrance quand il a commencé à poser problème, on n'en serait pas là.

Wade m'agrippa les épaules. Je lui saisis doucement le poignet et serrai si fort que je sentis l'os bouger.

— Enlève tes sales pattes de moi si tu ne veux pas voler à l'autre bout de la pièce.

Sous le coup de la colère, je sentis mes canines s'allonger. Il me lâcha immédiatement. Je le poussai pour lui faire comprendre que j'étais sérieuse.

Il ne me quitta pas des yeux en se relevant.

— Tu as fait du beau travail pour les Vampires Anonymes, c'est vrai, mais n'oublie jamais que ce groupe est mon bébé. Je l'ai fondé et j'en ai fait ce qu'il est aujourd'hui. D'autres personnes ont donné autant que toi, si ce n'est plus. Sassy Branson, par exemple. Bon, est-ce qu'on peut reprendre notre conversation, maintenant ? demanda-t-il en se penchant, ses lèvres à quelques centimètres des miennes.

— Ne me fais pas le coup des yeux rouges, lui crachai-je au visage.

Aucun souffle, aucune respiration ne passa entre nous. Il ne me quittait pas du regard.

— Je croyais que tu préférais les hommes qui prenaient les choses en main. Après tout, tu passes beaucoup de temps avec cet incube alors qu'il respire toujours, enfant de démon ou non.

Alors, Wade m'embrassa, me plaquant contre la porte avec violence. Sans y réfléchir à deux fois, je lui assenai un coup de genoux entre les jambes. Il frissonna et recula. Même si ça ne lui faisait pas aussi mal qu'à un HSP, ça marchait quand même.

— Si tu essaies encore de me toucher, je te plante un pieu dans le cœur. Je ne comprends pas. D'abord, tu me mets plus bas que terre et après, tu essaies de m'embrasser ? Plus jamais ça. Je retire mon invitation. Wade Stevens, tu n'es plus le bienvenu chez moi. Tu ne franchiras plus le pas de ma porte. Et réfléchis à deux fois avant de venir au bar.

Je ne pouvais pas l'empêcher d'entrer au *Voyageur* puisque c'était un lieu public. En revanche, je pouvais faire en sorte qu'il ne franchisse plus jamais le seuil de notre maison.

Il eut le culot de paraître choqué.

— Menolly, ne fais pas ça ! On va trouver une solution…

— Trop tard. Casse-toi ! Tout de suite. Sinon, j'appelle Tavah pour qu'elle m'aide. Tu n'as aucune chance face à nous deux. (Le sang battait dans mes veines, résonnant à mes oreilles. Je voulais chasser, traquer, mettre quelque chose en pièces.) Tu ferais mieux de partir. Je ne sais pas combien de temps je vais pouvoir me contrôler…

Il m'adressa un dernier regard, puis, assez lucide pour s'apercevoir que j'avais atteint ma limite, il disparut. Il jouait avec le feu. J'étais bien plus forte que lui et il le savait.

Je tentai de reprendre mes esprits. Au moins, je savais à quoi m'en tenir désormais. Wade m'avait trahie pour des raisons politiques. Il avait brisé notre amitié pour son intérêt personnel et, même si je comprenais son désir de gagner le poste de régent, je le soupçonnais de jouer un rôle devant ses nouveaux potes. Il avait toujours voulu être le bon flic. Pour y arriver, il avait fait de moi le mauvais. Classique.

Quand je revins dans le bar, je pris une bouffée de transpiration et d'alcool en pleine face. Les battements de cœur résonnaient comme un tambour incessant. J'étais sur le point de craquer. Je fis signe à Luke.

Un simple regard et il comprit, m'indiquant la porte d'un signe de la tête.

— Tu as besoin de chasser.

Luke était un loup-garou qui ne vivait pas au sein d'une meute. Il comprenait mes instincts. Comme tout loup solitaire, il devait constamment se tenir sur ses gardes. Luke ne m'avait jamais confié la raison pour laquelle il avait quitté les siens. J'avais fait des recherches de mon côté, mais il ne possédait pas de casier judiciaire. Toutefois, la cicatrice qui courait le long de son visage parlait d'elle-même.

— Oui. Ça ne peut pas attendre. Est-ce que tu peux dire à Camille que je reviens dans pas longtemps ? Si je ne sors pas tout de suite, je vais exploser et ce ne serait pas une bonne chose. Si Wade revient, dis-lui que je ne veux plus le voir dans mon bar.

Luke savait lire entre les lignes. Sans me poser la moindre question, il rejeta son chiffon sur son épaule et se dirigea vers l'escalier. Après un dernier regard en arrière, je franchis le seuil.

Trop rapide pour être perçue par l'œil humain, je franchis l'allée à l'arrière du *Voyageur*. Je ne voulais surtout pas causer de tort à Chit et ses potes. Non, je savais exactement où aller.

Quand je chassais, je jetais mon dévolu sur des bons à rien : des violeurs, des drogués, des maquereaux, tous ceux qui hantaient les nuits de Seattle. Si, par hasard, je buvais le sang d'un innocent, je faisais en sorte de ne prendre que ce dont j'avais besoin avant d'effacer mon souvenir de son esprit et de le remplacer par celui d'une longue promenade rafraîchissante.

L'air de la ville était saturé des odeurs de fumée de gasoil, de la chaleur qui émanait des trottoirs et des corps d'un demi-million de personnes. Je parcourus les allées sombres les unes après les autres, de quartier en quartier, jusqu'à ce que j'atteigne le centre-ville où les criminels se regroupaient. J'y chassais souvent. J'y trouvais presque toujours quelqu'un à suivre et ne rentrais jamais le ventre vide.

Fermant les yeux, j'ouvris mes sens à l'activité de la ville. Là-bas, dans une ruelle, un groupe de sales types préparait un mauvais coup. Je pouvais sentir leur excitation. Avant, les rues de Seattle étaient contrôlées par les Boiteux et les Sanglants, mais récemment de nouveaux gangs avaient vu le jour. Les Zeets, qui tiraient leur nom du marché noir du Z-fen, une drogue de violeur utilisée par les maquereaux pour rendre leurs filles dépendantes, maintenaient une poigne de fer sur le commerce de la drogue. Et les Ailés, un gang asiatique, s'occupaient du racket.

J'avais trouvé mes proies. Dix ou onze. Des Zeets. L'énergie de la testostérone mélangée à la drogue émanait d'eux comme des étincelles. J'avançai dans l'ombre, dos aux immeubles en brique qui bordaient le passage. L'allée donnait sur une impasse. Des bribes de conversation me parvinrent.

— Quand on en aura fini avec eux, ils en pisseront dans leur froc !

— Mec, file-moi la came. C'est mon tour.

— Alors, je suis rentré et j'ai vu Lana en train de se faire baiser par un petit con qu'elle avait rencontré à l'école. Croyez-moi, elle ne recommencera jamais.

— Qu'est-ce que tu lui as fait ?

— Je lui ai donné une leçon qu'elle n'est pas près d'oublier.

— Vous êtes prêts ? Ma vieille me prend la tête parce que je rentre trop tard en ce moment.

Je regardai l'homme qui avait battu sa petite amie. Il ferait l'affaire. Grand, mince, avec un catogan, il avait une barbe et une moustache blonde, mais ses yeux étaient si sombres qu'ils paraissaient noirs. Il portait un marcel bleu par-dessus un pantalon large couvert de chaînes. Une barre de fer en dépassait. Ah ça oui, il ferait l'affaire.

Je le dévisageai intensément, lui assenant l'ordre de rester en arrière. Les vampires de la vieille école utilisaient souvent ce pouvoir, mais pas moi. J'avais l'impression de tricher. Pourtant, ce soir-là, ça m'était égal. Il avait battu tous les records quand il s'était vanté d'avoir frappé sa copine.

— Je vous rejoins tout de suite, lança-t-il aux autres tandis qu'ils s'éloignaient.

Lorsqu'ils disparurent, ma victime regarda autour de lui, nerveux, comme s'il ne savait pas pourquoi il était resté en arrière. Il frissonna. Depuis ma cachette, je pouvais sentir sa tension. Alors qu'il faisait mine de rejoindre ses camarades, je lui barrai le chemin.

— Tu vas quelque part ? demandai-je doucement, la tête baissée pour dissimuler mes yeux rouges.

— Barre-toi, salope, rétorqua-t-il d'un air supérieur.

Alors, je relevai la tête, en souriant, pour dévoiler mes canines.

— Qu'est-ce que… ? s'exclama-t-il en faisant un pas en arrière.

— Oh, chéri, ne t'enfuis pas. C'est promis, je ne te ferai pas le mal que tu as fait à ta copine.

Puis, avec un léger feulement, je m'approchai, sans me presser, observant la peur s'épanouir sur son visage. Ah ça oui, certains jours, ça faisait du bien d'être un vampire. Le pouvoir d'intimider, le pouvoir de faire tomber à genoux quelqu'un de si sûr de lui, sûr d'être le maître du monde, me grisait. C'était bien mieux que n'importe quelle drogue.

Il recula encore d'un pas avant de tenter de s'échapper, courant vers le grillage qui barrait la ruelle. Je le laissai prendre de l'avance, puis le rejoignis en deux temps trois mouvements, me plaçant devant lui.

— T'es qui ? Qu'est-ce que tu veux ? demanda-t-il d'une voix tremblante. Tu n'es pas humaine, pas vrai ?

— À moitié seulement, murmurai-je. Ou du moins, je l'étais avant de mourir.

— Vampire !

Il tenta encore de me fausser compagnie au moment où il comprit la situation.

— Pas si vite, petit. La récréation est terminée. (Je l'attrapai par le cou et le pressai contre le mur.) Regarde-moi.

Il obéit aussitôt avec de grands yeux effrayés.

— Comment est-ce que tu t'appelles ?

— Jake.

— OK, Jake, je veux que tu me dises : est-ce que tu as vraiment fait du mal à ta copine ?

Sous mon contrôle, il hocha la tête.

— Oui, oui…

— Tu l'as frappée ?

Encore un hochement de tête.

— Oui.

— Tu l'as marquée, tu l'as fait saigner ?

— Oui, oui !

— Et pourquoi ?

Je voulais l'entendre de sa bouche. Je voulais entendre son histoire. Ça rendait les choses plus faciles.

— Elle voulait me quitter parce que je la battais trop. Elle avait trouvé quelqu'un d'autre, répondit-il d'une voix tremblante.

Je pouvais sentir la peur émaner de lui par vagues.

— Alors, tu lui as donné une bonne leçon ? Je suis sûre que tu as pris ton pied, pas vrai ? Tu m'as l'air d'être le genre de gars qui adore se servir de ses poings pour se faire respecter par les femmes. Qu'est-ce que tu as fait à son amant ?

Le jeu du chat et de la souris. Comme Delilah, je jouais avec ma nourriture avant de la manger. Il ferma les yeux.

— Je l'ai mis en pièces. Je l'ai tué. Puis j'ai forcé ma copine à m'aider à me débarrasser du corps.

— Je n'en pensais pas moins. Tous les mêmes. Des raclures pathétiques.

Une vague de dégoût me submergea. Si je le laissais partir, il continuerait à parasiter la société et finirait par tuer la fille. Il la tuerait si elle essayait de partir, ou même si elle restait. Les femmes prisonnières de ce genre de connards ne pouvaient pas s'enfuir facilement.

— Qu'est-ce que tu vas me faire ? s'enquit-il, le souffle court. Je ne veux pas mourir. Pitié, ne me tue pas !

— Combien de fois est-ce que ta copine t'a supplié de ne pas lui faire mal ? Combien de fois est-ce que tu ne l'as pas écoutée ? murmurai-je à son oreille, prenant son lobe entre mes dents.

Il marmonna quelque chose, mais je ne l'écoutai pas. Au lieu de ça, je m'approchai davantage pour le mordre au cou. Dès que mes canines transpercèrent sa peau, le goût du sang m'envahit et mon stress se mua en euphorie. Avec un gémissement, je me mis à sucer plus fort, aspirant le sang hors de ses veines, puis j'entrepris de lécher le liquide qui s'écoulait. Je frissonnai quand il coula dans ma gorge.

Jake grogna. Je pouvais sentir son érection contre moi. Je n'y prêtai aucune attention jusqu'à ce qu'il passe ses bras autour de moi et rapproche son cou de mes lèvres.

— Ne t'arrête pas, implora-t-il. Pitié, ne t'arrête pas !

Mon désir s'évanouit instantanément. Je m'écartai pour observer l'homme qui était tombé à genoux devant moi, ensorcelé par mon charme. Dégoûtée et agacée par mon propre comportement, je me baissai.

— Écoute-moi bien. Je veux que tu te rendes au *Fangtabula*. Tu sais où ça se trouve ? (Il hocha la tête.) Bien. Va leur dire que tu veux leur offrir ton sang. Dis-leur que tu aimes avoir mal.

Après s'être levé avec difficulté, Jake se mit en route. Je l'envoyais à sa mort. Il irait jusqu'au club. Il était trop ensorcelé par mes charmes vampiriques pour me désobéir. Et les hommes de Terrance le laisseraient entrer. Avant l'aube, il y aurait un connard de moins sur cette terre.

Au fond de moi, cette pensée ne me faisait pas aussi plaisir qu'elle aurait dû. Parce que chaque fois que je me débarrassais d'un Jake, une dizaine apparaissait pour prendre sa place. Repue, je décidai de revenir au bar.

Je m'appelle Menolly D'Artigo. Je suis un vampire. Je suis aussi mi-humaine, mi-Fae. Mes sœurs et moi, nous travaillons pour l'OIA, la CIA outremondienne. On nous a transférées sur Terre pour qu'on ne fasse pas de vagues, mais c'est là que les ennuis ont commencé. Vous voyez, on a rapidement découvert qu'un seigneur démon du fin fond des Royaumes Souterrains, l'Ombre Ailée, prévoit de traverser les portails qui séparent les différents royaumes. Avec son armée de démons, il veut raser la Terre et Outremonde, puis s'autoproclamer roi des ruines qui resteront.

Mes sœurs et moi sommes en première ligne. Au départ, nous nous battions seules, mais nous commençons à nous faire des alliés. Par exemple, les reines fae terriennes fraîchement réapparues sont de notre côté. Enfin… plus ou moins.

Et la reine des elfes, ainsi que la nouvelle reine de notre terre natale, Y'Elestrial, nous soutiennent du mieux qu'elles le peuvent. Nous avons également rassemblé des membres de la communauté surnaturelle terrienne et leur avons fait prêter serment.

Mais malgré tous les alliés que comptent nos rangs, il ne faut pas oublier que le nombre de nos ennemis s'élève à des milliers. Et les démons ne sont pas faciles à tuer. Les balles ne font que rebondir sur eux et comme ils se shootent à l'uranium, les radiations leur font plus plaisir que mal. Même une bombe ne nous en débarrassera pas facilement.

Voilà où nous en sommes, nous le cerveau de la résistance, essayant de fomenter un plan pour sauver nos deux mondes, un monstre après l'autre. Comme évolution de carrière, on a vu mieux.

Camille, ma sœur aînée, est une sorcière de la lune aux pouvoirs beaucoup trop instables à son goût comme au nôtre. Surtout depuis qu'elle s'est mise à la magie de la mort grâce à son mari *Yokai*. Delilah, mon autre sœur, est un garou à deux visages. Elle se transforme en chat lorsque la lune est pleine ou quand on se dispute. Mais elle a découvert récemment qu'elle possédait une seconde forme animale : celle d'une panthère noire.

Et moi ? Comme je l'ai déjà dit, je suis Menolly D'Artigo. Avant, je jouais les espions acrobates pour le compte de l'OIA, jusqu'à ce que je sois capturée par le vampire le plus sadique de tous les royaumes réunis. Heureusement, j'ai eu le dernier mot. J'ai fini par enfoncer un pieu dans le cœur de Dredge. Ce qui, au passage, n'est pas recommandé quand on est soi-même un vampire. Mais je me fiche qu'on me regarde de travers. Ça m'a fait beaucoup de bien. Quand Dredge a compris qu'il était foutu, ç'a été le plus beau jour de ma seconde vie.

Voilà ce que nous représentons : un fragile barrage contre une violente menace pour l'humanité et les Fae. Comme si, avec des amis comme nous, le monde avait besoin de plus d'ennemis !

Chapitre 3

À mon retour au *Voyageur*, ma colère envers Wade n'était plus aussi explosive. Je fis signe à Luke avant de monter à l'étage. Au moment où elle me vit, Camille mit une main sur sa poitrine. Je baissai les yeux sur mon tee-shirt et grimaçai. Je n'avais pas mangé proprement. J'avais du sang partout.

— Je reviens tout de suite, dis-je en descendant dans le débarras où je gardais des vêtements de rechange.

Je retirai le tee-shirt taché et enfilai un pull à col roulé indigo. Je vérifiai tout de même l'état de mon jean avant de remonter.

Une fois de retour, je murmurai à Camille :

— J'ai le visage propre ?

Je ne pouvais pas me regarder dans un miroir et c'était dur de juger par simple toucher. Elle hocha la tête.

— Comme un sou neuf.

— Merci, répondis-je en m'asseyant sur le banc près du lit, une jambe repliée sous moi. Vous avez fait du bon boulot, remarquai-je. (J'inspectai la pièce d'un coup d'œil. La majorité des ordures avaient disparu. Ça ressemblait enfin à une chambre. Puis, comme je devais le lui dire, je repris la parole :) Wade m'a virée du groupe des V.A.

— À cause de Dredge ? (Camille soupira.) Je me demandais s'ils allaient le faire. Sales traîtres.

— Je les comprends. Vraiment. Mais j'en veux à Wade de ne pas avoir essayé de trouver une autre solution. Alors j'ai annulé son invitation dans notre maison. Ne la reformulez pas sans ma permission, OK ?

— Pas de problème.

Camille s'approcha de moi pour me prendre la main. Encore une preuve qu'elle avait totalement accepté ma transformation. Jamais elle ne cillait, ne grimaçait ou ne donnait le moindre signe que ma mort et ma résurrection avaient changé ses sentiments à mon égard. Delilah, en revanche, avait encore un peu de mal à s'y faire et je ne lui en tenais pas rigueur. Chaton était beaucoup moins sûre d'elle que Camille. Je serrai doucement la main de ma sœur, lui adressant un sourire reconnaissant.

— Merci, répondis-je finalement. Merci d'être une grande sœur géniale.

— Je suis là pour ça, dit-elle avant de reporter son attention sur la chambre. Alors, qu'est-ce qu'on cherche ?

— La femme qui vivait ici s'appelait Sabele. Elle s'occupait du bar avant Jocko. D'après l'OIA, elle a pris ses jambes à son cou et est retournée dans sa famille. Je n'en suis pas convaincue. Après tout, Iris et moi avons trouvé sa boîte à musique et son journal intime. Elle te les a montrés ?

Iris secoua la tête.

— Je n'ai pas eu le temps. On n'a même pas fini de jeter tout ça avant ton retour.

— Désolée de ne pas vous avoir aidés, dis-je en regardant Camille. Tu sais lire le Melosealfôr, pas vrai ?

Elle hocha la tête.

— Oui, pourquoi ?

— Elle s'est servie de cette langue pour écrire son journal, expliquai-je en me levant pour retrouver l'objet en question. (Je le lui tendis.) Qu'est-ce que tu en penses ?

— Tu dis que c'était une elfe ? demanda-t-elle en le parcourant.

— C'est en tout cas ce que Peder affirme. Et les vêtements le confirment.

— Hmm… c'est bizarre.

Son regard trahissait sa curiosité.

— Quoi ?

— Le Melosealfôr est une langue utilisée par les Cryptos. Même si les elfes en comprennent quelques mots, très peu l'utilisent régulièrement. Seuls les Cryptos comme les licornes, les centaures, les dryades ou les naïades le parlent, sans oublier les sorcières de la lune qui ont prêté serment à la Coterie de la Mère Lune. Ce n'est pas une langue commune. Alors comme ça, elle a disparu ?

— C'est ce qu'a dit Peder. Et je doute qu'elle ait laissé son journal derrière elle ou ceci…

Après avoir ouvert la boîte à musique, j'en sortis délicatement le collier et lui montrai la photo et la mèche de cheveux à l'intérieur du pendentif.

— C'est son petit ami ? (Les sourcils froncés, Camille s'arrêta. Elle lut un paragraphe, puis tourna quelques pages, cherchant visiblement quelque chose. J'observai son doigt suivre la calligraphie délicate.) OK… c'est un peu effrayant.

— Quoi ? demandai-je en reposant le pendentif.

— Ceci, dit-elle en tapotant un passage. Elle dit qu'elle a peur de rentrer chez elle toute seule parce que « cet homme » continue à la suivre. Et quelques pages plus tôt, elle dit qu'elle a le sentiment d'être espionnée.

Elle posa le journal sur le banc avant de secouer la tête.

— Apparemment, elle avait des problèmes. Elle savait qui la suivait ?

J'avais le sentiment désagréable que l'OIA n'avait pas pris la peine de découvrir ce qui lui était vraiment arrivé.

Ils avaient simplement conclu qu'elle s'était échappée. Peut-être à tort.

Camille haussa les épaules.

— Je ne sais pas. Je le lirai en entier d'ici à demain soir. Je pourrai peut-être t'en dire plus alors. Sinon, elle parle d'un autre homme. Un elfe, je crois, qui s'appelle…

— Harish ? (À son regard surpris, j'ajoutai :) Peder se souvenait du nom de son petit ami. Ce serait bien si vous pouviez le retrouver. Oh et son nom de famille, à elle, était Olahava. (Je voulais vraiment savoir ce qui lui était arrivé. Vivait-elle heureuse quelque part entourée de bébés elfes ou quelque chose de grave s'était-il produit ?) Et si on menait notre enquête ?

— Son histoire t'intéresse, à ce que je vois. Pas de problème. Et puis, tu sais que Delilah adore jouer à ce jeu.

Je jetai un coup d'œil à l'horloge. Presque minuit.

— Tu devrais rentrer. Emmène Iris avec toi, elle a l'air crevée.

La *Talon-Haltija* s'était roulée en boule sur le lit et commençait à s'endormir.

— OK. Au fait, pendant que tu n'étais pas là, Delilah a appelé. Elle a trouvé une camionnette pour demain après-midi. On viendra te débarrasser de tout ce bazar pendant ton sommeil. En ce moment, elle est à la maison avec Maggie, dit Camille en se relevant et en époussetant le dos de sa robe. (Elle se saisit du journal.) Tu m'as rendue curieuse. Et ça ne peut vouloir dire qu'une chose : c'est reparti pour les emmerdes !

Je lui adressai un grand sourire.

— De toute façon, on est toujours dans les problèmes jusqu'au cou, ça ne va pas beaucoup nous changer ! J'ai assez rangé pour cette nuit. Je vous raccompagne en bas pour donner un coup de main à Luke au bar.

En riant, elle fit signe à Flam et Morio et s'occupa de réveiller Iris. Puis je les suivis. Vampire ou pas, j'avais de la chance d'avoir une famille telle que la mienne… aussi bien celle du sang que celle du cœur.

À 1 h 05, très exactement, les portes s'ouvrirent pour laisser apparaître Chase. Responsable de la brigade Fées-humains du CSI et inspecteur en chef, Chase était aussi le copain, plus ou moins attitré, de Delilah. Personnellement, je ne leur donnais pas une chance de tenir la distance, mais ils étaient déterminés à essayer.

Leur relation semblait sortie tout droit d'une émission de Jerry Springer. Si je le savais, c'était parce que Delilah m'avait forcée à regarder trop d'épisodes de cette pollution télévisuelle nocturne. J'avais accepté uniquement pour passer du temps avec elle.

Chase s'approcha du bar. La dernière fois qu'il m'avait rendu une visite tardive au *Voyageur*, il avait été couvert de sang et nous nous étions lancés à la poursuite de Dredge. Cette fois-ci, en revanche, il semblait plutôt propre et calme. Il observa la salle avant de se glisser sur un tabouret.

— Club soda, sans glace, commanda-t-il. Est-ce que tu as aperçu Willy Volte-face, ces derniers temps ?

Je ricanai. Willy Volte-face était cent pour cent humain sauf qu'avec un peu d'alcool dans le sang, il se prenait pour Superman. Heureusement, il ne s'était jamais suffisamment mis en danger pour donner une raison aux flics de l'enfermer. Du moins pas encore. Mais Chase s'inquiétait pour lui. Je ne comprenais pas pourquoi.

— Personne ne l'a vu depuis une semaine, répondis-je. Il a sûrement repris du service, mais il reviendra. Comme toujours. Un peu de patience, tu verras.

—C'est ce qui m'inquiète. Un de ces jours, il va délirer et se mettre en tête qu'il peut voler. Je ne tiens pas à recevoir un appel pour m'annoncer qu'il a plongé d'un gratte-ciel. (Chase joua avec son soda.) Écoute, pour tout te dire, je ne suis pas venu pour te parler seulement de Willy.

—Pas possible, Sherlock! Qu'est-ce que tu veux? demandai-je en souriant.

Chase et moi étions souvent en confrontation, mais nous avions appris à nous respecter.

—J'ai une question à te poser.

Je nettoyai le bar avec un chiffon propre. À cette heure-ci, *Le Voyageur* était encore bondé. Pourtant, personne ne semblait mécontent. J'avais eu raison d'engager Chrysandra, ma meilleure serveuse. Je me penchai par-dessus le comptoir.

—OK, qu'est-ce qu'il y a? fis-je en le resservant.

—J'ai un problème. Je me suis dit que tu pourrais m'aider. J'aurais bien demandé à Delilah, après tout, c'est elle la détective, mais cette fois, c'est plus de ton ressort.

Son regard sombre croisa le mien. Avant, Chase ne pouvait même pas me regarder. À présent, nous n'étions plus gênés par la présence de l'autre. Ou presque.

—De quoi s'agit-il?

Il haussa les épaules.

—Je ne sais même pas si ça en vaut la peine… Enfin, voilà le topo: il y a quelques jours, on nous a rapporté une disparition. D'habitude, je ne te parle jamais de ce genre de choses. En fait, cette info est arrivée directement au FH-CSI. La personne qui a disparu est un vampire.

Je le dévisageai.

—Qui a fait ce rapport?

Les vampires s'adressaient rarement aux autorités. Chase avait raison de s'inquiéter.

— Je ne sais pas. Cette personne a tout fait pour rester anonyme. Tout ce que je peux te dire, c'est que c'était la voix d'une femme. On n'a pas pu tracer son numéro. Elle l'avait bloqué. Tu as déjà entendu parler du club *L'Horlogerie* ?

— Je le connais, oui, répondis-je. Mais personne ne m'a jamais invitée à leurs réunions.

L'Horlogerie était l'inverse du *Fangtabula* : raffiné, attirant les vampires de la haute société. Les abus n'y étaient pas tolérés. On n'y buvait que du sang en bouteille pris à des volontaires.

Le club sentait les fortunes anciennes. Pendant leur vie, ses membres avaient été des sangs-bleus. Ils ne prêtaient aucune attention aux vampires de la vieille école, ni aux nouveau-nés maladroits. Parmi ces élitistes qui comptaient bien le rester, tout marchait par cooptation. D'après ce que je savais, la liste d'attente était aussi longue que la côte ouest. Il existait trois chambres : une à Seattle, une à Portland et une à San Francisco.

— Un de leurs membres, un vampire, a disparu il y a cinq nuits. Personne ne l'a revue ni entendue depuis. Apparemment, elle continuait à vivre dans la société.

Certains vampires cachaient leur statut de morts-vivants à leurs amis et à leur famille. Ils y arrivaient pendant un certain temps. Notre amie, Sassy Branson, parvenait à donner le change depuis trois ans. Personnellement, je ne trouvais pas ça très sain… même si je comprenais qu'on puisse éprouver des difficultés à laisser son ancienne vie derrière soi. Après tout, je ne pouvais pas leur jeter la pierre. Il suffisait de voir le nombre d'années que j'avais vécues avec mes cicatrices avant de me confronter à Dredge.

— Qu'est-ce qui s'est passé ? Tu es sûre qu'elle ne s'est pas promenée au soleil ? Tu sais que le nombre de suicides parmi les vampires est en nette augmentation comparé à celui des autres communautés surnaturelles.

— Non, répondit Chase en secouant la tête. La femme qui nous a appelés semblait sûre qu'il s'agissait d'un crime. Elle nous a donné le nom de sa fille et de son mari. Le couple vit à Seattle. Claudette Kerston avait vingt et un ans à sa mort, il y a sept ans. Apparemment, elle a une « vie » bien remplie, si l'on peut dire. Elle est mariée, son mari est toujours vivant. J'ai fait des recherches sur elle. La Sécu ne savait même pas qu'elle était morte ! finit-il, en haussant les sourcils.

— Tu l'as dénoncée !

Je secouai la tête. Les vampires qui cachaient leur nature posaient de gros problèmes de paperasse lorsqu'on les découvrait.

— Je ne l'ai pas fait exprès. J'ai parlé à son mari. Il sait que sa femme est un vampire et il l'a aidée à mentir. La Sécu et le Trésor public ne vont pas le lâcher, mais je ne peux rien y faire. (Il haussa les épaules en souriant.) Qu'est-ce que tu veux que je te dise ? Ils n'ont pas respecté la loi. Tout ce que gagne un vampire est soumis à l'impôt et tu sais aussi bien que moi que certains vampires pleins aux as étaient sans le sou à leur mort. On dirait bien qu'être mort-vivant représente un bon moyen de gagner sa vie.

— Ça a ses avantages, concédai-je. Surtout quand tu prends en compte le fait qu'on n'a pas besoin de nourriture et d'autres nécessités... ou notre capacité à charmer les gens pour leur voler leur fric. C'est pour ça que les domaines régionaux se forment, pour servir de liaison entre le gouvernement et la communauté vampirique.

— En tout cas, reprit Chase, son mari est fou d'inquiétude. D'après lui, Claudette rentre toujours à l'heure. Il m'a montré de quelle manière elle occupait ses nuits.

— Tu veux dire qu'elle ne passe pas son temps assise à ne rien faire ?

Si elle était membre de *L'Horlogerie*, elle n'avait aucune raison de travailler ou de faire quelque chose dont elle n'avait pas envie. Personne n'y entrait à moins d'avoir quelques millions dans son bas de laine.

— Elle a hérité une grosse fortune de son père. Elle n'a pas besoin de travailler. Elle écrit un livre. Un guide pour les nouveaux vampires. Il m'a l'air bien pensé. Je ne crois pas qu'elle mente ou qu'elle soit assoiffée de sang. En fait, même si Claudette était encore en vie, je trouverais son cas inquiétant parce que je ne vois aucune raison pour laquelle elle voudrait disparaître.

Les sourcils froncés, Chase jouait avec son verre, en observant son petit doigt à l'extrémité manquante. Le doigt avait guéri, mais les cicatrices, elles, étaient toujours là. Depuis cet incident, Chase était devenu moins borné et réfléchissait davantage, plus motivé que jamais à nous suivre dans notre guerre contre l'Ombre Ailée et ses sbires.

— Tu es sûr que son mari dit la vérité à propos de leur mariage ? Est-ce qu'ils sont vraiment heureux ?

Le mari pouvait très bien avoir planté un pieu dans le cœur de sa femme pour s'en débarrasser et la faire porter disparue. S'ils avaient essayé de flouer le gouvernement, il ne pouvait pas dire la vérité maintenant. Et si c'était elle qui avait l'argent, la déclarer disparue pouvait lui rapporter gros.

La justice n'avait pas encore décidé si tuer un vampire devait être considéré comme un meurtre. Les partis conservateurs voulaient éviter que les morts-vivants récupèrent leurs droits. Les libéraux, eux, se battaient pour le contraire. C'était le débat explosif du moment. Et il n'était pas près d'être résolu.

— J'y ai pensé aussi, mais mon intuition me dit qu'il est honnête. (D'habitude, Chase ne laissait le bénéfice du doute à personne. Il semblait réellement convaincu que ce gars lui disait la vérité.) Qu'est-ce que tu en dis ? Tu vas mener ton enquête ? Poser des questions autour de toi ? Tu obtiendras de meilleurs résultats que moi.

— Ce ne sera pas difficile, la plupart des vampires détestent les flics.

Et puis, je serais peut-être capable de trouver ce qui clochait. Surtout si je demandais à Sassy Branson des infos sur *L'Horlogerie* et ses membres. Je me penchai par-dessus le bar.

— Alors ? s'enquit-il. Tu le feras ?

— OK, pourquoi pas ? Mais en échange, je veux que tu fasses quelque chose pour moi, lançai-je tout sourires. Un autre cas de disparition. Ou plutôt, de possible disparition. Une elfe répondant au nom de Sabele Olahava occupait mon poste avant Jocko. Un jour, elle a disparu et l'OIA affirme qu'elle est rentrée en Outremonde. Mais on pense que ce n'est peut-être pas le cas.

Chase nota son nom dans le carnet qu'il gardait dans sa poche.

— Sabele, Sabele… Je crois que je l'ai déjà rencontrée une ou deux fois. Au moment où l'on montait le FH-CSI. (Il s'arrêta pour réfléchir.) Oui, je me souviens d'elle. Très mince. Assez jolie, mais pâle. Comme la plupart des elfes, en fait. Tu crois qu'il lui est arrivé quelque chose ?

— On n'en est pas sûres. Est-ce que tu pourrais jeter un coup d'œil à tes archives ? Voir s'il s'est passé quelque chose de louche au *Voyageur* ? Ou si elle a porté plainte ? Camille aura traduit son journal demain. Pour l'instant, tout ce qu'on sait, c'est qu'elle avait l'impression d'être suivie. (Je jetai le chiffon sur le bar.) Bon, je dois fermer. Casse-toi.

Je croyais que les gens de ton espèce n'appréciaient pas les bars qui restaient ouverts après 2 heures du matin ?

Il ricana.

— Mon espèce ? Je suppose que tu parles des flics ? Franchement, si ça ne tenait qu'à moi, tous les bars fermeraient à minuit. Il y a déjà bien assez de mecs bourrés sur les routes. (Descendant du tabouret, il remit sa veste en place et se dirigea vers la porte.) À dimanche. Delilah m'a invité à dîner.

Je sortis rapidement de derrière le bar pour m'approcher de lui et posai mes doigts sur son bras.

— Que ce soit clair entre nous, Chase. Ne refais plus jamais un coup comme celui d'avec Erika. Sois direct et honnête avec Delilah et on s'entendra à merveille. Je te promets de t'appeler quand j'en saurai plus sur Claudette. Si tu trouves quoi que ce soit à propos de Sabele, contacte-nous tout de suite.

Sans un mot, il hocha la tête et s'éclipsa. Je souris d'un air satisfait. J'arrivais toujours à le terrifier. Personnellement, je trouvais que c'était une très bonne chose.

Chapitre 4

J'étais sur le point de fermer le bar quand Nerissa fit son apparition. Sous ses allures de déesse blonde, elle appartenait à la troupe de pumas-garous du mont Rainier. Je l'avais vue se transformer une fois et je n'avais pu m'empêcher d'admirer la beauté de cette humaine devenant petit à petit un grand félin. Son corps était fin et élancé. Chaque fois que, répondant à l'appel sauvage de la lune, elle dévalait le territoire de la troupe de pumas, je me demandais pourquoi une femme si incroyable était mon amante.

Nerissa travaillait pour l'assistance sociale. Elle s'occupait des enfants en difficulté qui devaient être placés en familles d'accueil. Visiblement, elle avait eu une longue et fatigante journée.

Passant de l'autre côté du bar, je vins à sa rencontre près de la porte. Aussitôt, elle se pencha pour effleurer mes lèvres avec les siennes. Douce. Sa peau était si douce ! Et son parfum rappelait celui d'un champ ensoleillé. Je sentis une chaleur envahir mon bas-ventre quand, tout à coup, elle m'attira dans ses bras en poussant un grognement. J'étais si proche que je pouvais sentir le sang battre dans ses veines. J'ouvris la bouche pour donner libre accès à sa langue, mais elle prit son temps, me plaquant contre la porte.

Dans mon excitation, j'inversai nos positions pour l'avoir à ma merci contre le mur. Je glissai la main sous son pull pour caresser sa peau soyeuse. Tandis que mes doigts s'aventuraient vers ses seins, elle écarta les jambes pour que je puisse placer mon genou entre elles. Je connaissais par cœur les formes qui se cachaient derrière la barrière de lin.

Je passai un bras derrière elle pour fermer la porte à clé. Puis je lui fis signe de me suivre à l'arrière. Une lueur illumina son regard. Dans mon bureau se trouvait un lit de jour. Le temps que nous l'atteignions, elle avait déjà retiré son pull et commencé à ouvrir son pantalon. Je l'imitai rapidement avant de lui sauter dessus comme un lapin en chaleur. Je baissai la tête pour déposer une nuée de baisers le long de sa poitrine, jusqu'au milieu de son ventre musclé avant de me diriger vers cette merveilleuse touffe blonde qui attestait de sa couleur naturelle.

Je sentis les muscles de ses cuisses se tendre tandis que je me glissais entre elles, lui assenant de légers coups de langue circulaires. En quelques secondes, je lui fis atteindre un orgasme rapide et violent. Ça faisait environ une semaine que nous ne nous étions pas vues. J'adorais le lien que le sexe procurait, mais pour Nerissa, comme pour ma sœur Camille, c'était une sorte de nourriture. Nécessaire à sa survie.

Tâchant de reprendre son souffle, elle secoua la tête et rit doucement.

— J'ai des fourmis partout. J'avais tellement envie de toi que j'ai presque volé jusqu'ici.

Tout sourires, je m'assis pendant qu'elle s'appuyait sur ses coudes.

— Contente d'avoir pu t'aider.

— À ton tour maintenant, murmura-t-elle en me regardant dans les yeux.

Dès qu'elle effleura mon corps avec ses doigts, je ne pus m'empêcher de frissonner. Je n'assumais toujours pas mes cicatrices, pourtant, quand Nerissa me faisait l'amour, elles n'existaient plus. Comme si Dredge ne m'avait jamais touchée. Elle avait réussi à gagner ma confiance et mon estime : un exploit.

Elle fit jouer ses doigts entre mes jambes, leur extrémité touchant à peine ma peau, laissant derrière eux une traînée de flammes qui semblait en allumer d'autres dans mon ventre.

Je dus me faire violence pour ne pas la plaquer au sol et enfoncer mes canines dans son cou. Au début, j'étais terrifiée à l'idée de perdre le contrôle, mais, au fil des mois, j'avais découvert que je pouvais me concentrer, apprécier la passion sans laisser le prédateur prendre le dessus. Même si mon plaisir passait par le sang et le sexe, j'avais fait le serment de ne jamais mordre Nerissa. Elle me l'avait déjà proposé. J'avais refusé.

Se penchant, elle prit un de mes tétons dans sa bouche qu'elle suça si fort qu'une humaine ne l'aurait pas supporté. Personnellement, la sensation ne fit que m'exciter davantage. Je laissai ma tête retomber en arrière, les yeux fermés.

— Laisse-toi aller, bébé, fit-elle en bougeant la tête. Abandonne-toi. Ne te contrôle pas.

Même si je combattais la soif, je sentais l'orgasme approcher, une vague prête à me submerger. Alors, je m'abandonnai à cette confiance, la laissant m'emporter à l'extérieur de moi-même, dans un royaume où le sang n'existait pas, où seules les sensations et la symbiose des âmes importaient.

— Menolly ? Ça va ? s'enquit-elle doucement en me ramenant à la réalité.

Je me relevai et posai ma tête sur son épaule.

— Plus que tu le crois. J'avais besoin de toi, moi aussi. On peut dire que j'ai passé une mauvaise journée. En tout cas, je suis surprise de te voir si tard. Tu mets pas mal de temps pour rentrer chez toi. À moins que tu aies l'intention de dormir chez nous ?

Elle m'enlaça. Plutôt que d'éveiller mes instincts, le rythme constant des battements de son cœur me berça dans un état de sérénité intérieure. J'avais bien fait de me nourrir plus tôt. Nous restâmes allongées ainsi, l'une contre l'autre, pendant une dizaine de minutes avant que Nerissa s'écarte et parte à la recherche de son pull.

— J'avais oublié que je devais te parler d'une chose importante ! s'exclama-t-elle, d'un air soudain dépité.

— Ne me dis pas que tu veux cesser de me voir. J'ai déjà vécu la même chose ce soir et je te préviens : je le prends mal.

Posant son pantalon sur une chaise, j'entrepris de m'habiller à mon tour. Elle pencha la tête sur le côté.

— Qui a osé te jeter ça au visage ? Il est encore en vie ? Si oui, donne-moi son nom, je vais aller lui trancher la gorge !

Je haussai les épaules en enfilant mon jean. La trahison de Wade m'avait bien plus affectée que je le pensais.

— Wade, marmonnai-je. Il m'a virée des Vampires Anonymes. Il a l'air convaincu que ma présence met en danger ses chances de gagner la régence du domaine vampirique du Nord-Ouest. Qu'il aille se faire foutre. Ou pas. Après son petit discours, il a essayé de me sauter dessus. Tu y crois ? Moi, j'ai du mal. Petit con !

Les sourcils froncés, Nerissa s'appuya contre le comptoir.

— Tu penses qu'il se laisse envahir par le côté prédateur de sa nature ? Pourtant, d'après ce que tu m'as dit de lui, il n'a pas l'air comme ça.

Je relevai soudain la tête. Impossible ! Parmi tous les vampires… Wade ? Endossant le rôle du méchant ?

— Non, répondis-je rapidement. (Peut-être trop. Je percevais la panique dans ma propre voix.) Du moins, je ne crois pas.

Il avait abandonné ses lunettes sérieuses, en effet. Et il avait déniché la réplique parfaite du pantalon de

Jim Morrison… mais de là à se laisser envahir par l'obscurité! Je secouai la tête.

— Il s'inquiète parce qu'il veut éviter que Terrance gagne. Il a peur que tous les efforts des Vampires Anonymes partent aux oubliettes. Peut-être que j'ai mal réagi. Après tout, Wade ne fait que me confronter à la réalité. Et même si je n'aime pas l'admettre, il a raison. Je suis un poids pour lui maintenant. J'oblige les gens à prendre parti.

Ça me faisait mal d'admettre que je comprenais sa façon de penser, mais je ne pouvais pas nier la réalité.

— Merde, répondit Nerissa. Je suis désolée.

Je pris la main qu'elle me tendait du bout des doigts.

— Voilà pour les dernières nouvelles. Et toi ? Qu'est-ce que tu voulais me dire ?

— Oh, tout va de mieux en mieux, dit-elle en levant les yeux au ciel. Le conseil des anciens s'est réuni ce soir et m'a convoquée. J'en reviens à peine. Comme Zachary va passer le reste de l'été dans un fauteuil roulant et ne peut pas se présenter aux élections municipales, Vénus l'enfant de la lune veut que je le fasse à sa place. Tu t'en doutais, pas vrai ?

— Oui, mais je pensais que le conseil des anciens s'y opposerait parce que tu refuses de dévoiler au monde que tu es un garou…

Nerissa n'était pas encore sortie du placard. Elle avait peur des retombées sur sa carrière d'assistante sociale.

— Oui, je pensais que le problème ne se posait plus. Visiblement, j'avais tort. Le conseil s'est réuni pour en discuter plus avant. Vénus pense que c'est une très bonne occasion pour la communauté. Si l'État me vire à l'annonce de ma… condition, on pourra toujours les attaquer grâce aux nouvelles lois contre la discrimination des créatures surnaturelles. Quand le gouvernement a commencé à donner des droits aux Fae, il a été obligé de les étendre aux garous. Donc, en théorie, si je sors du placard maintenant, ils ne peuvent pas m'enlever mon job, finit-elle d'un air nerveux.

Les Fae d'abord. Les créatures surnaturelles ensuite. Les vampires, un jour peut-être. Le gouvernement n'avait jamais brillé par son amour de l'égalité. Je la regardai dans les yeux. Elle avait l'air indécise.

— Tu n'as pas envie d'être candidate, pas vrai ?

— Pas du tout, dit-elle en secouant la tête. Je ne veux pas prendre cette responsabilité. La campagne me prendra tout mon temps libre. Je veux des moments pour moi-même, surtout si je continue à bosser, et j'ai envie de continuer ! J'aime trop mon job pour le laisser tomber. Et ça veut aussi dire… (Elle s'interrompit avant de relever la tête vers moi.) que je n'aurais pas beaucoup de temps pour mes amis et mes amants.

Je clignai des yeux.

— Tu ne vas pas me faire le même coup que Wade ?

— Non ! s'exclama-t-elle. (Au ton de sa voix et à la fatigue dans son regard, je la crus immédiatement.) Si le conseil me demandait de rompre avec toi parce que tu es un vampire, je leur dirais d'aller se faire voir. Vénus sait que nous sommes amantes et il n'a aucun problème avec notre relation. Et, pour tout te dire, c'est lui qui dirige pratiquement la troupe en ce moment. Non, le problème, c'est que si je relève le défi, je devrai consacrer du temps à la campagne. Quand tu te lèveras, je serai déjà épuisée. Je n'ai pas la chance de pouvoir me contenter de trois ou quatre heures de sommeil.

Ses yeux s'emplirent de larmes. Elle tenait son pantalon dans une main, et serrait l'autre poing avec rage. J'embrassai les gouttes salées qui coulaient le long de ses joues.

— Alors pourquoi le fais-tu ? m'enquis-je même si je connaissais déjà la réponse.

Nerissa faisait partie de la troupe des pumas. Elle avait des devoirs envers sa communauté. Elle leur devait allégeance. Et parfois, comme dans la guerre contre les démons, l'intérêt de tous passait avant nos propres désirs.

Comme elle s'apprêtait à parler, je posai un doigt sur ses lèvres pour la réduire au silence.

— Pas la peine, murmurai-je. Je comprends.

Je m'écartai lentement pour enfiler mes bottes, vérifiant que les talons étaient toujours intacts. Entre les sprints et les combats, très peu avaient résisté.

— Tu sais que tu comptes beaucoup pour moi. J'adore être avec toi. Et je ne te demande rien.

— Oui, dit-elle avec un léger sourire. Je ressens la même chose. Ce qui signifie que nous sommes faites l'une pour l'autre. On finira par vieillir ensemble. (La pensée que ma vie continuerait très longtemps après sa mort me traversa l'esprit, mais je ne lui en fis pas part. Pas la peine de plomber davantage la conversation.) Je vais simplement mettre ma vie en suspens. Le conseil attend ma réponse demain. Au moins, ils me donnent l'illusion que j'ai le choix.

Elle attrapa son sac à main et passa la bandoulière à son épaule.

— Par curiosité… qu'est-ce qui se passerait si tu refusais ?

Je n'avais aucune idée du mode de fonctionnement de la troupe. Je savais seulement que la plupart des garous étaient très fiers et respectaient leurs aînés.

— Ils me tiendraient à l'écart des choses importantes. On me repousserait à la périphérie de la communauté. Je n'en ferais plus vraiment partie. Et je finirais probablement par m'éloigner de moi-même. Regarde Zach ! La seule raison pour laquelle il est encore là, c'est parce qu'il fait partie du conseil des anciens. Comme Vénus lui fait confiance, les autres ont consenti à ne pas lui chercher des noises. Mais si tu te mets le conseil à dos, c'est fini pour toi. (Elle s'arrêta avant de relever la tête.) Je ne suis pas prête à abandonner tout ça.

— Je comprends, répétai-je. (C'était la vérité. Elle termina de s'habiller en silence et je la raccompagnai jusqu'à la porte.) On se débrouillera. Je pourrais venir te voir plus souvent. T'attendre chez toi par exemple, disons une fois par semaine. On trouvera bien quelque chose.

Elle ne me répondit pas. Alors je lévitai légèrement jusqu'à me trouver à la même hauteur qu'elle, les yeux dans les yeux, et déposai un baiser sur ses lèvres.

— Ce n'est pas comme si on n'allait plus jamais se revoir. Après tout, on peut faire ce qu'on veut. Je te connais. Tu as besoin de sexe, tout comme Camille. Si tu décides de te tourner vers Vénus ou quelqu'un d'autre, ça ne me pose aucun problème.

— Ça marche aussi pour toi. J'espère que tu le sais. Je ne suis pas jalouse. Du moins… (Nerissa s'appuya contre la porte et me caressa la joue.) J'ai beaucoup réfléchi. Je ne veux pas te perdre, Menolly. Les hommes ne font que passer, mais toi, tu es ma copine. Et si… on était fidèles dans ce cadre-là ? Je veux dire par là, ne coucher avec aucune autre femme ? Qu'est-ce que tu en dis ?

Je compris subitement que j'étais vraiment aimée. J'étais capable de vivre avec ça.

— OK, plus d'autres femmes.

— Bien. Je rentre à la maison pour dire à Vénus que j'accepte de me présenter au conseil de la ville. Après, je prierai comme une malade pour ne pas gagner.

Et, tout sourires, elle disparut dans la nuit.

Tandis que la porte se refermait derrière elle, je repensai à sa situation. Ce n'était pas très différent de ce que mes sœurs et moi vivions. Nous avions toutes des obligations à remplir de par notre rôle et notre destin.

Même si voir Nerissa deux ou trois fois par semaine allait me manquer, je respectais sa décision. Elle était loyale envers sa communauté.

Oui, pensai-je en fermant la porte à clé derrière moi et en enclenchant le système de sécurité. Nerissa avait réussi à conquérir mon cœur. Je ne pouvais pas prendre le risque de tout gâcher. Dans la rue silencieuse, je me dirigeai vers ma Jaguar avec le sentiment d'être la femme la plus chanceuse du monde.

Chapitre 5

Plutôt que de rentrer directement à la maison, je décidai de rendre une petite visite à Sassy Branson pour en apprendre plus au sujet de Claudette et du club *L'Horlogerie*. Le soleil ne se lèverait pas avant trois heures et Sassy n'avait rien contre mes visites impromptues, en particulier parce que ma fille, Erin, vivait avec elle.

Erin. Un véritable terrain miné. Même enfant, je ne m'étais jamais imaginé devenir mère. Pourtant, alors que je n'étais moi-même pas tout à fait adulte, j'avais désormais pour fille une femme d'âge mûr.

Sassy habitait dans un hôtel particulier près de Green Lake. La maison, aussi immense que le terrain sur lequel elle était bâtie, avait été achetée par son mari. Le fait que Sassy soit lesbienne ne semblait pas le gêner, même si, bien sûr, elle ne l'avait pas affiché pendant son mariage. En fait, mari et femme avaient chacun vécu une vie confortable de leur côté.

À peine avais-je pressé le bouton de l'Interphone que la voix de Janet s'éleva. Elle me demanda qui j'étais, puis j'attendis que les portes s'ouvrent.

Janet était à la fois l'assistante, la gouvernante et l'amie de longue date de Sassy. Quand j'avais appris les préférences sexuelles de Sassy, je m'étais demandé si Janet avait été sa maîtresse, mais au fil du temps, il m'était apparu clairement que Janet ne penchait pas du tout vers ce bord-là. Dans tous les cas, elle avait pris soin de Sassy depuis qu'elle avait seize ans. On trouvait difficilement plus loyale qu'elle.

Janet m'attendait à la porte lorsque je descendis de ma Jaguar et montai rapidement les marches. Sa bosse de douairière lui donnait des airs de Julia Child, tout comme sa gentillesse et sa droiture. Oui, Janet ressemblait vraiment à cette grande dame spécialiste de la cuisine française.

— Bienvenue, mademoiselle Menolly. Mlle Sassy vous attend dans le petit salon, me dit-elle gravement tout en arborant un sourire chaleureux.

— Est-ce qu'Erin est avec elle ? demandai-je, excitée à l'idée de voir ma fille.

Avec un hochement de tête, Janet se dirigea vers la fenêtre tandis que je jetai un coup d'œil dans l'entrebâillement de la porte qui menait au petit salon. Erin et Sassy jouaient aux échecs. Comme toujours, Sassy portait du Chanel et s'était aspergée du parfum du même nom. Aucun cheveu n'osait s'échapper de sa coiffure parfaite.

Contrairement à elle, Erin n'était pas féminine pour un sou. Toutefois, Sassy avait décrété que tant qu'elle resterait chez elle, elle n'aurait pas le droit de porter ses pantalons larges et ses vieux pulls en flanelle. Et Sassy obtenait toujours ce qu'elle voulait. Alors, Erin avait opté pour un pantalon en lin qui semblait assez inconfortable.

Ma fille avait perdu son bronzage. La couleur de sa peau commençait à se rapprocher de celle d'un albinos, étape que tout nouveau vampire à la peau claire connaissait. En revanche, ceux qui avaient la peau noire ne changeaient pas.

— Bouh ! m'exclamai-je en entrant dans la pièce.

Erin se leva d'un bond avant de s'incliner en une profonde révérence. Elle avait appris à contrôler ses pulsions d'obéissance envers moi, mais pendant les premières années, tous les vampires s'agenouillaient devant leur sire. J'aurais eu la même réaction avec Dredge s'il m'avait gardée près de lui après ma transformation. Malgré ma haine pour lui, j'y aurais été contrainte par notre lien familial.

— Comment ça va ? demandai-je en lui faisant signe de se rasseoir.

Je m'installai sur le canapé en face.

— Sassy m'apprend à contrôler mon glamour.

Quand elle parlait, Erin ne semblait pas encore tout à fait elle-même. C'était aussi une conséquence de la transformation. Elle était mon enfant désormais. Elle éprouvait donc le besoin naturel de me plaire. Sans oublier qu'elle avait été la présidente du club des observateurs de fées de son vivant.

— Très bien. C'est une leçon importante, Erin. Tu dois apprendre à te contrôler auprès de ceux qui respirent encore, mais aussi à les manipuler. Fais de ton mieux pour moi, OK ?

Je détestais lui parler comme à une enfant. Pourtant, la situation l'exigeait. Elle était jeune, très jeune pour sa nouvelle condition et l'émerveillement face à ses pouvoirs pouvait rapidement mener à des abus. Les vampires auxquels on n'enseignait rien avaient tendance à devenir des prédateurs. La dernière chose que je voulais c'était de devoir planter un pieu dans le cœur de ma propre fille. Je jetai un coup d'œil à Sassy qui, elle, dévisageait Erin avec beaucoup de fierté.

— Erin est une très bonne élève, dit-elle. Elle fait des progrès remarquables. Elle apprend vraiment vite. Erin, pourquoi ne montes-tu pas dans ta chambre un instant ? Va regarder la télé ou discuter sur Internet... tout ce que tu veux, jusqu'au lever du soleil.

Erin lui obéit sans poser de question et nous souhaita bonne nuit. J'avais autorisé Sassy à s'occuper d'elle et à lui donner des ordres. Jusqu'à ce que je décide le contraire, Erin la considérerait comme sa tutrice quand je n'étais pas là.

Aussitôt qu'Erin disparut de la pièce, Sassy se tourna vers moi, l'air inquiet.

— J'ai appris ce qui s'était passé entre Wade et toi. Je suis vraiment désolée, ma chérie. Il m'a parlé de ses projets avant de venir te voir. J'ai essayé de le convaincre de changer d'avis. Il doit bien y avoir un autre moyen…

Elle se pencha en avant et effleura ma main. Comme je m'y attendais, Wade était d'abord venu ici. Il ne voulait pas perdre son soutien.

— Tu es sûre que tu ne veux pas que j'emmène Erin ? Être liée à moi ne t'apportera rien de bon en ce moment.

La triste vérité. Wade m'avait ouvert les yeux sur une plaie qui ne cessait pas de saigner. Sassy ricana.

— Ma jolie, je crois que tu oublies quelque chose… Moi aussi, j'ai tué mon sire ! Et je l'ai rappelé à Wade. Je ne suis tout simplement pas à la une des actualités en ce moment. Comme je cache ma vraie nature, seule la communauté vampirique et quelques créatures surnaturelles la connaissent. Mais je suis fatiguée de rester dans le placard. J'ai décidé de faire mon *coming-out* en tant que vampire. Je vais parler à tout le monde de mon sire, Takiya.

— Je crois qu'il est temps, Sassy, lui dis-je, impressionnée. Révèle ta vraie nature.

— Menolly, commença-t-elle d'un ton hésitant. (Ses sourcils tremblèrent avec nervosité.) Je dois te parler de quelque chose.

Je soutins son regard. Je savais parfaitement de quoi il retournait. Le sujet semblait flotter dans l'air entre nous depuis des mois à présent, chaque fois que j'entrais dans la maison de Sassy.

— Je crois que je sais de quoi il s'agit. Je m'en suis aperçue depuis quelques semaines, mais je voulais que tu m'en parles de toi-même. C'est à propos d'Erin, pas vrai ? Tu tombes amoureuse ?

Sassy haussa les épaules et m'adressa un sourire peiné.

— On tombe amoureuses toutes les deux. Dieu sait que je ne l'avais pas prévu. Je n'aurais jamais pensé être capable de la considérer de cette façon, mais… on a tellement parlé depuis quelques semaines. On s'entend si bien. Et on a presque le même âge. Enfin, je suis un peu plus vieille, mais pas de beaucoup. C'est parfait.

— Je sais, mais elle est encore nouvelle dans cette vie…

— Menolly, je te donne ma parole. Je ne la forcerai à rien. En fait, hier soir, Erin s'est confiée à moi. Elle m'a avoué qu'elle avait toujours préféré les femmes, mais qu'elle n'avait jamais eu le courage de le dire. Sa famille ne l'aurait pas accepté et elle était trop importante pour elle. Maintenant, elle n'a plus rien à perdre. S'ils ne l'acceptent pas en tant que lesbienne, ils réagiront aussi mal quand elle leur dira qu'elle est un vampire. Et elle compte bien le faire.

Je hochai la tête. Ça faisait quelque temps maintenant que je me doutais que Sassy et Erin étaient plus que des amies. L'idée ne me dérangeait pas, mais j'étais inquiète qu'Erin ne soit pas prête à se lancer dans une telle relation. Révéler qu'on était un vampire était beaucoup plus dur que faire son *coming-out*. Les deux en même temps promettaient beaucoup de difficultés.

— Du moment que tu ne lui en demandes pas trop… Erin doit s'habituer à sa nouvelle vie. Je n'aimerais pas qu'elle oublie d'apprendre à contrôler ses pouvoirs parce qu'elle concentre son attention sur votre relation. Le sang de Dredge coule dans mes veines. Un sang très puissant. Probablement un des plus puissants sur cette terre. Et je suis aussi à moitié Fae. Erin va avoir beaucoup de choses à assimiler, remarquai-je en soupirant. Jusqu'où êtes-vous allées ? Je ne veux pas paraître curieuse…

Sassy pencha gracieusement la tête.

— En tant que sire, tu as tous les droits de le savoir. Nous n'avons… rien fait. Nous avons beaucoup parlé. Je veux bien me plier à tes désirs, mais si tu veux que cette relation reste platonique pour l'éternité, tu devras trouver un autre toit à Erin. Je sais que ce n'est pas juste…

— Pas juste ? m'exclamai-je en riant. Tu as accepté de l'héberger ! Tu as donné de ton temps et de ton énergie pour l'aider. Combien de vampires auraient fait la même chose pour moi ? Non, Sassy, je te dois beaucoup. Je pense simplement que tu ferais mieux de poursuivre cette relation platonique pendant un an. Je ne te demande pas de ne pas lui parler, ni de ne pas lui tenir la main… mais n'allez pas plus loin pour le moment, OK ?

Sassy hocha la tête.

— Je te le promets. Erin continuera à vivre ici ; on sera sages. Tu ne seras pas déçue, ajouta-t-elle avec un clin d'œil. Et toi ? Comment va cette charmante garou avec qui tu sors ?

Si j'en avais été capable, j'aurais rougi jusqu'aux oreilles. Je n'affichais pas ma vie amoureuse comme Camille. Je n'étais pas particulièrement timide ou honteuse de mes préférences sexuelles. Seulement, j'aimais garder pour moi certains aspects de ma vie… comme mes repas, par exemple.

— On fait une pause forcée. Sa troupe a décidé qu'elle devait se présenter aux élections du conseil municipal à la place de Zachary. Sa guérison va prendre beaucoup de temps et il doit concentrer ses forces là-dessus. (Je m'adossai contre le canapé et levai les yeux au plafond. Un chandelier richement décoré avec des libellules en verre illuminait la pièce.) Tiffany ?

— Oui, répondit-elle en hochant la tête. Avec la marque de fabrique. Il appartenait à la mère de mon mari. Comme elle savait que je l'aimais beaucoup, elle nous l'a offert en cadeau de mariage. C'était une femme formidable et juste. (Sa voix se brisa. Au bout d'un moment, elle haussa les épaules.) Margaret était une bonne belle-mère. Elle ne nous a jamais reproché de ne pas avoir fait d'autres enfants après la noyade de notre fille.

Je n'avais jamais posé de questions à Sassy au sujet de sa fille, de peur qu'elle le prenne mal. Pourtant, ce soir-là, elle semblait vouloir parler.

— Comment s'appelait-elle ?

Sassy me regarda d'un air surpris.

— Je ne t'en ai jamais vraiment parlé, pas vrai ?

— Non, dis-je en secouant la tête. Et je n'ai jamais osé te poser de questions.

Janet choisit ce moment pour entrer dans la pièce avec deux verres remplis de sang. Je n'avais jamais demandé à Sassy où elle se le procurait. Ç'aurait été déplacé. Remerciant la gouvernante d'un geste de la tête, j'attrapai une flûte. Elle n'aimait pas être traitée comme une amie par les connaissances de Sassy. Elle voulait que les choses restent à leur place et ne montrait aucun intérêt à converser.

— Merci Janet. Remets les rideaux en place, s'il te plaît. Après, je te laisse le champ libre pour une heure ou deux. Sois simplement de retour avant 4 heures.

Sassy s'adressait à elle avec affection. Et Janet n'avait jamais semblé perturbée par la nature vampirique de sa patronne. Quand elle nous laissa, Sassy se tourna de nouveau vers moi.

— Elle t'a aidée à traverser la plus grande partie de ta vie, n'est-ce pas ?

Je mélangeai ma boisson. Ce n'était pas du sang animal, j'en étais persuadée. Sassy baissa la tête en souriant.

— En effet. Et je n'ai jamais essayé de la mordre, même dans les moments où j'avais le plus soif. Je déteste penser au jour où elle me quittera. J'aimerais faire d'elle une des nôtres, mais elle refuse. Alors, je resterai à son côté jusqu'à la fin. Janet a un cancer, tu sais. Une tumeur au cerveau qui empire petit à petit. (Des larmes de sang emplirent ses yeux.) Elle m'a été plus proche que n'importe qui : ma famille, mes amis, même mon défunt mari. Janet est… elle fait partie de moi.

— Mais tu ne la transformeras pas.

Je me demandais ce qu'elle ressentirait lorsque Janet mourrait. J'avais juré de ne jamais transformer qui que ce soit jusqu'à ce que j'assiste à l'agonie d'Erin et à sa volonté de vivre. À ce moment-là, j'avais brisé ma promesse et l'avais changée en vampire. Voilà où nous en étions. Pourtant, je choisis de ne rien dire. Sassy ferait ses propres choix en temps voulu et sa conscience les lui rappellerait.

— Non, répondit finalement Sassy en prenant une gorgée de sang. (Elle s'essuya les lèvres avec une serviette écarlate.) Menolly, la chasse me manque. Depuis six mois, j'achète ma nourriture à la banque de sang. Il y en a une nouvelle, tu sais, en centre-ville. Ils paient les gamins qui traînent dans la rue pour qu'ils leur donnent leur sang. Ça leur fait de l'argent de poche et la banque fait attention à ne pas trop leur en prendre. Wade est à l'origine de cette petite entreprise.

J'observai ma flûte de feu écarlate.

— Pourquoi ne vas-tu pas chasser ?

Sassy s'éclaircit la voix. Je relevai la tête pour que nos regards se rencontrent.

— J'ai commencé à y prendre goût. Je me laisse aller. Rien qu'un peu, Menolly, mais ça m'effraie. C'est pour ça qu'Erin me fait du bien. Elle me rappelle à quel point l'entraînement est important. L'aider m'aide aussi. (Elle hésita avant de continuer.) J'aimerais que tu me promettes quelque chose. Je n'ai pas de famille, donc considère ça comme un paiement pour avoir aidé Erin. Jusqu'au bout.

Je savais déjà ce qu'elle allait me demander. J'avais fait promettre la même chose à Camille.

— Si ça devait arriver, je te le promets. Je serai rapide. Tu ne souffriras pas… et tu ne feras de mal à personne.

Hochant la tête, Sassy se détendit et se laissa aller en arrière contre son siège.

— Merci. Ça me rassure… Bien, parlons de ma fille maintenant. Elle était magnifique. Ses cheveux avaient la même couleur blonde que ceux de Delilah. Malgré sa finesse, elle avait beaucoup de force. Abby avait une confiance innée en elle-même, tout en étant dépourvue de la moindre méchanceté. Abigail m'a sauvée. Elle m'a donné une raison de me plier à toutes ces coutumes. Je l'aimais plus que tout, Menolly. Je serais morte pour elle. (Elle s'interrompit et baissa la tête.) Quand elle avait cinq ans, nous sommes allées en vacances sur la côte. Nous nous promenions sur la plage, Janet, Abby et moi. Johan devait assister à une réunion quelque part. Il avait reçu un appel important. Quoi qu'il en soit, après m'être allongée pour bronzer, je me suis endormie. Ce sont les cris de Janet qui m'ont réveillée. Elle courait vers les vagues. Abby jouait au bord de l'eau lorsque la marée a commencé à remonter. Elle a été emportée.

Je fermai les yeux pour lui laisser un peu d'intimité face à sa peine.

— Abby a été emportée par le courant. Elle avait disparu avant que Janet l'atteigne. Aussi rapidement que ça. Les sauveteurs ont accouru aussitôt, mais ils n'ont pas retrouvé son corps avant le jour suivant quand il est venu s'échouer sur la plage.

Sassy soupira. Elle mettait en pratique les exercices que je lui avais appris. Parfois, quand l'émotion devenait trop intense, forcer les poumons à travailler pouvait aider, même si l'oxygène ne nous était plus nécessaire. Bloquer l'air, compter jusqu'à ce que la panique, la peur ou la colère disparaisse, puis exhaler.

— Que s'est-il passé ensuite ?

— La lumière de ma vie s'est éteinte. Johan et moi avons réussi à surmonter cette épreuve, mais Janet a eu du mal à s'en remettre, persuadée de sa culpabilité. Pourtant, ce n'était pas sa faute. Je n'aurais pas dû m'endormir ! J'aurais dû surveiller ma fille ! (Des larmes de sang coulaient le long de ses joues.) J'ai passé le reste de mon existence à éviter de me souvenir de tout ça. Et depuis que je suis morte, j'essaie de me racheter en aidant les autres.

Aucune de mes paroles n'aurait pu la réconforter. Sassy s'essuya le visage avec son mouchoir rouge vif. Au bout d'un moment, elle se reprit.

— Parlons d'autre chose. À quoi dois-je ta visite ce soir ? Il s'est passé quelque chose, pas vrai ?

Alors, je me souvins de la raison principale de ma venue ici.

— Oui, j'ai besoin de renseignements sur *L'Horlogerie*, si tu en as. Et j'aimerais savoir si tu connais une certaine Claudette Kerston.

— *L'Horlogerie* ? demanda-t-elle en riant. Ils m'ont invitée, mais ce n'est pas vraiment mon style. Prépare-toi à prendre des notes. C'est un groupe assez particulier. Tu ne voudras pas manquer une miette de ce que je vais te décrire.

Aussi simplement que ça, l'atmosphère se détendit et elle se mit à me raconter l'histoire du club vampirique le plus élitiste du pays.

Chapitre 6

Le doux appel du crépuscule me tira du sommeil. Je clignai des yeux avant de me lever brusquement et de rejeter les couvertures qui me couvraient. Puis je compris où je me trouvais. Je n'avais jamais eu besoin de couvertures, mais je me sentais vulnérable si je dormais nue sans au moins un drap sur moi.

Je m'étirai en bâillant. Malgré les douze ans qui s'étaient écoulés, j'avais gardé cette habitude. Même si l'oxygène ne m'était pas nécessaire, il avait fait partie de ma vie pendant presque soixante ans. Je ne pouvais pas m'en défaire en claquant des doigts.

Parfois, quand je bâillais, une étrange sensation m'envahissait tandis que l'air s'engouffrait dans mon corps et mes poumons. Ce n'était pas le sentiment rassurant que pouvait apporter la respiration d'une personne vivante. Les molécules d'oxygène couraient dans mes veines, à la recherche d'un endroit où se poser, tentant de stimuler les cellules sanguines, sans obtenir aucune réponse. J'expirai lentement. Mes poumons redevinrent silencieux.

Ces réflexes demeuraient invisibles jusqu'à la mort. Alors ils prenaient un sens complètement différent.

Tandis que je me levais de mon lit, le passage secret menant à ma chambre s'ouvrit pour laisser apparaître Delilah et Camille dans l'escalier. Camille tenait le journal de Sabele.

— Bien, tu es réveillée. Iris aimerait que tu l'aides avec Maggie.

Parfois l'une d'entre elles descendait ici pour attendre mon réveil. Toutefois, elles se tenaient à l'écart de mon lit et de tout danger. Au lever, mes instincts prenaient le dessus et j'avais tendance à blesser ceux qui s'approchaient de trop près.

— La terre ne s'est pas arrêtée de tourner pendant que je dormais ?

Mon sommeil n'était pas comparable à celui d'une sieste. Si les démons envahissaient la maison ou mettaient le monde à feu et à sang, je ne m'en apercevrais pas avant le crépuscule.

— J'ai traduit le journal de Sabele, répondit Camille, en s'allongeant à plat ventre sur mon lit, les jambes en l'air, chevilles croisées. (Ses talons semblaient dangereusement pointus.) Je dois te dire que c'était une elfe fascinante. Et elle était suivie par un malade.

Delilah me tendit mon jean que j'enfilai immédiatement. Rien ne valait les pantalons hypermoulants, c'était ma théorie. Je n'avais plus à m'occuper de ma circulation sanguine. Il fallait simplement que je puisse me battre avec, sinon, ils ne valaient pas leur pesant de denim. À part ça, je les aimais très serrés.

— Amour à sens unique ? demandai-je en enfilant un pull à col roulé.

— Tu devrais mettre un débardeur. Il fait si chaud dehors, remarqua Delilah.

— Je n'y suis pas encore prête, dis-je en secouant la tête. De toute façon, le chaud et le froid ne m'affectent pas.

Libérée de mon sire ou non, je n'assumais pas encore le réseau de cicatrices que Dredge avait tracé sur mon corps avec ses ongles. Je ne me sentais pas à l'aise dans des vêtements qui le dévoilaient. Je me baissai pour fermer mes bottines.

— Amour à sens unique ? répéta Camille. Étrangement, non. C'est ce qui vient tout de suite à l'esprit, mais ce gars… où est la page ? (Elle parcourut le journal.) Ah voilà. Son nom est Harold Young. Il étudie à l'université de Washington. Apparemment, il se contentait de la suivre. Il n'a jamais essayé de lui demander un rendez-vous ou quelque chose dans le genre. Sabele commençait à avoir peur. Il l'a suivie pendant cinq jours d'affilée, puis le sixième… le journal est vide. Il n'y a plus rien d'écrit.

Je relevai la tête de mes chaussures quand, soudain, une de mes tresses s'accrocha à mon dessus-de-lit. Les fils s'étaient pris dans l'une de mes perles d'ivoire. Delilah accourut à mon côté pendant que j'essayais de me délivrer.

— Attends, tu vas tout déchirer si tu ne fais pas attention.

Tandis qu'elle démêlait mes cheveux, une lueur espiègle s'alluma dans ses yeux. Fasciné, son regard resta bloqué sur les fils. Oh merde ! Je savais très bien ce que ça signifiait.

— Lâche mes cheveux et recule doucement, fis-je en attrapant rapidement la tresse qu'elle tenait dans les mains. Je la tiens.

Elle frissonna, le souffle rapide, puis, les yeux vitreux, tenta de la récupérer. En un clin d'œil et un tourbillon de couleurs, je me retrouvai avec un chat doré pendant à ma chevelure, jouant avec mes mèches avec la joie d'un enfant dans un magasin de bonbons.

— Hé ! Sale petite…

Je tentai de m'en défaire, mais j'étais toujours accrochée au dessus-de-lit. Delilah resserra sa prise.

Alors, Camille se dépêcha de venir l'attraper, gagnant une jolie griffure sur le bras au passage. Autant racheter un nouveau dessus-de-lit. Je me saisis du tissu et le déchirai d'un coup. Au moins, j'étais libérée. Quand je me retournai, j'aperçus Camille qui portait Delilah au-dessus de sa tête, les mains autour de son ventre poilu. Delilah poussait des miaulements plaintifs et se débattait. Hérissée, elle avait les yeux écarquillés et les coussinets écartés.

— Tu es libre ? demanda Camille.

Je hochai la tête. Elle lança le chat sur le lit. Delilah détala alors à l'autre bout de la pièce et gravit l'escalier dans sa quête pour… eh bien, ce que les chats faisaient dans ces cas-là. Je lui avais posé la question un jour, mais pour seule réponse j'avais obtenu un éclat de rire.

— Bon… Je n'avais pas vraiment prévu de commencer la nuit comme ça, remarquai-je en examinant mon dessus-de-lit déchiré. Ce n'est pas si terrible que ça. Peut-être qu'Iris pourra le recoudre quand elle aura du temps.

Camille finit de retirer les fils de mes cheveux et me regarda des pieds à la tête.

— Tu as déjà pensé à changer de coupe ? J'aimais bien quand tu les portais détachés et bouclés.

— D'après toi, pourquoi est-ce que je les coiffe comme ça ? demandai-je. Réfléchis un petit peu. Ils ne me gênent pas quand je me bats, je ne les éclabousse pas de sang chaque fois que je me nourris, et puis… je trouve ça cool.

— Tu devrais au moins les défaire de temps en temps pour les laver. Je te referai tes tresses, si tu veux. (Elle jeta les fils à la poubelle.) Mettre de l'eau et du shampooing comme ça ne semble pas très hygiénique.

Je la dévisageai, atterrée par l'étrangeté de notre conversation.

— Je suis morte, Camille. Morte. Tu crois vraiment que c'est très hygiénique comme condition ?

— Je ne sais pas, et toi ? demanda-t-elle, les sourcils froncés. En fait, je n'y pense plus du tout. Pour moi, être mort signifie pourrir six pieds sous terre ou être couvert du sang d'une bataille dont tu ne te relèveras pas. Puisque tu n'appartiens à aucune de ces catégories, je t'ai retirée de la liste pour te mettre dans celle des créatures de la nuit.

J'éclatai de rire.

— C'est la chose la plus insensée que tu aies dite aujourd'hui. (Je jetai un coup d'œil à l'escalier.) Tu penses que Delilah va tarder à redescendre ?

— Je ne sais pas. Tout dépend de ce qu'elle aura trouvé en chemin.

— Bon, dans ce cas-là, dis-je en lui faisant signe de me suivre, on ferait mieux de monter au rez-de-chaussée. Tu disais que l'homme qui suivait Sabele s'appelait Harold ?

Une partie de moi soupçonnait le petit ami de Sabele, mais son nom était Harish.

Camille me suivit dans l'escalier, éteignant la lumière une fois arrivée au sommet. Quand nous nous glissâmes hors de la bibliothèque qui dissimulait le passage, Iris se tenait sur un tabouret, penchée sur Maggie, avec un air exaspéré.

— S'il te plaît, mange ton dîner… (Elle leva la tête à notre approche.) Je suis contente de vous voir ! Peut-être que vous arriverez à la faire manger.

— Qu'est-ce qui se passe ?

Quand je m'approchai d'elle, le bébé gargouille se mit à grimacer et crier des « mouf » mécontents. Je lui ouvris mes bras, mais, Maggie, qui d'habitude se jetait sur moi à l'instant où elle me voyait, continua à pleurer dans son coin.

— Elle ne veut pas de son dîner. Elle veut sa crème. Mais elle doit avaler de la nourriture solide. Il faudra bientôt la sevrer, soupira Iris en poussant de nouveau le plat de légumes et d'agneau haché vers Maggie.

Celle-ci refusa aussitôt d'un air renfrogné. Nous essayions de la sevrer de son mélange de crème, sucre, cannelle et sauge qui avait composé son régime jusqu'à présent. Mon livre sur les gargouilles des bois affirmait qu'elle était prête à passer à l'étape suivante, à savoir de la viande hachée accompagnée de légumes et d'herbes deux fois par jour, et le simililait maternel une fois par jour. Il faudrait aussi lui apporter quelques souris pour lui apprendre à chasser et à se débrouiller seule.

Iris proposa encore l'agneau à Maggie. Cette fois, la boule de poil attrapa un morceau de viande, mais au lieu de le manger, elle le lança dans ma direction, me touchant en plein visage.

— Merci, m'exclamai-je en grimaçant tandis qu'Iris me tendait une serviette. (Je m'en servis pour effacer toute trace de l'attaque.) Sale petit troll sur pattes ! Pourquoi est-ce que tu ne lui donnes pas sa crème ? On ne peut pas la laisser mourir de faim. Il est clair qu'elle ne mangera pas ce soir.

— Non, interrompit Camille. Ça ne lui fera pas de mal de sauter un repas. Elle doit apprendre à manger de la viande. Elle en a besoin pour la croissance de ses os et de ses ailes. Elle devra se passer de repas pour ce soir, c'est tout.

— Tu as raison, dit Iris en soupirant. Je vais aller la coucher dans ma chambre.

Lorsque Iris quitta la pièce avec une Maggie en pleurs dans les bras, je m'assis avec Camille à la table de la cuisine.

— Où en étions-nous ? demanda-t-elle.

— Tu étais en train de me parler de cet Harold. Tu penses qu'il a quelque chose à voir avec le petit ami elfe ?

— Ah oui, c'est vrai ! Non, pas du tout. Apparemment, Harish, son copain, est en mission sur Terre pour la reine Asteria. C'est un technomage. Il est chargé de s'informer sur la technologie terrienne et de ramener les informations chez lui pour tenter de les fondre à la magie elfique.

— Tu crois qu'il est toujours là ?

Je m'appuyai sur mes coudes et attrapai un cure-dent dans le pot en cristal.

— Je peux le savoir, intervint Delilah en passant la tête dans la cuisine. (Elle se dirigea vers le réfrigérateur et se servit un verre de lait avec une part de tarte aux pommes.) Désolée pour tout à l'heure, dit-elle en souriant. Pour un chat, tes cheveux sont vraiment trop tentants, tu sais ?

Camille poussa une chaise vers elle.

— Oui, on sait.

— Comme je le disais, je peux passer le recensement des communautés surnaturelles au peigne fin avec l'aide de Tim pour voir si on trouve sa trace quelque part. Avec la fonction recherche, ça devrait prendre quelques minutes.

— Bonne idée, approuva Camille. Si ça ne marche pas, on demandera à Morgane si ça lui dit quelque chose. Les triple Menace gardent l'œil sur les elfes et les Fae immigrés.

Delilah laissa échapper un rire si brusque que du lait lui sortit du nez.

— Un de ces jours, elles vont te faire payer ça. Et tu ne seras pas capable de ramper assez loin ou assez vite pour leur échapper.

Depuis quelque temps, Camille appelait les trois reines Fae terriennes, les « triple Menace ». Pour l'instant, Titania, Aeval et Morgane n'en savaient rien.

— Si ça devait arriver, Camille n'aurait qu'à les attaquer avec un éclair en utilisant la corne de la licorne noire. Ça les carboniserait, remarquai-je en tapant sur la table. Allez, on perd du temps. Je n'ai pas beaucoup d'heures devant moi en été. On ferait mieux de s'y mettre.

Iris choisit ce moment pour apparaître.

— Elle s'est endormie. J'espère qu'elle ne se réveillera pas cette nuit. (Elle jeta un coup d'œil à l'horloge.) J'ai un rendez-vous ce soir, je ne pourrai pas la garder.

— Avec Bruce ? demanda Camille.

— Oui, il sera là dans une heure environ.

Je m'éclaircis la voix.

— Tu l'aimes beaucoup, pas vrai ?

— Oui, admit-elle en rougissant. Même si c'est un leprechaun, il a bon cœur. On fait la fête ce soir.

— Pourquoi ? La sortie d'une nouvelle marque de bière ?

J'aimais bien Bruce, mais je n'appréciais pas qu'Iris ait une vie de son côté. Je ne savais pas ce qu'on deviendrait le jour où elle déciderait de se marier et de nous quitter. Tandis qu'elle finissait de mettre la vaisselle dans la machine à laver, elle m'adressa un regard assassin.

— Non. Arrête de te moquer de mon petit ami. Bruce a réussi à obtenir un poste à l'université de Washington. Il va y enseigner l'histoire irlandaise et la mythologie celtique. C'est temporaire, pour un semestre seulement, à partir de cet automne. Le professeur actuel part en congé maternité.

Delilah engouffra sa dernière bouchée de tarte.

— Tu pourrais être plus sympa quand même. Il est gentil et très drôle.

— OK, OK, répondis-je. Je suis désolée. C'est juste que je n'arrête pas de penser que tu vas finir par nous quitter. Et crois-moi, personne n'en a envie.

Iris éclata d'un rire cristallin avant de secouer la tête.

— C'est pas vrai ! C'est pour ça que tu es toujours froide avec Bruce ? Je croyais que tu n'aimais pas son espèce ! Menolly, tu devrais savoir que vous êtes ma famille maintenant. Même si je me mariais avec Bruce, je ferais en sorte de vivre près de vous. On pourrait faire construire dans le jardin par exemple.

J'ai juré de me battre à vos côtés dans la guerre contre l'Ombre Ailée. Je ne vous abandonnerai pas.

— Je suis désolée, me repentis-je, touchée par sa loyauté. Vraiment. S'il te plaît, fais mes excuses à Bruce. Amuse-toi bien. On va trouver une baby-sitter pour Maggie.

Tout à coup, le morceau de quartz posé sur le côté de la table se mit à briller, puis à siffler. Je serrai les dents. Je détestais ce son. Les barrières magiques de Camille avaient détecté quelque chose. Un intrus hostile se trouvait sur notre propriété.

— Merde, encore des ennuis, marmonna Delilah.

— Oh pour l'amour du ciel ! Pourquoi maintenant ? Je dois me préparer, grommela Iris en regardant les cristaux d'un air mauvais.

Elle retira son tablier d'un geste rageur. Camille se leva d'un bond.

— Qui se dévoue pour aller voir ? Morio et Flam ne sont pas là et je n'ai aucune idée d'où peuvent se trouver Roz et Vanzir.

— Attendez-nous ici. On vous appellera si on a besoin de vous. Je vais y aller en premier puisque je peux avancer sans faire de bruit. Chaton, tu me suis sous ta forme féline ?

Tandis que je me dirigeais vers la porte, Delilah se transforma rapidement. Camille se rendit dans le salon pour s'emparer de sa dague en argent et de celle de Delilah et se tint prête à intervenir. Iris, elle, se retira dans sa chambre pour rester avec Maggie.

Après avoir ouvert la porte de derrière en silence, j'avançai dans la nuit chaude. Les étoiles brillaient au-dessus de moi et la lune dorée était encore visible. Une légère brise faisait onduler les arbres, leurs silhouettes sombres effleurant l'indigo du ciel. J'écoutai, tâchant de distinguer ce qui était normal de ce qui ne l'était pas.

Nous habitions dans une vieille maison victorienne de deux étages, sans compter le sous-sol où se trouvait mon antre, nichée au sein du quartier de Belles-Faire à Seattle. Nous ne taillions jamais les plantes de notre propriété, préférant les laisser à l'état sauvage. Un chemin menait à travers bois jusqu'à l'étang aux bouleaux où nous procédions aux rituels lors des jours saints. La maison elle-même se dressait dans une clairière entourée de très peu d'arbres. De petits jardinets parsemaient la pelouse : les herbes de Camille, le potager d'Iris, et quelques fleurs dont je ne voyais jamais la vraie couleur.

Alors que j'attendais, debout, immobile, un bruit attira mon attention. À peine perceptible au premier abord, il devint de plus en plus fort. Il provenait du chemin menant à l'étang. Je descendis l'escalier et me glissai dans l'obscurité. Delilah me suivit sous sa forme de chat, se fondant à la perfection dans les buissons, si bien que la seule chose qui trahissait sa présence était la chaleur de son corps.

Tandis que j'avançais dans le jardin, je regrettai de ne pas pouvoir me transformer en chauve-souris. Malgré tous mes efforts, je n'avais pas encore tout à fait maîtrisé l'exercice. Une fois dans le ciel sous ma forme de souris ailée, je me faisais surprendre par les courants d'air. Pour le moment, ce pouvoir était davantage un point faible qu'une bénédiction.

Soudain, au début du chemin, le bruit se rappela à moi. Un bruissement de feuilles. Des dents qui claquent. Ne faisant qu'un avec les arbres, je me fondis dans l'ombre, frôlant à peine le sol sous mes pieds.

Le son s'intensifia encore. À droite, hors du sentier, dans la forêt. J'observai les sous-bois. Vampire ou pas, je pouvais quand même me casser quelque chose si je glissais. Alors, je sautai sur un sapin, m'agrippant au tronc. Quand j'étais encore en vie, j'avais été acrobate, une espionne qui pouvait tenir au plafond, escalader la moindre façade... du moment que mon sang humain ne se rappelait pas à moi. La plupart du temps, ça marchait. Sauf une. La plus critique... dont le résultat était ma condition actuelle. Heureusement, devenir vampire avait aiguisé mon potentiel.

Je passai de tronc en tronc, me frayant facilement un chemin de branche en branche, d'un arbre au suivant. Ici, le bois était dense, les arbres poussaient très près les uns des autres. Ainsi, je pouvais me déplacer à ma guise, dans le silence le plus complet.

Une clairière promettait de révéler ce qui avait déclenché l'alarme. Ou du moins, j'espérais que je suivais la bonne piste, qu'il ne s'agissait pas de Rapido, le basset du voisin. Pourtant, quand, accrochée aux branches d'un cèdre géant, je jetai un coup d'œil à l'étendue d'herbe, mes inquiétudes s'évanouirent. Je ne m'attendais pas du tout à ça.

Dans la clairière, penché au-dessus d'une bûche, se tenait un petit homme. Sa peau était parcheminée, de la couleur de la vieille moisissure et son visage tout plissé. Il était recouvert de boutons blancs qui menaçaient d'éclater chaque fois qu'il bougeait. Il semblait mâcher quelque chose. À y regarder de plus près, je me rendis compte qu'il s'agissait d'un cadavre d'opossum. Cette horreur enfonçait des dents jaunes et gâtées dans la chair poisseuse.

Une goule. Je sentis mon estomac se retourner. Une goule sur notre propriété ! Ce qui signifiait qu'un nécromancien se trouvait dans les parages, à relever les morts. Pas vraiment le genre de voisins dont je rêvais.

Les goules n'étaient pas faciles à éliminer. Si on ne les détruisait pas immédiatement, elles continuaient à se battre jusqu'à être réduites en charpie. Le feu marchait bien, mais je ne pouvais pas m'en servir. Je pouvais aussi l'assommer en un rien de temps, toutefois, tant que je ne trouverais pas un moyen de m'en défaire complètement, il continuerait à se relever. Pire, le nécromancien serait capable de connaître la position de sa créature sur nos terres.

Je baissai la tête. Delilah se cachait dans les buissons en dessous. Elle ne quittait pas la goule des yeux, mais me fit un signe. Aussitôt, je glissai le long du tronc jusqu'à elle sans attirer l'attention de la goule.

— Delilah, murmurai-je si bas que je ne fus pas certaine qu'elle avait entendu jusqu'à ce qu'elle hoche la tête. Rentre à la maison et explique la situation à Camille et Iris. Camille devrait amener la corne avec elle, si elle a toujours le pouvoir du feu à sa disposition. Nous devons absolument brûler toutes les parties de son corps pour nous débarrasser d'elle. Je vais rester pour la surveiller et peut-être essayer de la maîtriser.

Elle hocha encore la tête avant de détaler en direction de la maison. Je reportai mon attention sur la créature. C'est parti ! Le bruit de ses mâchoires se refermant sur les tendons de l'opossum me parvint clairement. Mon ouïe était particulièrement aiguisée et je pouvais distinguer tous les sons que je voulais, mais je devais rester concentrée.

J'estimai vaguement la distance qui nous séparait, puis sautai dans sa direction. La goule ne m'entendit pas jusqu'à ce que j'atterrisse non loin d'elle. Alors, elle releva la tête, mais pas assez rapidement pour éviter mon coup de pied qui la fit tomber sur le dos, mon talon transperçant sa chair. Les bottines se révélaient toujours très pratiques, surtout quand elles étaient pourvues de talons hauts.

La goule grogna. La plupart d'entre elles ne savaient ni parler ni crier. Elle retomba sur le tronc par-dessus le cadavre de l'opossum. Je ne pouvais pas vraiment la tuer. Elle était déjà morte. Mais peut-être que j'arriverais à l'assommer jusqu'à ce que Camille arrive avec la corne de licorne.

Elle se releva. Les goules, comme les zombis, ne s'arrêtaient pas avant d'être détruites. Un peu comme un lapin Duracell complètement fou. Toutefois, le vrai problème avec les goules, c'était que, contrairement aux zombis, elles suivaient une sorte de raisonnement. Elles n'étaient pas intelligentes, mais assez conscientes pour suivre des ordres. Je ne savais pas d'où provenait cette différence. Ça venait sûrement de la magie qui les avait réveillées. Ce gars ne s'en tiendrait pas là.

Tandis qu'il se relevait, je le frappai encore dans le dos et me jetai sur lui, grimaçant en sentant son odeur fétide. Il pourrissait sûrement depuis plus d'un an. Je l'attrapai par les cheveux et tirai, lui brisant la nuque. Ça ne le tuerait pas, mais plus je lui cassais de choses et plus il aurait du mal à nous attaquer. Alors, j'eus une illumination. Il continuerait à bouger sans tête, mais il ne nous verrait plus. Ou du moins, je le supposais.

Je tirai de toutes mes forces. Je ne voulais pas me servir de mes dents pour détacher la chair, même si j'y serais peut-être obligée en dernier recours. J'étais beaucoup plus forte que lui. Avec un peu de patience, je finirais par le couper en petits morceaux.

Malheureusement, trop occupée par mon nouvel ami, je ne faisais pas attention à ce qui se passait derrière moi. Un coup dans le dos me fit perdre l'équilibre.

Je tombai, mais roulai immédiatement sur le côté pour me remettre debout à la manière de Bruce Lee. Tandis que je me retournais, je me retrouvai face à face avec un grand homme portant une veste en cuir. Des cheveux épais tombaient sur ses épaules et une barbe fournie lui mangeait les joues. Un peu comme un ZZ top, plus musclé et moins avenant.

Les canines allongées, les yeux rouges et brûlants, je me mis en position d'attaque, prête à le combattre.

Souriant légèrement, il sortit un long pieu de bois et le pointa dans ma direction.

— Tu tiens vraiment à te battre avec moi ? Je pourrais te réduire en poussière avant que tu clignes ces jolis yeux de sang. Allez, éloigne-toi de ma goule avant que je te transforme en kebab. À toi de voir. Qu'est-ce que tu choisis ?

CHAPITRE 7

Je le dévisageai, tentant de savoir s'il était sérieux. En tout cas, il en avait l'air. Au bout d'un moment, je repris la parole :

— Qui es-tu et qu'est-ce que toi et ta putain de goule venez faire sur nos terres ?

M. L'Infâme cligna des yeux avant de hausser les épaules.

— Appelle-moi Wilbur. Je suis nécromancien et c'est ma goule. Je préférerais la garder en un seul morceau, si ça ne te dérange pas. Elle s'est échappée sans que je m'en rende compte. Oh mon Dieu, tu l'as cassée !

Je jetai un coup d'œil à la goule qui s'était relevée, la tête penchée sur le côté gauche, souriant bêtement. J'avais fait du bon boulot pour briser les vertèbres au niveau de la nuque. Elle faisait pitié.

Je reportai mon attention sur Wilbur.

— Baisse ton pieu. Ta goule se trouvait sur nos terres et a déclenché nos alarmes. À quoi est-ce que tu t'attendais ? Si tu ne tiens pas tes jouets en laisse, ils finissent abîmés. Wilbur, c'est ça ? (Je secouai la tête. Comme si j'avais besoin de ça ! Un nécromancien qui portait le même nom qu'un cochon [1].) Tu viens d'où, Wilbur ?

— J'ai emménagé en bas de la rue, il y a quelques mois, répondit-il, perplexe. Dans la vieille maison de style londonien.

---

1. Voir *Le Petit Monde de Charlotte*, film.

Je n'ai jamais posé de problème à personne. D'habitude, je la surveille de près. (Il m'indiqua la goule d'un signe de la tête.) Mais les accidents arrivent. (Il baissa enfin son pieu, sans me quitter des yeux.) Tes sœurs et toi êtes plutôt célèbres dans le coin. J'ai tout de suite compris que Martin était ici. Votre propriété brille dans le noir comme un néon.

Un bruit provenant du sentier nous fit nous retourner au même moment. Wilbur leva de nouveau son pieu, puis se calma en apercevant Delilah et Camille courir vers nous. J'attendis qu'elles nous rejoignent, toutes deux étonnées par la scène qui se jouait devant elles.

— Les filles, je vous présente notre nouveau voisin, Wilbur. Wilbur est nécromancien. Il est le propriétaire de la goule, qui s'appelle Martin. Apparemment, Martin a réussi à s'échapper.

— Martin ? demanda Camille.

Elle sembla se rappeler qu'elle tenait la corne de la licorne à la main et la fourra rapidement dans sa poche. Pas assez rapidement, toutefois, pour échapper au regard intéressé de Wilbur.

Note à moi-même : surveiller ce type. Déjà que les nécromanciens n'étaient pas tous dignes de confiance, s'il connaissait les pouvoirs de cette arme, il risquerait de vouloir mettre la main dessus.

Delilah s'éclaircit la voix.

— Wilbur ? Tu es un HSP ?

— Hé, un peu de tact ! Oui, je suis un HSP. Je m'appelle Wilbur Folkes et j'habite au bout de la rue.

— Depuis combien de temps es-tu nécromancien ? demanda Camille sans cesser de le dévisager.

Wilbur haussa les épaules.

— Quelques années. Je dois retourner à mon labo. J'ai des potions sur le feu. Je ne voudrais pas les gâcher. Si vous voulez bien me laisser récupérer ma goule… je ferai en sorte qu'elle ne vous cause plus d'ennuis. J'espère simplement que je pourrai remettre sa nuque en place, grommela-t-il.

Je reculai en l'entendant murmurer. Aussitôt, Martin vint se ranger à son côté. Encore soupçonneuse, je me tournai vers les autres.

— Je vais m'assurer que Wilbur et Martin ne se perdent pas.

Tandis qu'elles hochaient la tête, j'entrepris de mener nos nouveaux amis à travers les bois.

Apparemment, Wilbur en avait assez de faire la conversation et Martin ne pouvait que grogner, alors je décidai de me taire aussi. Après tout, mieux valait en révéler le moins possible à notre sujet. Nous n'étions qu'à cinq minutes de la route. Wilbur avait le pas léger pour un homme de sa stature. Il passait au-dessus des racines, entre les arbres et les buissons sans la moindre hésitation. Quand nous fûmes arrivés à destination, en silence, Wilbur attrapa Martin par le bras sans le ménager. Je les regardai avancer sur le trottoir puis disparaître, comme prévu, dans la vieille maison de style londonien.

Delilah et Camille étaient déjà parties lorsque je revins à l'endroit où j'avais mis la goule au tapis. Je me dépêchai de rentrer à la maison. Quand j'ouvris la porte de la cuisine à la volée, elles m'attendaient, l'air à la fois amusé et un peu perdu.

— Vous en avez parlé à Iris ? demandai-je.

— Oui, et tout ça me paraît très bizarre. Mais je dois me préparer pour mon rendez-vous. Bruce ne va pas tarder à arriver. Désolée, s'excusa Iris avant de se diriger vers sa chambre.

—Alors? continuai-je en m'élevant dans les airs, là où je me trouvais le plus à mon aise. Que pensez-vous de notre nouveau voisin?

—On va finir devant le tribunal un de ces jours, répondit Delilah.

—J'espère bien que non! s'exclama Camille. Je ne lui fais pas confiance. Je n'aime pas son regard et je peux vous assurer qu'il pratique la nécromancie depuis bien plus longtemps que « quelques années ». Cet homme possède un pouvoir immense. Il empeste la mort, remarqua-t-elle, les yeux rivés sur la table. Je sais de quoi je parle. Morio et moi commençons à étudier la magie des os. C'est une route bien sombre. Plus tu t'y aventures, plus l'obscurité t'envahit.

Delilah me jeta un coup d'œil interrogateur auquel je répondis en secouant la tête. Camille faisait ce qu'elle avait à faire. Les sorcières du destin avaient décidé du rôle que jouerait Morio dans sa vie, autre que celui de mari ou de protecteur. Nous n'avions pas le droit de douter d'elle, de lui, ni de leurs choix.

—Tu penses que Wilbur nous ment?

Je faisais confiance au pressentiment de Camille, beaucoup plus sûr que sa magie lunaire.

—Oh, il dit la vérité à propos de son nom et le fait qu'il soit un HSP, mais il cache beaucoup de choses derrière le buisson mal taillé qui lui sert de barbe. Même si je ne ressens pas d'aura démoniaque autour de lui, quelqu'un qui relève les morts pour les transformer en goule doit sûrement avoir un mauvais coup en tête.

—Génial. Avec tous les problèmes qui s'accumulent, j'en oublie ce que j'étais censée faire... Ah je me souviens! Chaton, appelle Tim et vois ce que tu peux trouver sur Harish.

Les sourcils froncés, je tâchai de me rappeler de quoi nous parlions avant d'être interrompues. Camille se servit un verre de vin puis dénicha un paquet d'Oreos. Elle s'installa à la table au moment où Delilah décrochait le combiné du téléphone.

— Salut Jason ! Tim est là ? s'enquit Delilah en s'adossant au mur. (Au bout d'un moment de silence, elle reprit la parole, attestant de la présence de Tim.) Écoute, je sais que tu es dans les préparatifs du mariage jusqu'au cou, mais est-ce que tu pourrais faire une recherche pour moi dans les dossiers de la communauté surnaturelle, s'il te plaît ? Je n'ai pas leur intégralité sur mon ordinateur et nous devons trouver un elfe outremondien. Il s'appelle Harish, je ne connais pas son nom de famille. C'est ça… H-A-R-I-S-H… Merci, appelle-moi si tu trouves quelque chose.

Lorsqu'elle raccrocha, j'en profitai pour demander :

— Alors, le mariage de Tim et Jason est prévu pour quand ? Je sais qu'on a reçu une invitation l'autre jour, mais j'ai oublié de la regarder.

Camille se dirigea vers le panneau où l'on épinglait les messages pour y retirer une enveloppe couleur crème. Elle me la tendit. J'en sortis un carton épais et gaufré. Un travail magnifique, pensai-je. Le papier était sûrement fait main. Dessus, on pouvait lire dans une calligraphie parfaite :

« M. & Mme Simon et Virginia Winthrop ont le plaisir de vous annoncer le mariage de leur fils, Timothy Vincent Winthrop, avec Jason Alfonso Binds, fils de Mme Petti-Anne Binds.

Nous vous invitons à vous joindre à nous au Woodbriar Park le 19 juin à 21 h 30 pour assister à leur union sous les étoiles. Le révérend Monica Trent, membre de l'Église des mondes unis, présidera la cérémonie ainsi que le buffet qui aura lieu par la suite dans le parc.

Code vestimentaire : semi-formel.

Cadeaux : en guise de cadeaux, le couple souhaiterait que vous fassiez une donation à la banque alimentaire *La Moisson d'or.* »

Sur une note à part, écrite à la main, il était précisé que l'invitation s'étendait aux maris de Camille, à Chase, et autres, au cas où Iris et moi choisirions de venir accompagnées.

— Est-ce que nous y allons tous ? Iris aussi ? demandai-je avec un petit sourire.

Tim et Jason étaient ensemble depuis des années. Leur relation solide méritait d'être officialisée. Ça me faisait plaisir. Une partie de moi adorait les rituels du mariage.

— Bien sûr qu'on y va tous ! J'ai demandé à Roz de surveiller Maggie pour la nuit et il a accepté, répondit Camille.

— Roz ? m'exclamai-je, perplexe. Rozurial est de retour ?

Rozurial était un incube qui nous aidait depuis quelque temps à combattre la menace démoniaque. Mercenaire, chasseur de prime, très beau, ses manières enfreignaient toutes les lois de l'éthique envers les femmes. C'était aussi un très bon ami à moi. Nous avions plusieurs fois fricoté ensemble, mais je ne l'avais jamais laissé aller trop loin. Pour le moment. Environ trois semaines auparavant, la reine Asteria avait rappelé Roz à Elqavene, la cité elfique, pour une courte mission.

— Oui. Il a réapparu hier soir, dit Delilah en fronçant les sourcils.

Tout à coup, je me sentis un petit peu mieux et je me rendis compte que Roz et son sale caractère m'avaient vraiment manqué. Quand le téléphone sonna, j'attrapai le combiné.

— C'est sûrement Tim, remarquai-je. (Je me trompais. Il s'agissait de Chase.) Tu tombes bien : j'ai obtenu des renseignements sur *L'Horlogerie* et Claudette. Mais je suppose que tu veux parler à Delilah ?

— Pas du tout. Mets-moi sur haut-parleur s'il te plaît.

Il poussa un long soupir. Les nouvelles n'avaient pas l'air bonnes. J'appuyai sur le bouton du haut-parleur avant de poser le combiné.

— On t'écoute.

— J'ai besoin que vous veniez tout de suite. On a un problème, annonça-t-il d'une voix tendue.

— Qu'est-ce qui se passe ? s'enquit Delilah soudain inquiète.

— J'ai deux corps sur les bras : deux Fae, un terrien et un outremondien. (Il toussa.) Vous pouvez être là dans une demi-heure ?

Je jetai un coup d'œil à Delilah et Camille qui hochèrent la tête.

— Ça marche.

Alors que je raccrochais, Iris entra dans la pièce. Je n'en croyais pas mes yeux. Iris était naturellement belle, mais ce soir-là, elle avait sorti le grand jeu. Elle avait relevé ses cheveux brillants en un chignon parfait et enfilé une robe sans manche de la couleur de la nuit qui épousait ses formes. Un châle noir et or autour de ses épaules venait compléter le tout.

— Oh mon Dieu ! Tu es magnifique ! s'exclama Camille en la détaillant de la tête aux pieds. Bruce ne va pas s'en remettre en te voyant !

— Iris, tu es superbe, ajoutai-je. Mais nous avons besoin d'une baby-sitter pour Maggie… Chase vient de nous appeler. Il a besoin de nous.

— Aucun problème, dit Iris, tout sourires en regardant par-dessus nos épaules. On a de la compagnie.

Je me retournai aussitôt pour voir Roz franchir la porte.

—Roz, tu es de corvée de Maggie ce soir. Bruce vient de m'appeler. La limousine arrive. (Iris vérifia son sac à main.) J'ai de l'argent, mes clés et mon téléphone portable. Appelez-moi seulement en cas de fin du monde. Sinon, je rentrerai sûrement à l'aube.

Elle nous envoya un baiser avant de se diriger vers la porte, frôlant Roz qui se tenait là, ce qui lui valut un sifflement d'admiration. Alors, Iris s'arrêta et se retourna.

—Pardon ?

—Tu ne peux pas m'en vouloir, rétorqua-t-il en souriant. Laisse tomber ton rendez-vous et sors avec moi !

Même s'il plaisantait, il le pensait vraiment. Sous son long manteau en cuir, son mini-Uzi, toutes ses armes et ses cheveux longs se cachait le cœur d'un accro au sexe. Très agréable à regarder, d'un grand secours, mais accro au sexe quand même.

En guise de réponse, Iris se contenta de battre des cils et de lui envoyer un baiser. Puis elle disparut.

—Elle est encore plus belle que d'habitude, ce soir, marmonna-t-il. (Camille ricana tandis que Delilah se mettait à siffloter un air inconnu. Roz fronça les sourcils.) Quoi ? Aucune d'entre vous n'accepte de coucher avec moi, même quand je vous supplie ! Et toi, ajouta-t-il en pointant Camille du doigt. Ton mari est dingue ! Ne lui répète surtout pas ce que je viens de dire !

Elle lui fit un salut en souriant d'un air moqueur.

—Compris, capitaine LaTire !

Quelques mois auparavant, Flam avait traîné Rozurial dans la cour et l'avait réduit en miettes… seulement parce qu'il l'avait surpris en train de toucher les fesses de Camille. Le résultat n'avait pas été beau à voir. Depuis, Roz faisait en sorte de garder les mains loin de Camille, sauf si, bien sûr, elle avait besoin d'aide.

— Bon, il faut y aller. Roz, tu te charges du baby-sitting. Maggie est au lit. Va la voir de temps en temps. On se rend au FH-CSI. Encore des morts, expliquai-je en lui plantant un baiser sur le nez. Tiens, comme ça tu ne pourras pas dire que personne ne t'a embrassé. Arrête de te plaindre. Et surtout, ne mange pas tout ce qu'il y a dans les placards !

Tandis que nous attrapions nos sacs et nos clés et nous dirigions vers la porte, j'entendis Roz s'indigner derrière nous. Delilah et Camille éclatèrent de rire en montant dans la voiture de cette dernière. Je levai la tête pour observer les étoiles. Morts et goules mis à part, l'été terrien pouvait être magnifique, bien qu'un petit peu trop froid du côté de Seattle. *Si seulement je pouvais voir tout ça en plein jour, rien qu'une fois*, pensai-je alors que la voiture filait dans la nuit musquée.

Chapitre 8

Le bâtiment du FH-CSI se trouvait à la limite du quartier de Belles-Faire, au nord de Seattle, sur la Thatcher Avenue. Il était bâti en béton et illuminé par les lumières au sol qui l'entouraient. Quand on le voyait de l'extérieur, on avait l'impression qu'il était de plain-pied, mais, en réalité, trois niveaux se cachaient en sous-sol, comportant un arsenal, une unité d'incarcération pour les hors-la-loi citoyens d'Outremonde, une morgue et un laboratoire. Quant aux bureaux, l'infirmerie et le quartier général, ils se trouvaient à la surface.

Autour, s'étendait un terrain parsemé de fleurs et de buissons. Aucun arbre, aucune barrière, pour éviter qu'un prisonnier en cavale ou un chef de gang mécontent s'y planque. Les Anges de la Liberté, un groupe composé de HSP terriens élitistes, se faisaient de plus en plus nombreux, surtout depuis que les créatures surnaturelles terriennes et Fae révélaient leur identité en masse. À cause d'eux, nous avions assisté à quelques accidents terribles et quelque chose me disait que nous en verrions d'autres.

Nous nous garâmes sous un lampadaire, puis nous dirigeâmes vers le bâtiment. Deux gardes armés jusqu'aux dents surveillaient les portes. Deux Fae envoyés par Tanaquar. Petit à petit, Y'Elestrial se relevait de la guerre civile, avec notre père dans le rôle du conseiller de la reine.

Camille se pencha vers moi pour me murmurer à l'oreille.

— Je ressens beaucoup de magie émanant de ces deux armoires à glace. Je discerne même leur signature énergétique d'ici.

— Moi aussi et je ne suis même pas sorcière, ajouta Delilah en hochant la tête.

Je tâchai de me concentrer sur les deux hommes, mais je percevais seulement les battements de leur cœur et le son de leur sang circulant dans leurs veines. S'ils avaient été démoniaques ou morts-vivants, ç'aurait été différent. Je l'aurais su. La magie dite « normale » dépassait mon entendement.

Alors que nous passions devant l'entrée, les gardes nous jaugèrent du regard avant de nous laisser avancer sans même nous demander qui nous étions. Nous ne devions pas paraître suspectes.

Les portes ouvraient sur un grand hall, avec à gauche les bureaux dissimulés derrière des portes vitrées pare-balles, et légèrement à droite, un escalier qui descendait. Les ascenseurs se trouvaient juste devant nous. Nous prîmes à gauche et passâmes devant les portes.

La pièce était en ébullition. Tout le monde semblait occupé. En l'espace d'un mois, le nombre d'officiers outremondiens avait doublé.

Yugi, un empathe suédois, avait été récemment promu au rang de second de Chase. Il était penché par-dessus l'épaule d'un elfe qui semblait si jeune qu'il n'avait sûrement pas encore mué. Pourtant, il était probablement plus vieux que nous tous réunis. Visiblement, l'elfe essayait d'apprendre à se servir d'un ordinateur.

Quand il nous aperçut, Yugi leva la tête en souriant.

— Hé, les filles ! Le chef est dans son bureau. Il m'a demandé de vous laisser passer. (Alors, le téléphone sonna. Yugi décrocha et fit signe à « Re'ael », comme le stipulait son badge, de continuer ce qu'il faisait sur l'ordinateur.) Oui ? Où ça ? OK, je vous passe le chef.

Yugi appuya sur un bouton du téléphone tandis que nous nous dirigions vers les bureaux du fond. Delilah semblait pensive.

— Avant, j'adorais venir ici, mais depuis l'histoire avec Erika, je ne me sens plus à l'aise. Chaque fois que j'aperçois le bureau de Chase, je frissonne.

Peu de temps auparavant, elle avait surpris Chase en train de tremper sa plume dans l'encre d'une autre femme, juste sur son bureau. Les conséquences n'avaient pas été jolies, jolies.

— Au moins, il a retenu la leçon, remarquai-je en tentant de l'aider. La prochaine fois, il te demandera l'autorisation.

Chase pouvait agir de manière stupide parfois, mais il apprenait de ses erreurs. Nous passâmes tous les box jusqu'au mur du fond dans lequel étaient découpées trois portes, ainsi qu'une ouverture sur un hall. Sur l'une des portes était écrit le nom de Chase. Le store vénitien qui couvrait la vitre était relevé. Nous suivîmes Delilah.

Au téléphone, Chase prenait des notes sur ce que lui disait son mystérieux interlocuteur. En nous voyant, il nous fit signe d'entrer du bout de son stylo. Après avoir marmonné quelque chose, il raccrocha.

— Merde. Je voulais vous parler de ces corps, mais on a un nouveau problème. Venez, c'est une urgence.

Il attrapa sa veste et l'enfila par-dessus la chemise bleu layette parfaitement repassée qu'il portait. Tout à coup, j'aperçus la photo d'un chat blond trônant sur son bureau, à la vue de tous. Sans savoir pourquoi, l'idée qu'il puisse avoir une photo de ma sœur sous sa forme animale me fit sourire.

— Qu'est-ce qui se passe ? s'enquit Delilah.

Chase vérifia que son revolver se trouvait bien dans son étui, puis écrivit rapidement quelque chose sur un bout de papier.

— Qui conduit ?

— Moi, répondit Camille.

— Voilà l'adresse, dit Chase en lui lançant la note. Dépêchez-vous, on n'a pas toute la journée, ajouta-t-il avant de sortir de la pièce. (Nous le suivîmes.) On va à la boîte de nuit *Avalon*. Vous en avez déjà entendu parler ? (Sans attendre notre réponse, il continua :) Un monstre s'en prend aux danseurs. Notre informatrice dit qu'il ressemble à un calamar !

— Un calamar ? Tu plaisantes ! Dans une boîte de nuit ?

Je m'apprêtais à rigoler quand je croisai le regard de Chase. Je pouvais sentir le stress et la sueur qui émanaient de lui. L'odeur des tacos au bœuf qu'il avait mangés à midi se mêlait à celle de son inquiétude. Des effluves de peur émanaient de sa transpiration.

— C'est ce qu'elle a dit. On se retrouve là-bas. Ne vous arrêtez pas en chemin, une bagarre a éclaté. Des gens ont été blessés. (Il s'arrêta devant le bureau de Yugi.) Envoie une voiture de patrouille et une ambulance à la boîte de nuit *Avalon*. Dis-leur de nous attendre avant d'entrer. Nous ne savons pas contre quoi nous nous battons. Je ne veux pas perdre des hommes au passage.

Nous retrouvâmes la douceur de la nuit au pas de course. Chase se dirigea vers sa voiture de fonction, Delilah sur ses talons. Quant à Camille et moi, nous revînmes à la Lexus. Après avoir mis le contact, elle démarra sur les chapeaux de roues, faisant crisser les pneus à la sortie du parking. Aussitôt, j'apposai le gyrophare que nous avait donné

Chase sur le toit. Nous fonçâmes dans la nuit, la lumière rouge ouvrant le passage à notre approche.

La boîte de nuit *Avalon* appartenait à un groupe de Fae terriens. Il attirait surtout les Fae et quelques servantes des fées qui espéraient finir dans le lit d'une de leurs obsessions. Le club se trouvait au sein du quartier de Belles-Faire, non loin de l'endroit où nous étions.

Chase vira brusquement pour entrer dans le parking. Comme *Avalon* avait appartenu à une chaîne de restaurants qui avait fait faillite, la place ne manquait pas pour se garer. Camille le suivit. Tandis que nous sortions de la voiture, elle se tourna vers moi.

— J'ai presque hâte de me battre… c'est mal ?

Je lui rendis son sourire.

— Tu t'adonnes à la Chasse. C'est dans ta nature d'aimer te battre. Nous sommes des prédateurs, Camille. Toi, Delilah, moi. Même Chase. Flam chasse son dîner. Morio est l'enfant d'un démon. Vanzir est un démon qui chasse les rêves des gens. Rozurial en a après la passion. Tout être vivant, ou mort dans certains cas, se surprend à chasser. Cette quête nous donne une raison de vivre. Tu le sais aussi bien que moi.

Hochant la tête, elle tapota sa poche.

— J'ai apporté la corne, au cas où.

— Allons-y, ils sont déjà là-bas, dis-je en désignant Chase et Delilah qui nous faisaient signe de nous dépêcher.

Quand nous les rejoignîmes, Chase prit une grande inspiration. Au même moment, la voiture des renforts entra dans le parking.

— C'est rassurant de savoir qu'ils sont là, marmonna Chase en ouvrant la porte du club. (Il s'empara de son talkie-walkie.) Voiture 82, restez où vous êtes jusqu'à ce que je vous donne l'ordre d'entrer. Reçu ?

— Bien reçu, chef, répondit une voix à travers l'appareil grésillant.

Dans la boîte, des cris en provenance de la salle principale nous parvinrent immédiatement. La fille de la consigne avait disparu. Aussi, nous nous dépêchâmes d'avancer.

Avalon était un bâtiment ancien. Son plafond bas et sombre avait été recouvert de miroirs pour donner une illusion d'espace et refléter les danseurs. Tout était en tons de violet et d'argent et une boule disco pendait au centre de la pièce. La musique avait cessé. La scène était désormais celle d'un massacre. D'après ce que je pouvais voir, six musiciens étaient tombés. Je ne sentais pas de sang, mais ils n'avaient pas l'air en pleine forme.

Tout autour, les clients se poussaient les uns les autres pour accéder aux sorties les plus proches. Pourtant, quelque chose semblait leur barrer le chemin. La demi-obscurité rendait toute identification impossible. Je ne ressentais aucune chaleur corporelle. Un mort-vivant ? Comme si nous avions besoin de ça !

Devant, une femme semblait se débattre. Je me dirigeai vers elle tandis que Delilah et Camille s'occupaient de ce qui bloquait les issues. Contre quoi nous battions-nous ?

En me rapprochant de la femme, je me rendis compte qu'elle se débattait contre une créature qui ressemblait bel et bien à un calamar. Il lui avait enserré la taille et la gorge.

Elle lui donnait des coups, essayant de le déloger, mais la chose se contenta de pousser un grognement et de la soulever, la jetant à travers la pièce comme un vulgaire caillou. Après un vol plané, elle atterrit près de la scène dans un bruit sinistre.

M. Tentacules, qui n'était encore qu'une ombre, se retourna. Des flammes étincelaient dans son œil. Plus je m'approchais, plus je me disais qu'il ne venait probablement pas de l'océan. Ses tentacules semblaient parfaitement adaptés à la marche… et ils dissimulaient un bec aussi tranchant qu'une lame de rasoir. Ils semblaient plus aptes à faire des dégâts qu'à manger.

— OK, mon salaud. On va voir ce que tu as dans le ventre ! m'exclamai-je en me mettant en position d'attaque. (Je pointai deux doigts vers lui pour lui faire signe.) Allez, mocheté ! Viens voir maman !

Le monstre avança vers moi, perché sur ses tentacules. Ça me rappelait les dessins animés dans lesquels les octopodes marchaient sur la pointe des « pieds ». Mais nous n'étions pas dans un dessin animé et il ne plaisantait pas.

Je ne pensais pas pouvoir lire en lui mais, quand il s'approcha, je fus tout à coup envahie de sensations qu'une seule espèce pouvait produire chez moi : un démon.

— Merde ! Un démon ! criai-je tandis qu'il attaquait.

J'évitai le tentacule noir. À la place des ventouses habituelles, il était recouvert d'une sorte de barbelés. Aïe. Cet affreux devait faire de sacrés dégâts !

Je reculai pour reprendre mes esprits. Huit, non dix, tentacules recouverts d'hameçons ? Non merci !

Quand il avança encore, je me rendis compte qu'il flottait légèrement au-dessus du sol.

Oh oh. Pas bon du tout.

Je reculai encore jusqu'à entrer en collision avec une table. Je m'en débarrassai d'une main. Le marbre vola au travers de la pièce et explosa. Tant pis. Je n'avais pas assez de temps pour m'en occuper.

Calculant ma position, je m'élevai rapidement dans les airs en direction de la tête ronde du démon, botte la première. Pourtant, mon pied s'arrêta à quelques centimètres de la créature et une onde de choc parcourut mon corps. Merde. J'avais l'impression d'être entrée en collision avec un mur de briques. Un éclair sembla fendre l'air et je retombai dans les débris de la table que j'avais pulvérisée.

Qu'est-ce que… ?

Un peu secouée, je me relevai. Je sentais que je m'étais cassé une hanche, mais elle serait guérie en moins de une heure. L'avantage d'être un vampire. Rien ne restait longtemps cassé, ni percé.

Devais-je essayer encore une fois ? Je décidai d'attaquer la créature sous un autre angle… pour voler de nouveau à travers la pièce. Au moment où je retombais, j'entendis Delilah crier. Je me remis tout de suite debout et accourus vers elle. Je m'arrêtai net en la voyant.

Elle était couverte de sang. Camille l'avait éloignée d'un autre monstre caché dans l'ombre. À genoux auprès d'elle, elle entreprit de la secouer. Vanzir et Flam choisirent ce moment pour passer la porte.

Flam cria, et, instantanément, la morsure du gel se répandit dans l'air par vagues. La pièce perdit au moins trente degrés, pourtant, nos ennemis ne semblèrent en aucun cas décontenancés.

— Oh merde, marmonna Vanzir avant de s'écrier : Ils se cachent dans l'obscurité. Essayez la lumière ! Inondez-les autant que vous pourrez !

De la lumière ? Je n'en avais pas sur moi, et il n'avait pas l'air de parler des plafonniers. Camille posa Delilah par terre avant de sortir la corne en cristal de sa poche. Elle me lança un regard effrayé.

— Il faut que tu sortes d'ici ! me cria-t-elle.

Sans poser de question, je me précipitai vers la sortie. J'avais à peine refermé la porte derrière moi qu'un énorme flash me fit perdre l'équilibre et sursauter les clients qui se tenaient autour de la voiture de police et de l'ambulance.

Je n'avais ressenti aucune chaleur, elle n'avait pas utilisé de feu. Peu importait. L'éclat m'aurait grillée en moins de deux si j'étais restée dans la pièce. Un concentré de lumière du jour... enfermé dans une corne.

Je rejoignis les policiers qui prenaient les dépositions de la foule hagarde. Marquette, un Fae outremondien, et Brooks, une nouvelle recrue HSP, se tournèrent vers moi.

— Le chef a besoin de nous ?

— Vous feriez mieux d'attendre ici... et d'appeler d'autres ambulances. Il y a pas mal de blessés. Et faites en sorte d'avoir des médecins outremondiens dans le lot. Apparemment, seuls des Fae ont été touchés.

Tandis qu'ils passaient un appel radio, je revins dans le bâtiment. La lumière avait disparu sans laisser le moindre résidu. La piste de danse était désormais déserte. Aucun signe de démon. Camille et Chase s'étaient agenouillés devant Delilah. Flam et Vanzir, eux, s'occupaient des blessés.

— Que s'est-il passé ? Vous les avez tués ? demandai-je en essayant d'ignorer à l'odeur du sang de Delilah. (À y regarder de plus près, bien que sa peau ait été déchiquetée, ça semblait superficiel. Elle s'était simplement trouvée sur le chemin d'un tentacule barbelé.) Il faut qu'on s'occupe de toi rapidement, sinon tu vas garder des cicatrices.

— Menolly a raison, approuva Chase.

— Non, protesta Delilah en secouant la tête. C'est déjà en train de guérir. Par Bastet, qu'est-ce qui se passe ? On a l'habitude de se remettre facilement, mais là, ça tient du ridicule !

Elle avait raison. Les entailles semblaient se refermer sous nos yeux. En l'espace de quelques secondes, elles avaient complètement disparu. Le sang de notre père nous permettait de guérir plus rapidement que les HSP, mais un tel phénomène était anormal. Même pour nous.

— Qu'est-ce que… ?

Je fus interrompue par Sharah et Mallen qui enfoncèrent les portes d'entrée. Derrière eux se trouvait une équipe de médecins et d'infirmiers qu'ils formaient pour le FH-CSI.

Sharah s'approcha de nous pendant que Mallen distribuait des ordres.

— Que s'est-il passé ? Contre quoi vous battiez-vous ? nous questionna-t-elle en observant Delilah qui se remettait debout. Par Aeondel tout-puissant ! Tu vas bien ? D'où vient tout ce sang ?

— Un mollusque détraqué m'a fait un croche-patte, répondit Delilah, faisant ricaner Camille. Les coupures se sont refermées. J'ai juste un peu la tête qui tourne.

L'expression de Sharah se fit sceptique.

— Un mollusque détraqué ? s'enquit-elle d'une voix neutre.

— Un démon, pour être précis, ajouta Vanzir en se joignant à nous.

Vanzir était un démon chasseur de rêves. Il avait déserté l'ennemi pour nous rejoindre et s'était placé volontairement sous notre contrôle grâce au rituel d'assujettissement, une épreuve douloureuse et contraignante. Tant qu'il vivrait, où qu'il aille, sa vie demeurerait entre nos mains. Avec ses cheveux courts blond platine et son regard étrange, il ressemblait à une version plus petite et plus jeune de David Bowie à l'époque de Ziggy Stardust. Un mélange de punk attitude et d'héroïne chic.

— Je savais bien que j'avais senti du démon ! m'exclamai-je en me tournant vers lui. J'ai tenté de l'attaquer, mais… tu sais ce que c'était ?

— Pas plus que toi. Je n'avais jamais vu quelque chose d'aussi… bizarre. (Il secoua la tête.) Tu as réussi à le frapper ?

— Non, marmonnai-je, et je ne sais pas pourquoi. J'ai bien essayé, mais la créature semblait être entourée d'un champ de force. Quand mon pied a touché la protection, je suis partie valser en arrière. (Je haussai les épaules.) Quelqu'un d'autre a essayé ?

Delilah observa tout le monde, qui secoua la tête.

— Visiblement non, fit-elle. Je peux au moins vous dire une chose. Au moment où cette chose m'attaquait, j'ai ressenti un fourmillement dans ma tête. Comme une nuée de moucherons. (Elle frissonna.) En fait, pendant un instant, j'ai cru…

— Oui ? l'encourageai-je.

Delilah plissa les yeux en se grattant la tête.

— Je ne me souviens pas de ce que j'allais dire, mais j'avais l'impression qu'on essayait de pénétrer dans mon crâne, jusque dans mon âme.

— Génial, marmonnai-je, un aspirateur d'âme. Comme si nous avions besoin de ça ! Vous pensez qu'ils sont de mèche avec l'Ombre Ailée ? Après tout, c'est un mangeur d'âmes.

— Tellement puissant qu'il ne laisserait pas de blessés derrière lui. Pourtant, ça ne signifie pas forcément qu'il y a un rapport entre les deux, glissa Vanzir d'un air pensif.

— Ces créatures ne ressemblent pas aux sbires dont il s'entoure. D'habitude, l'Ombre Ailée se sert d'escouade de Degath ou d'espions puissants comme Karvanak, le Ràksasa. Je ne l'imagine pas nous envoyer des monstres comme ceux-ci. Enfin, peut-être que je me trompe, remarqua Camille à son tour. Nous ferions mieux de trouver leur identité rapidement.

Mallen choisit cet instant pour se joindre à nous.

— Cinq morts. Aucune marque apparente, rapporta-t-il avec une expression dévastée. Deux blessés ont survécu, mais ils sont à peine conscients. On les embarque. Qu'est-ce qui s'est passé ici ? Je n'arrive pas à comprendre ce qui les a tués !

Chase prit la parole. Jusqu'à présent, il s'était tenu à l'écart. Ça ne lui ressemblait pas.

— Peu importe ce que sont ces monstres, je veux qu'on les retrouve et qu'on les détruise. Je veux aussi savoir pourquoi ils s'en prennent uniquement aux Fae et pas aux humains.

— On devrait appeler une parle-aux-morts, proposai-je. Comme les victimes sont des Fae, elle pourra peut-être nous indiquer une piste à suivre.

— Bonne idée, répondit Sharah. Je m'en occupe. Nous en avons une sous la main, justement.

— Merveilleux, marmonna Chase en frissonnant. Il ne manquait plus que ça. Une petite bouffe sanglante entre amis. Enfin, si tu penses que ça peut nous aider à avancer, ramène-la aussi vite que possible. Nous avons déjà deux Fae dans de la glace, à la morgue, dont la mort ressemble étrangement à celles-ci. Pas de blessure, ni de raison apparente. Il faut faire quelque chose.

Sharah acquiesça d'un mouvement de tête avant de se tourner vers moi.

— Tu veux bien servir d'intermédiaire ? Les parle-aux-morts n'apprécient pas vraiment les elfes et à cause de sa magie, je préfère éviter que Camille s'en approche. Ça pourrait faire des étincelles.

Les sorcières et les parle-aux-morts gardaient leurs distances. Leurs pouvoirs n'étaient tout simplement pas compatibles. Si, par mégarde, leurs énergies entraient en résonance, il en résultait une explosion spectaculaire.

Je jetai un coup d'œil à Delilah. Elle s'était endurcie durant ces derniers mois, mais pas assez pour jouer le rôle d'intermédiaire. Elle pouvait servir de témoin sans problème. Pourtant, je craignais fort que s'approcher d'une parle-aux-morts se révèle encore trop difficile pour elle. Après tout, elles faisaient déjà bien assez peur de loin. Quelque chose dans leur aura incitait à ne jamais leur tourner le dos.

— Pas de problème, répondis-je finalement, tandis que nous nous dirigions vers la sortie.

Au-dessus de nos têtes, des traînées nuageuses passaient devant la lune. Comme il n'était pas encore 23 heures, la Mère Lune n'était pas tout à fait levée. Vers deux heures et demie du matin, elle commencerait à redescendre. L'orbe doré se trouvait dans sa phase ascendante et je savais que Delilah et Camille ressentaient toutes les deux son appel de plus en plus fort. Trois jours avant le solstice, la lune serait pleine et son énergie demeurerait puissante pendant tout Litha. L'été s'annonçait mouvementé pour les garous et les Fae liés à la Mère Lune.

— Ne perdons pas de temps, dis-je en arrivant près de la voiture de Camille. Chase, on se retrouve à la morgue. Il faut découvrir d'où viennent ces démons et comment les anéantir avant qu'ils se remettent à tuer.

Chapitre 9

Le temps d'atteindre les quartiers généraux du FH-CSI, Sharah, Mallen et leurs stagiaires avaient déjà descendu les corps à la morgue. Quelque chose clochait. Les survivants avaient été placés en observation aux soins intensifs, mais les infirmiers et les médecins ne savaient pas quoi faire pour les soigner. Tiggs, un officier de police, semblait plus ou moins conscient. Yancy, en revanche, commençait à partir. Personne ne savait pourquoi. Sharah avait fait appel à une guérisseuse expérimentée d'Elqavene, mais elle n'arriverait pas avant quelques heures.

Tandis que nous nous regroupions autour des tables en acier inoxydable qui supportaient les corps des défunts, je me rendis compte que j'étais aussi morte qu'eux. La seule différence entre nous, c'était que j'avais subi un léger ajustement avant de passer dans l'au-delà. Une infusion en provenance directe des veines de Dredge et… Bingo ! Je me retrouvais parmi les morts-vivants ! J'étais une anomalie.

Camille se tenait dans un coin, très loin des tables. Ainsi, lorsque la parle-aux-morts arriverait, nous éviterions tout accident. Flam était debout près d'elle. Quant à Delilah, elle s'était assise en position du lotus sur une chaise à côté d'eux avec un carnet sur les genoux pour prendre des notes. Vanzir se posta non loin.

Chase et moi patientions devant les corps. Son visage hâlé ne reflétait qu'austérité.

Quelques minutes plus tard, Sharah entra dans la pièce, suivie de la parle-aux-morts. Personne ne connaissait l'origine de leur espèce, ni ne savait à quoi elles ressemblaient réellement. Les parle-aux-morts se cachaient dans une cité souterraine en Outremonde qui, selon les légendes, se trouvait dans les tréfonds des bois de Darkynwyrd.

Seules les femmes s'aventuraient dans nos mondes. Seules les femmes devenaient parle-aux-morts. Certaines d'entre elles avaient sombré dans la folie à cause de la violence de leurs pouvoirs. Craintes, fuies, elles erraient en Outremonde... mais la majorité était engagée pour dévoiler la vérité des morts suspectes.

Celle-ci portait la tenue propre à sa profession. Une robe indigo, aussi bleue que l'océan, la recouvrait entièrement et les gants qu'elle portait soulignaient de longs doigts fins. La capuche dissimulait son visage, même si, de temps en temps, on pouvait apercevoir un éclat grisâtre. Ses yeux.

Sachant qu'elle ne nous révélerait pas son nom, nous ne perdîmes pas de temps à le lui demander. Elle examina les sept corps avant de nous parler depuis les replis de son voile :

— Par qui voulez-vous que je commence ? s'enquit-elle.

Comme Chase haussait les épaules, je lui désignai le corps le plus proche. L'homme était un métis, peut-être mi-Svartan, mi-Fae. Dans tous les cas, il avait été très beau avant de reposer sur cette table de métal. Il ne le resterait pas très longtemps.

La parle-aux-morts se pencha sur lui. Sa robe dissimulait ses gestes, mais nous savions pertinemment ce qu'elle était en train de faire. Elle l'embrassait, aspirant profondément les résidus de son âme, jusqu'à ce qu'un nuage bleuâtre s'échappe de son corps. Je l'entendais murmurer, inviter l'esprit à la posséder pour parler à travers ses lèvres.

Un rituel aussi vieux que les Fae eux-mêmes et qui me déroutait chaque fois.

Au bout d'un moment, elle releva la tête.

— Posez vos questions.

Me mordant la lèvre, je réfléchis aux questions les plus adéquates. Avec un peu de chance, nous obtiendrions deux, voire trois réponses de la part du défunt. Dans le pire des cas, une seule. Ou pas du tout. Je décidai de commencer par le plus simple.

— Qu'est-ce qui t'a tué ?

La parle-aux-morts laissa échapper un soupir rauque avant de répondre d'une voix aussi poussiéreuse qu'un vieux parchemin :

— Un calamar. C'était horrible.

— Elle a raison, fit Delilah en frissonnant. Ils étaient terrifiants.

— Laisse-moi finir avant que l'âme disparaisse pour de bon, l'interrompis-je. (Je reportai mon attention sur la parle-aux-morts.) Où sont tes blessures ? Nous ne les avons pas trouvées. Comment es-tu mort ?

Encore un tremblement et cette voix chuintante.

— Aspiré...

Avant que l'âme ait pu terminer sa phrase, la parle-aux-morts frissonna. Nous avions perdu le lien. Je lui fis signe de passer au corps suivant. Après le premier contact, nous disposions de peu de temps. Une fois les âmes libérées de leur corps, elles commençaient leur voyage pour rejoindre leurs ancêtres. Alors, nous ne pourrions plus rien faire à part attendre le festival de Samhain. À moins, bien sûr, que son âme tourmentée migre vers les enfers au lieu du royaume des chutes argentées.

Pendant que la parle-aux-morts embrassait le deuxième corps, je jetai un coup d'œil à Chase. D'après les dires de

Camille, la première fois qu'il en avait rencontré une, il avait manqué de s'évanouir. Cette fois, en revanche, il semblait tenir le coup.

Tandis que leurs essences spirituelles se mêlaient, je me rendis compte que Camille fredonnait. Faiblement, juste assez fort pour que je comprenne les paroles. Il s'agissait d'une comptine que les enfants chantaient pour se protéger.

Lèvres contre lèvres, bouche contre bouche
Voici venir l'orateur voilé
Pour aspirer l'esprit, clamer sa parole
Que les secrets des morts soient révélés

La deuxième victime ne nous aida pas davantage que la première. La seule question à laquelle elle répondit fut :

— Comment es-tu mort ?

— Je ne sais pas... Là-bas, puis... m'a dévoré...

Les sourcils froncés, je me tournai vers les autres qui semblaient aussi perplexes que moi. L'âme disparut avant que je puisse lui demander autre chose. La parle-aux-morts se dirigea vers le troisième corps, déjà vide, puis le quatrième, aussi. Le cinquième, enfin, nous apporta quelques précisions.

— Qu'est-ce qui t'a tué ? demandai-je après le baiser rituel.

— Un démon, répondit la voix chuintante commune à tous les esprits. C'était un démon. Je l'ai senti. J'avais si peur...

Je ne pus m'empêcher de détailler le corps de l'homme. Il avait compris qu'il se trouvait face à un démon.

— Comment es-tu mort ?

— Quelque chose s'est insinué dans mon esprit et l'a aspiré jusqu'à briser le fil d'argent qui le reliait à mon corps.

Ça ressemblait à la sensation qu'avait décrite Delilah. Comme si quelque chose essayait de pénétrer dans son cerveau. Cherchait-il son fil d'argent ?

Curieuse de la façon dont l'homme avait reconnu le démon, je ne pus m'empêcher de lui demander :

— Que faisais-tu avant de mourir ? Quelle était ta profession ?

— Je travaillais à Y'Vaiylestar en tant que prophète pour la Cour et la Couronne. On m'a envoyé sur Terre pour faire des recherches... (Sa voix commença à mourir.) Mère...

Ce fut son dernier mot. Puis il disparut et je sus qu'il avait rejoint ses ancêtres. Rassurée de le savoir près de sa mère, j'effleurai légèrement sa main.

Au bout d'un moment, nous présentâmes à la parle-aux-morts les deux autres victimes dont Chase nous avait parlé. Malheureusement, leurs âmes avaient déjà atteint le royaume des chutes d'argent. Sans un mot, la parle-aux-morts se tourna vers Sharah qui hocha la tête.

— Venez avec moi, lui dit-elle. Je vais vous faire patienter ailleurs pendant que je... m'occuperai de votre paiement.

Quand elles disparurent, Chase frissonna.

— Tous les cœurs ? s'enquit-il.

— Seulement ceux dont elle a touché les âmes, répondit Camille en secouant la tête. Ça fait partie du rituel. Elle communie avec les morts en ingérant leur cœur.

— Et pourquoi pas les autres ? demanda-t-il.

— C'est un gage d'honnêteté, rétorquai-je en riant. Ainsi, on sait qu'elle ne joue pas la comédie... Ou peut-être que les cœurs liés aux âmes qui sont déjà parties ne les intéressent pas. Je n'en ai pas la moindre idée, et je doute que quelqu'un connaisse la vraie réponse.

Peu convaincu, Chase fronça les sourcils, avant de laisser tomber le sujet.

— Bon, qu'est-ce qu'on a appris ? Le dernier semblait savoir qu'il faisait face à des démons. Et il a dit qu'il avait été aspiré ?

— Oui, dis-je en hochant la tête. Je parie que leurs âmes ont été aspirées par ces démons.

Sharah choisit ce moment précis pour entrer dans la pièce avec plusieurs sacs en plastique opaque et un récipient.

— Je vais exciser leurs cœurs. Je vous suggère de partir si vous ne voulez pas assister à la préparation du repas de notre invitée, dit-elle avec un air de dégoût.

Les elfes et les parle-aux-morts ne s'entendaient pas très bien. Toutefois, elle ferait le nécessaire.

Chase ne demanda pas son reste.

— Venez ! On va voir comment se portent les survivants.

Nous le suivîmes sans un mot.

En passant devant Sharah, Camille posa une main sur son épaule. L'elfe lui fit un léger sourire. Depuis son arrivée sur Terre, le job de Sharah se révélait bien plus sanglant que son ancien poste à Elqavene. Et malgré le fait qu'elle soit la nièce de la reine Asteria, elle avait choisi de rester là pour nous aider à sauver le monde.

L'un des survivants s'éteignait rapidement. Ses signes vitaux s'affaiblissaient tandis que nous nous tenions près de son lit. L'autre reprenait conscience de temps à autre, à peine cohérent.

— Il est dans mon esprit, murmura-t-il. Je le sens…

— Ce que nous combattons continue à se nourrir de leur énergie, remarquai-je.

— Il essaie probablement de les effrayer au maximum, intervint Vanzir. Après tout, la peur engendre l'adrénaline, ce qui lui apporte encore plus d'énergie.

— Il a raison, fit Camille.

— OK, reprit Chase. Pour résumer, nous avons un groupe de démons qui peut s'insinuer dans l'esprit des gens pour s'en nourrir et tuer sans laisser de marques. Alors pourquoi Delilah a-t-elle été blessée ?

— Je vous parie que toutes les victimes ont été blessées à un moment ou à un autre. C'est une sorte de magie placebo. Se sentant agressés, leurs corps ont réagi. En revanche, je ne sais pas comment ils ont été guéris. Quand Delilah s'est libérée du monstre qui l'a attaquée, ses entailles se sont refermées presque instantanément, finis-je l'air pensif.

— Ils ont juste besoin de faire croire aux gens qu'ils sont blessés pour les contrôler, ajouta Vanzir. Je vous parie tout ce que vous voulez que ces deux-là sont encore sous attaque. Les démons ne sont jamais partis.

Je me retournai vivement vers Chase.

— S'il dit la vérité, pourquoi les alarmes ne se sont pas déclenchées ?

— Sûrement parce qu'ils se déplacent sur le plan astral ! s'exclama Flam. C'est la seule explication. S'ils étaient dans la même dimension que nous, nous pourrions les sentir d'une manière ou d'une autre. (Il s'adressa directement à Chase :) Est-ce que vos capteurs magiques sont capables de vous alerter de ce qui se passe sur le plan astral ?

Chase pâlit à vue d'œil.

— Aucune idée. Personne ne l'a jamais suggéré… et ce n'est pas moi qui y aurais pensé. L'OIA les a installés avant que l'on s'approprie les lieux. Quand ils ont été altérés durant le fiasco avec les vampires, l'OIA n'a pas pu les formater. Alors, j'ai demandé à des hommes d'Outremonde de les réparer. Je ne sais pas comment ils s'y sont pris.

— Et merde ! On peut être sûrs qu'ils ne détecteront jamais un intrus sur le plan astral ! marmonnai-je. Tout à l'heure, une victime a dit que le démon s'en est pris au fil d'argent qui la rattachait à son corps. Ce lien existe dans les royaumes astraux, aussi bien pour les humains que pour les Fae. Donc oui, les démons sont toujours là, mais sur le plan astral, et ils continuent à se nourrir d'eux. Putain, putain, putain ! jurai-je en me mordant la lèvre.

Qu'est-ce qu'on allait bien pouvoir faire à présent ?

— Est-ce qu'on peut les attaquer ? Est-ce que tu en es capable ? demanda Chase en observant les patients d'un air pensif.

— Pas sans savoir de quel type de démons il s'agit, répondis-je. Le risque est déjà très élevé et se battre sur le plan astral n'est pas une promenade de santé. Sans parler d'y entrer.

— Si je comprends bien, nous devons d'abord trouver l'identité de ces démons, comment ils ont réussi à arriver jusqu'ici, puis découvrir un moyen de s'en débarrasser, résuma Chase. De préférence avant qu'ils fassent d'autres victimes…

Tout à coup, le téléphone portable de Delilah se mit à sonner. Elle s'éloigna pour répondre. Chase l'observa une seconde avant de se tourner vers moi.

— Au fait, j'ai fait des recherches sur la fille dont tu m'as parlé. L'elfe. Elle a déposé une plainte, il y a environ deux ans. Apparemment, elle était suivie par un gars. Je me souviens d'avoir demandé à un officier d'aller parler à l'homme en question, mais ça n'a pas donné grand-chose. Il a nié les faits et a sous-entendu que c'était une coïncidence, qu'il allait souvent dans les mêmes quartiers qu'elle. Comme Sabele ne nous a plus jamais rappelés, on a clos le dossier.

— Laisse-moi deviner : Harold Young.

— Dans le mille. Comment tu le sais ? Il était en première année à l'université de Washington. Je peux te donner sa dernière adresse connue. Si mes souvenirs sont bons, son père est millionnaire... (Il jeta un coup d'œil à sa montre.) Ah et tu me disais que tu avais réussi à obtenir des renseignements sur *L'Horlogerie* et Claudette ? Autant m'en parler pendant qu'on attend Delilah.

— *L'Horlogerie* est un club qui réunit les vieilles fortunes vampiriques. Il est pratiquement impossible d'y entrer, à moins d'y connaître quelqu'un. Il a été créé au XVIIIe siècle, mais ce n'est que récemment que son existence a été révélée. D'après ce que je sais, ils ne s'adonnent à aucun rituel inavouable. Ils se contentent de rester entre eux, comme tous les membres des clubs élitistes.

Delilah raccrocha.

— De quoi est-ce que vous parlez ?

— De *L'Horlogerie*, répondis-je. Chase est à la recherche d'un vampire qui a disparu. Elle fait partie d'un club très fermé, n'a pas dévoilé sa transformation aux yeux du monde, et elle est encore mariée. Rien ne laisse penser qu'elle aurait pu se suicider, ni que son mari lui aurait malencontreusement enfoncé un pieu dans le cœur.

— Tu ne pourrais pas y entrer pour poser des questions sur Claudette par hasard ? s'enquit Chase.

Les lèvres serrées, je haussai les épaules.

— Je peux essayer. Mon informateur m'a donné le nom d'un membre qui aime beaucoup les Fae. Je vais voir si je peux obtenir une invitation à une soirée. Mais je ne te promets rien.

— Ah, Tim a appelé, reprit Delilah. Il a trouvé notre homme, Harish. J'ai noté son adresse, dit-elle en soulevant son carnet. Il n'est pas encore trop tard pour lui rendre visite. On pourra se rendre compte par nous-mêmes s'il est marié à Sabele et entouré d'une ribambelle de bébés.

— Ça marche, répondis-je. Allez hop, c'est parti !

Chapitre 10

Flam et Vanzir choisirent de ne pas nous accompagner chez Harish. Aussi, nous y allâmes entre sœurs. Nous sinuâmes le long des routes qui menaient près de chez Siobhan, notre amie Selkie. Depuis environ un an, les Fae avaient commencé à envahir le coin, achetant des parcelles de terrains et des maisons. Quelque chose me disait que ce boom était lié à la fin de la guerre civile. Chacun avait retrouvé ses biens. Dans tous les cas, la région des marécages se transformait peu à peu en royaume des fées.

En passant par le parc de la découverte, nous nous retrouvâmes cernées d'arbres qui nous inondaient de leur ombre et nous bloquaient la vue. Ce parc était plutôt amical. Delilah et Camille y venaient souvent pour se promener ou discuter avec les esprits de la nature. Ça me manquait, mais depuis ma transformation, ils n'étaient pas à l'aise avec moi et je n'aimais pas les mettre dans cet état. Alors, j'attendais que ce soit eux qui viennent à moi. Tant d'humains nous mettaient tous, Fae, elfes, esprits de la nature, dans le même panier, alors que nous appartenions à des espèces bien distinctes.

Les esprits de la nature étaient mi-Fae, mi-plantes. Ils existaient seulement pour servir leur espèce. Par exemple, les esprits des mûriers étaient énormes et prenaient autant d'espace que les buissons. Les esprits des arbres, eux, pouvaient atteindre les cent ans. Sans les comparer aux Ents de Tolkien, ils gardaient un œil sur les bêtes à deux ou quatre pattes qui s'aventuraient sur leurs territoires. Quant aux esprits des fleurs, ils étaient presque toujours de bonne humeur et bavards, à l'exception des esprits des jacinthes des bois qui avaient tendance à tuer les intrus.

Camille tourna à gauche pour s'engager sur Lawtonwood Road et la suivit jusqu'au croisement avec Cramer Street où elle prit un nouveau virage. Quelques pâtés de maisons plus tard, nous nous garions devant une imposante bâtisse. Camille coupa le moteur.

Je jetai un coup d'œil à la maison. Les lumières n'avaient pas encore été éteintes.

— On y va ?

— Passe devant, répondit Camille. C'est Iris et toi qui avez découvert les affaires de Sabele. Tu as apporté le collier et la mèche de cheveux ?

Je hochai la tête en tapotant ma poche. Sans vraiment m'en rendre compte, j'avais gardé la petite boîte sur moi. Le cas de l'elfe me tenait à cœur.

— Et son journal ? Je ne pense pas que tu aies pensé à le prendre ?

— Non, fit Camille en secouant la tête, mais j'ai une bonne mémoire. Je saurai quelles questions poser.

Le chemin qui menait à la maison était composé de galets. Le jardin était parfaitement entretenu, à la limite de l'obsession. Je l'observai longuement à la recherche du brin de nature sauvage que les jardins Fae possédaient. Le nôtre, par exemple, était un amoncellement de plantes, d'herbes, de mousses… Soit Harish avait engagé un jardinier, soit il était obsédé par l'ordre.

La maison n'était pas différente. Ses murs étaient étonnamment propres pour une région comme la nôtre et ses soixante jours de beau temps par an. Tout paraissait parfait. Entourée de Camille et Delilah, je frappai à la porte.

Au bout d'un moment, elle s'ouvrit dans un crissement pour laisser apparaître un jeune homme élancé. C'était bien un elfe, pas de doute là-dessus. Toutefois, il portait des lunettes et des vêtements tout droit sortis de *Miami Vice*. Mignon, il aurait pu passer pour Don Johnson, version blond platine. Après nous avoir regardées de haut en bas, il ouvrit davantage la porte.

— Oui ? Je peux vous aider ? demanda-t-il d'un ton neutre.

— Vous êtes Harish ?

— Oui, répondit-il en sortant un peu plus. Que voulez-vous ?

— Nous sommes à la recherche de Sabele Olahava, l'informai-je lentement. Nous avons pensé que vous sauriez peut-être où elle se trouvait.

Cette annonce sembla le figer. Son air ennuyé disparut instantanément pour faire place à la peine et la fatigue.

— Elle n'est pas ici, dit-il finalement en essayant de nous refermer la porte au nez.

— Attendez ! S'il vous plaît. Nous devons savoir où elle se cache. Pouvez-vous nous accorder dix minutes de votre temps ? demanda Delilah.

Harish la dévisagea un instant avant de soupirer longuement.

— Très bien, mais je ne vous invite pas à l'intérieur. Pas avec elle, en tout cas, dit-il en me pointant du doigt. Je vais venir m'asseoir sous le porche avec vous.

— Ce n'est pas très poli…, commença Delilah avant que je lui touche le bras pour l'interrompre.

Il avait tous les droits de protéger sa maison.

— Il a raison, intervins-je. Après tout, ce n'est pas une bonne idée d'inviter chez soi n'importe quel vampire… (Je reportai mon attention sur lui.) Ça marche. Vous venez nous rejoindre ?

Quand nous nous installâmes sous le porche, Delilah le fusillait toujours du regard. Personnellement, je ne me sentais pas offensée. Harish aurait pris un grand risque en m'invitant chez lui. Il le savait aussi bien que moi. Si je le rendais mal à l'aise, il avait parfaitement raison de me laisser dehors. J'aurais fait la même chose.

— Je m'appelle Menolly D'Artigo, et voici mes sœurs : Camille et Delilah.

En s'asseyant, il soupira encore et se laissa aller contre la rambarde. Puis, après avoir remonté les manches de son blazer, il prit la parole.

— Pourquoi vous intéressez-vous à Sabele ?

— Elle s'occupait du *Voyageur*. Je suis la nouvelle propriétaire. J'ai repris le flambeau à la mort de Jocko, répondis-je sans le quitter du regard.

— Ça fait longtemps que je n'ai pas pensé à ce bar, remarqua-t-il d'un air étonné. Depuis que Sabele a disparu, je n'arrive même plus à passer devant.

— Disparu ? intervint Camille. Quand ? Nous pensions qu'elle pourrait être ici, mariée avec vous.

— Mariée ? s'exclama-t-il. Pourquoi avez-vous pensé à une chose pareille ? Nous étions fiancés, c'est vrai, mais visiblement, elle n'a pas supporté l'idée de m'épouser. Elle est partie en pleine nuit sans un au revoir. J'ai mis un an à faire mon deuil, puis je me suis demandé ce que j'avais bien pu faire de mal. Et maintenant que j'ai mis tout ça derrière moi, vous venez m'en parler ?

Je jetai un coup d'œil à Camille qui l'observait intensément. Notre glamour ne fonctionnait pas de la même façon sur les elfes que sur les HSP. Nous ne pouvions pas les obliger à nous dire la vérité. Pourtant, les elfes n'avaient jamais été doués pour mentir. Ils altéraient la réalité ou omettaient certains détails, mais mentir ne faisait pas partie de leur nature.

— Son journal disait que vous étiez fiancés, reprit Camille. D'après ce qu'elle a écrit, elle était très amoureuse de vous.

Harish pâlit. Pour la première fois, la façade qu'il avait érigée entre nous sembla se craqueler.

— Son journal ? murmura-t-il. Vous avez trouvé son journal ? Sabele ne laissait jamais personne le toucher. Elle ne serait jamais partie sans lui.

— C'est ce que nous pensions, dis-je en sortant la boîte de ma poche. (Je l'ouvris et la lui tendis.) Vous reconnaissez ceci ?

Tandis que l'elfe soulevait le pendentif, son expression vira de l'inquiétude au désespoir.

— Je le lui ai offert une semaine avant qu'elle disparaisse. Il s'agissait d'un cadeau de fiançailles. Quant aux cheveux… ce sont ceux de sa mère. Elle ne s'en séparait jamais. Sa mère est morte peu de temps après son départ pour sa première mission sur Terre. Comme elle n'a pas pu assister aux funérailles, son père lui a envoyé une mèche de ses cheveux.

— Vous pensiez vraiment qu'elle vous aurait quitté sans un mot ? demandai-je. (Je détestais remuer le couteau dans la plaie, mais je voulais découvrir ce qui s'était réellement passé.) Pourquoi aurait-elle fait ça ? Vous étiez fiancés !

— Oui, répondit-il en caressant le pendentif. Nous avions prévu un grand mariage à Elqavene. Quand je lui ai offert ce bijou, elle y a tout de suite mis une photo de moi et m'a dit qu'elle le chérirait pour toujours, finit-il d'une voix brisée. (Grâce à la faible lumière qu'une applique diffusait sous le porche, je me rendis compte que ses yeux bleu pâle étaient emplis de larmes.) Puis, peu de temps après, elle a disparu.

— Avez-vous essayé de la retrouver ? demanda Delilah, le souffle court.

Récemment, elle avait découvert les sœurs Brontë grâce à Camille : *Jane Eyre*, *Les Hauts de Hurlevent*, rien que des histoires d'amour tragiques. Depuis, nos vendredis soirs devant Jerry Springer avaient été remplacés par des soirées films romantiques.

— Bien sûr que j'ai essayé ! s'exclama-t-il. Qu'est-ce que vous croyez ? Que j'ai juste pensé « Mince, j'ai perdu ma fiancée » et que j'ai continué à vivre sans mettre la ville sens dessus dessous pour la retrouver ? N'insultez pas ma souffrance, s'il vous plaît.

— Pardon, murmura Delilah.

— Non, fit Harish en haussant les épaules. Je suis désolé. Pour être tout à fait franc, elle me manque toujours. Je dis que je n'y pense plus, qu'après trois ans, je suis passé à autre chose, mais… la vérité, c'est qu'elle me manque encore. Et tous les jours, je me demande où elle se trouve, si elle s'est construit une nouvelle vie ailleurs. Malgré mon amertume, je ne souhaite que son bonheur…

— Racontez-nous ce qui s'est passé, proposai-je gentiment.

Il soupira avant de s'exécuter :

— La dernière fois que je l'ai vue, nous nous sommes disputés. Rien de bien méchant. Juste assez pour que Sabele quitte la table. C'était dans son caractère. Elle réagissait au quart de tour. Pour tout vous dire, j'adorais ça chez elle. Quoi qu'il en soit, le lendemain, comme je m'en voulais, je l'ai appelée pour m'excuser. Elle n'était pas chez elle, alors je lui ai laissé un message pour lui dire que j'étais désolé et lui demander de revenir le soir même. Elle a rappelé après que je suis parti au travail. Elle devait passer vers 22 heures.

— Mais elle n'est jamais venue ? intervint Camille en se mordant la lèvre.

Raconter tout ça lui était très difficile. Il avait beaucoup souffert. Ça se voyait.

Harish secoua la tête.

— Non. Quand j'ai appelé au bar, on m'a dit qu'elle était partie pour la soirée. Je n'avais aucune raison de ne pas les croire. Comme elle n'arrivait toujours pas, je suis allé au *Voyageur* et j'ai emprunté le chemin qu'elle prend toujours pour rentrer. Je ne l'ai pas trouvée.

— Avez-vous contacté la police ? Ou le FH-CSI ?

C'était la suite logique des choses. Pourtant, comme Sabele était un agent de l'OIA, on avait peut-être donné l'ordre à Harish de ne pas le faire. Mon intuition se révéla correcte.

— Non. Je l'ai appelée plusieurs fois le lendemain matin, sans succès. J'ai attendu l'ouverture du bar, mais à la place de Sabele, il y avait un agent de l'OIA. Il a refusé de me laisser entrer dans sa chambre et m'a sommé de garder le silence. Ils faisaient des recherches. Il m'a dit que si quelque chose s'était mal passé, aller voir la police la mettrait en danger. Alors j'ai obéi et j'ai attendu. Au bout de quelques jours, le même agent s'est présenté à ma porte. Il m'a appris que Sabele était rentrée en Outremonde.

— Est-ce que vous avez vérifié l'information auprès de son père ?

— Je ne pouvais pas partir tout de suite. J'avais des délais à respecter. Même si j'en mourais d'envie, je ne pouvais pas tout laisser tomber. Il m'a fallu trois jours pour réussir à traverser un portail, fit-il en secouant la tête. Je me suis rendu directement à Elqavene où j'ai appris que son père avait déménagé sans laisser d'adresse. Ses voisins m'ont appris qu'il était parti quelques mois auparavant. J'en ai déduit que Sabele se trouvait avec lui et qu'elle ne voulait pas que je la retrouve. Elle ne voulait plus de notre mariage. Alors, j'ai décidé de la laisser tranquille, selon son désir.

Camille soupira.

— Vous avez demandé au *Voyageur* si elle avait laissé des affaires derrière elle ?

— Oui, répondit Harish en haussant les épaules, mais le nouveau propriétaire, Jocko, n'était pas très amical. Il n'a pas voulu que je monte à l'étage. Personne ne l'avait plus vue dans les parages. J'y suis retourné tous les soirs pendant des semaines pour poser des questions au cas où quelqu'un l'aurait vue partir, au cas où quelqu'un saurait pourquoi... C'était comme si elle n'avait jamais existé.

Je me levai et me mis à faire les cent pas devant les marches.

— Quelque chose cloche. Pourquoi son père n'est pas venu à sa recherche s'il n'avait plus de nouvelles de sa fille ?

— Vous ne connaissez pas sa famille, rétorqua Harish avant de se lever à son tour. Veuillez excuser mon impolitesse. J'aimerais beaucoup que vous entriez boire quelque chose chez moi. (Il s'interrompit et me dévisagea en se mordant les lèvres.) Je veux dire...

— Ne vous en faites pas. Je n'ai pas soif et, de toute façon, je ne tirerai pas avantage de votre invitation. Je ne me nourris jamais de personnes qui ne l'ont pas mérité. Vous pourrez retirer votre invitation à notre départ, si vous voulez. Je ne le prendrai pas mal.

Ainsi, nous le suivîmes à l'intérieur de la maison. Comparée à la nôtre, la sienne était beaucoup plus vaste. Sans étage, elle ressemblait un peu à un ranch qui recouvrait une bonne partie de sa propriété. Les fenêtres du salon donnaient sur la mer. Malgré la distance qui nous séparait d'elle, la vue était dégagée et à couper le souffle. Le mobilier révélait le bon goût de notre hôte et un côté un peu trop conventionnel. Je gardai le silence. Delilah, comme à son habitude, débita la première chose qui lui vint à l'esprit.

— Vous aimez vraiment le beige ! s'exclama-t-elle avant de se plaquer une main contre la bouche. Je suis désolée, je ne voulais pas…

— Aucun problème. Je ne suis pas un homme qui aime l'aventure, dit-il en désignant une grande table en chêne. Asseyez-vous, je vous en prie. (Il continuait à jouer avec le pendentif.) Son père n'était pas ravi de sa décision de rejoindre l'OIA. Non, pour être tout à fait franc, l'idée ne lui plaisait pas du tout. Sabele m'a avoué que le jour où elle a signé, son père lui a dit : « Si tu te fais tuer, je ne perdrai pas mon temps à chercher ton corps et je n'écrirai même pas ton nom dans les archives de nos ancêtres. » Ça signifie qu'il laisserait son âme errer en enfer jusqu'à ce qu'elle trouve la paix.

— Quel père sévère ! remarqua Camille en se tournant vers Delilah et moi.

Lorsque nous avions rejoint l'OIA, notre père avait été excessivement fier. Il nous avait soutenues dans tout ce que nous avions entrepris. Enfin presque. Il avait failli avoir une attaque quand il avait appris que Camille fricotait avec Trillian.

Je fronçai les sourcils.

— Il n'aimait pas l'OIA ? Ou était-il simplement en colère parce que sa fille avait choisi les Fae et pas les elfes ?

Même si certains elfes avaient rejoint l'OIA, il y avait un grand désaccord entre les puristes et ceux qui n'avaient aucun problème à sortir des cases qu'on leur avait attribuées. Les elfes étaient moins ouverts aux autres espèces que les Fae.

Harish haussa les épaules.

— Je pense simplement que son père est un pacifiste. Il n'approuve en aucun cas le service militaire. Il voulait qu'elle devienne prêtresse du temple d'Araylia, la déesse de la guérison. Mais Sabele préfère l'aventure. Elle n'a jamais supporté l'idée d'être enfermée dans un temple, servant tranquillement les autres. (Il se mordit la lèvre.) Vous voulez boire quelque chose ? Manger peut-être ?

Delilah et Camille acceptèrent une limonade.

— Non, merci, déclinai-je poliment. Vous nous disiez donc que jusqu'à ce soir, vous pensiez qu'elle avait fui votre relation ?

La douleur que je lus dans ses yeux était toute fraîche, comme si nous avions rouvert une blessure qui n'avait jamais tout à fait guéri.

— C'est exactement ce que je pensais. Mais vous, vous croyez qu'il lui est arrivé quelque chose, n'est-ce pas ? demanda-t-il en posant un plateau avec un pichet de limonade et une assiette de biscuits sur la table. Vous êtes venues ici pour ça.

— Nous n'en étions pas certaines, dis-je en étirant mes jambes, mais maintenant… je pense qu'il faut nous rendre à l'évidence. Je ne comprends pas pourquoi l'OIA vous a dit qu'elle était rentrée chez elle. Peut-être qu'ils ne voulaient pas admettre la disparition inexpliquée d'un de leurs agents.

— Saviez-vous qu'elle était suivie par un homme ? demanda Camille en se penchant en avant.

Harish cligna des yeux. Deux fois.

— Elle était suivie ? Par un homme ?

J'hésitai à lui poser la question suivante. Si je lui disais qu'Harold avait peut-être fait quelque chose à Sabele, il pourrait avoir une réaction violente. Toutefois, nous devions en apprendre le plus possible. Je décidai de prendre le risque.

Après tout, les elfes n'étaient pas connus pour leurs coups de sang.

— Est-ce qu'elle a déjà mentionné le nom d'Harold Young ?

L'elfe se laissa aller contre son siège, l'air soupçonneux.

— Harold Young ? Ce nom me dit quelque chose. Sabele m'en a parlé deux ou trois fois. Elle disait qu'il la mettait mal à l'aise. Il venait souvent au bar. Je ne pensais pas que... (Sa voix se mua en murmure.) Je croyais que c'était un client agaçant. Je lui ai conseillé de l'ignorer.

— Saviez-vous qu'elle avait déposé une plainte contre lui ? Les policiers sont allés lui parler, mais il a tout nié en bloc. Ensuite, sans nouvelles de Sabele, ils ont clos le dossier.

— Non, répondit-il en m'adressant un regard désespéré. Elle ne m'en a jamais parlé. Pourquoi ne l'ai-je pas prise au sérieux ? Vous pensez que ce type lui a fait quelque chose ? demanda-t-il, les yeux rivés au sol. Quand elle m'a parlé de lui, je lui ai dit qu'elle exagérait. Et s'il s'en était vraiment pris à elle ? Je l'ai trahie en ne la croyant pas sur parole !

Je ne savais pas quoi dire. Delilah et Camille semblaient à court de mots, elles aussi. Au bout de quelques minutes de silence gêné, je m'éclaircis la voix.

— Pas la peine de vous torturer. Vous ne pouviez pas savoir. Et puis, nous ne sommes pas sûres à cent pour cent qu'il lui soit arrivé quelque chose. C'est simplement la solution la plus plausible.

— Pouvez-vous m'aider à y voir plus clair ? Je vous paierai, marmonna-t-il. Je ferai tout ce qu'il faudra...

Avant que Delilah puisse répondre, je l'interrompis. Nous avions besoin d'argent, évidemment, mais je ne voulais pas lui donner l'impression d'être des goules qui nous nous nourrissions des morts.

— Écoutez. On va faire quelques recherches. Si elles nous coûtent cher, nous accepterons votre argent. Avec Delilah qui est détective privé dans notre équipe, ça ne devrait pas nous prendre très longtemps. Pour l'instant, vous pouvez nous aider en nous racontant tout ce que vous vous rappelez à propos d'Harold. Vous pouvez rassembler tout ça d'ici à demain matin ?

— Bien sûr, acquiesça Harish avec un léger soupir. Donnez-moi votre adresse, je vous enverrai ce que j'ai écrit demain. (Quand il se leva de nouveau, il paraissait beaucoup plus âgé que l'elfe qui nous avait ouvert la porte.) Merci… Même si je prie pour que vous découvriez qu'elle s'est simplement lassée de moi. Mais vous savez…

— Oui ? s'enquit Camille.

— J'ai toujours eu le sentiment que quelque chose clochait. Je n'arrivais pas à m'en défaire. J'avais l'impression d'exagérer, bien sûr. Alors, je l'ai mis sur le compte de la douleur…

— Une dernière question, l'interrompis-je. Savez-vous pourquoi Sabele écrivait son journal en Melosealfôr ? Très peu de gens le parlent et encore moins savent l'écrire.

Harish m'adressa un léger sourire.

— Enfants, nous étions amis avec une licorne. Elle ne venait pas de Dahns. C'était une licorne de la forêt d'or. Il nous a appris à parler cette langue. L'esprit avec qui il voyageait, lui, nous a appris sa forme écrite. Pendant des années, Sabele et moi l'avons utilisée comme une sorte de code secret. Visiblement, elle pensait toujours que c'était le meilleur moyen d'éloigner les curieux.

— Merci, dis-je en sentant mon estomac se retourner face à tant de peine.

— Nous allons vous laisser, alors. Voici ma carte, dit Delilah tandis que nous nous dirigions vers la porte.

Je vous ai également écrit notre numéro de téléphone fixe et ceux de nos portables au dos. Dépêchez-vous de nous recontacter, s'il vous plaît. Vous pouvez envoyer vos informations au *Voyageur*, au *Croissant Indigo*, la librairie de Camille, ou encore à mon bureau qui se trouve juste au-dessus du magasin.

Puis, nous prîmes congé et retournâmes à la voiture.

Le temps de rentrer à la maison, il était déjà minuit passé. Tandis que Camille se garait dans la cour, je jetai un coup d'œil à nos protections, de larges piquets de quartz brillants disposés en cercle, directement reliés à ceux de la cuisine. Leur lumière ivoire signifiait que tout allait bien. Pas de goule en liberté.

Dans la cuisine, Iris était assise dans le rocking-chair à côté du poêle. Les cils lourds de larmes, des traces de maquillage sur le visage, elle serrait un mouchoir dans la main, tandis que sa belle robe gisait par terre, à ses pieds. Elle avait mis un peignoir et avait détaché ses cheveux.

Rozurial lui préparait une tasse de thé. Quand il se tourna vers nous, il secoua la tête d'un air mécontent. Aussitôt, Camille et Delilah accoururent aux côtés de la jeune femme pendant que je prenais la tasse des mains de Roz pour la lui apporter.

— Que s'est-il passé ? demanda Delilah en caressant les cheveux d'Iris dont elle était si fière.

— Bruce, répondit-elle en rougissant. Ses amis nous ont rejoints au restaurant et ont réussi à nous faire mettre à la porte. Comme Bruce n'avait pas l'air gêné, ils ont décidé d'aller dans un bar. Je n'avais pas envie de les suivre… mais comme ils m'ont traitée de rabat-joie, j'ai arrêté de me plaindre. Une fois arrivés au pub *Le Clancy's*, Hans, le copain de Bruce, m'a vomi dessus. Après avoir essayé de me peloter.

Je lui ai donné une claque et il m'a vomi dessus ! Bruce s'est contenté de rire à gorge déployée. J'avais tellement honte ! J'aurais voulu rentrer sous terre.

La douleur qui résonnait dans sa voix me donnait envie de partir à la chasse au leprechaun. Mes doigts me démangeaient. Je voulais les refermer autour du cou de ce petit con pour avoir osé blesser Iris. Je me forçai à me calmer.

— Qu'est-ce que tu as fait ?

— Qu'est-ce que je pouvais faire ? J'ai dit à Bruce que je partais et, au lieu de m'en empêcher, il s'est contenté de rigoler. D'accord, il était saoul, mais il n'avait pas besoin d'être aussi cruel !

Quand elle se remit à pleurer, je vis rouge.

— Tu veux que j'aille lui parler ?

Iris renifla et se moucha avant de secouer la tête.

— Avec ces canines dehors, certainement pas.

Je ne m'étais pas rendu compte que mes canines s'étaient allongées. Je fis de mon mieux pour me reprendre.

— Pardon. Je ne le mordrai pas. Promis.

Camille ramassa la robe qui traînait par terre. Elle fronça le nez devant l'odeur de vieux vomi mêlée à celle de l'alcool.

— Je vais essayer de la nettoyer. Dans le pire des cas, je l'enverrai chez le teinturier, dit-elle en se rendant dans la buanderie.

Delilah posa une main sur celle d'Iris et lui embrassa la joue.

— Qu'est-ce que les hommes peuvent être énervants ! Rappelle-toi comme j'ai voulu tuer Chase après l'avoir surpris avec Erika.

Roz s'installa à la table avec une tasse de thé et un sandwich à la dinde.

— Nous ne sommes pas tous comme ça, Iris. Moi, par exemple, je n'ai jamais maltraité une femme.

— Non, c'est vrai. Tu te contentes de les séduire avant de t'enfuir quand elles regardent ailleurs, rétorquai-je.

Quand il m'adressa un grand sourire, je ne pus m'empêcher de le lui rendre.

— Évidemment. C'est mon métier, chérie. Tu le sais bien. Mais je fais toujours en sorte de les satisfaire et de les quitter sans les faire souffrir.

Sans son long manteau, il ressemblait à n'importe quel beau gosse frisé. Pourtant, personne ne pouvait rater cette lueur dangereuse qui illuminait son regard. Ce soir-là, il portait un jean et un marcel noirs avec un chapeau australien qui semblait sortir tout droit de *Crocodile Dundee*. Un style qui lui allait à merveille.

Iris essuya ses larmes.

— Je suis idiote de pleurer pour ça. Mais je pensais que ce serait une nuit spéciale... et regardez comment ça s'est fini ! Je... J'espérais... (Sa voix mourut tandis qu'elle se frottait l'arête du nez, au niveau des yeux.) J'ai mal à la tête. Merci pour le thé, Rozurial.

Il repoussa sa chaise pour venir s'agenouiller devant elle.

— N'abandonne pas tout de suite, ma belle. Malgré ses apparences grossières, Bruce est quelqu'un de bien. Si tu lui passes un bon savon, je parie qu'il se tiendra à carreau à partir de maintenant. (Il se pencha pour déposer un léger baiser sur ses lèvres. Elle rougit, mais ne fit aucun geste pour se défiler.) Tu es bien trop belle à l'intérieur et à l'extérieur pour rester seule trop longtemps. Donne-lui une seconde chance. S'il la gâche, je m'occuperai de lui moi-même.

J'allais intervenir lorsque l'alarme retentit de nouveau, le cristal étincelant sur la table. Aussitôt, Camille déboula dans la pièce, les mains pleines de lessive.

— Merde ! Quelque chose est encore entré dans la propriété !

— La goule ? demanda Delilah.

— Aucune idée, fis-je en haussant les épaules. Et ce n'est pas en restant ici qu'on le saura. Roz, reste avec Iris et Maggie. On va voir qui cherche la bagarre.

Chapitre 11

J'en avais marre de me cacher. Peu importait de qui il s'agissait. Ils avaient déclenché l'alarme, ils n'étaient pas les bienvenus. Point.

— Venez, on ne va pas tourner autour du pot cette fois, dis-je en ouvrant la porte de la cuisine en grand, Camille et Delilah sur les talons. (La lune, encore haute dans le ciel, commençait lentement sa descente et inondait le jardin de sa lumière.) Où est-ce qu'on va ?

Le problème avec ce système c'était que nous ne savions jamais où se trouvait la brèche. Morio et Camille travaillaient là-dessus, mais pour le moment, on devrait recourir aux bonnes vieilles méthodes.

— Suivons notre intuition ? suggéra Camille en descendant les marches. (La nuit avait été longue. Mes sœurs semblaient toutes les deux épuisées.) Séparons-nous. Je vais aller du côté des jardins. Delilah, on te laisse l'étang. Menolly, pourquoi n'irais-tu pas vers le sud-ouest de la propriété ?

— Ça me va, répondis-je en tournant à gauche de la maison.

Nous n'entretenions pas beaucoup cette partie du jardin. En fait, nous avions fait le choix de la laisser à l'état sauvage pour permettre aux animaux et aux esprits d'y vivre en toute tranquillité. À présent, elle était envahie de genêts à balais et de ronces en fleurs sinueuses qui essayaient d'accaparer le territoire. L'herbe brillante m'arrivait aux genoux. Deux chênes s'élevaient au milieu, leurs troncs dissimulés par les buissons. La pluie faisait tout pousser plus vite ici. D'après Camille, les esprits en étaient ravis.

Tandis que je repoussais un rameau qui barrait le vague sentier, une araignée tomba d'un arbre. Surprise, je la chassai. Par ici, les tisseuses étaient grosses et rayées, mais elles n'étaient pas venimeuses. Dans tous les cas, leur poison n'aurait eu aucun effet sur moi.

Depuis notre rencontre avec les araignées-garous, Delilah ne pouvait plus les voir en peinture. Camille ne les portait pas non plus dans son cœur, mais elle n'en avait pas peur pour autant.

Quant à moi, je les aimais bien parce qu'elles n'abandonnaient jamais. Elles reconstruisaient sans cesse leur toile et attendaient des heures qu'une proie s'y prenne. Et puis, comme moi, elles se nourrissaient de sang et de sécrétions corporelles. Beaucoup les craignaient. C'était le cas aussi pour les vampires. Nous avions beaucoup de choses en commun, les araignées et moi.

Je m'assurai que l'argiope trouve son chemin sur une feuille avant de reprendre le mien parmi les hautes herbes. Le sentier se terminait devant un énorme genêt à balais d'au moins deux mètres de haut dont les fleurs dorées étincelaient sous le clair de lune. J'entendis un craquement et une coque explosa, libérant les graines d'une nouvelle génération au vent.

Me faufilant entre deux tiges géantes, je me frayai un chemin dans ce labyrinthe de verdure. Sans savoir vraiment où je mettais les pieds, je me contentai de suivre mon instinct. Au bout de quelques mètres, je perçus une présence. Ou plutôt, je l'entendis. Des battements de cœur. Et je la sentis.

Une odeur de delfalia, une fleur que l'on ne trouvait qu'en Outremonde.

Je m'avançai prudemment, à la recherche de sa provenance. Puis, dans l'obscurité des herbes hautes, je vis se dessiner une source de chaleur. Un bipède, peut-être humain, peut-être Fae ou elfe. Je poursuivis, aussi silencieuse que la nuit. Que se passait-il donc ? D'où venait-il ? Soudain, je me rendis compte que l'espace entre les chênes scintillait. Un portail. Putain, nous avions un portail sur nos terres !

Et merde, ça expliquait l'apparition soudaine d'un blurgblurf quelques semaines auparavant. Et maintenant, à quoi allions-nous avoir droit ? Je plissai les yeux dans l'espoir d'y voir plus clair. S'il avait déclenché l'alarme, il ne pouvait pas avoir de bonnes intentions envers nous.

Je fis quelques pas avant de m'arrêter net. C'était un Fae, il n'y avait aucun doute là-dessus, et il portait du bleu et or, couleurs d'Y'Elestrial. Un ancien garde ? Après tout, notre reine précédente était toujours en cavale avec une poignée de partisans. De temps en temps, notre père nous rapportait des histoires de massacres et de batailles à travers le royaume. Mais que faisait-il ici ? Voulait-il nous assassiner ? Lethesanar devait vraiment détester notre famille. Non seulement notre père et notre tante avaient été les instruments de sa chute, mais en plus, mes sœurs et moi avions changé de camp.

Dans tous les cas, je ne pouvais pas le laisser repartir à travers le portail sans en apprendre davantage. J'attendis qu'il tourne la tête pour lui sauter dessus, passant un bras autour de son cou.

— Qui es-tu et qu'est-ce que tu fabriques sur nos terres ? demandai-je en appuyant mon genou contre son dos. Réponds-moi et vite, sinon je te brise la colonne vertébrale. Tu ne veux pas qu'on en arrive là, pas vrai ?

Comme il se débattait, je choisis la solution la plus rapide : lui assener un coup sur la tête si violent qu'il perdit connaissance. Puis, je le pris sur mes épaules et récupérai le sac qu'il transportait avant de filer vers la maison.

Camille m'aperçut en sortant du potager.

— Qui est-ce ?

— Aucune idée. Je l'ai trouvé près des deux chênes. Au fait, le genêt dissimule un portail entre les deux arbres. Il faudra demander à la reine Tanaquar ou à la reine Asteria d'y poster un garde pour le surveiller. On ne peut pas laisser une porte ouverte à n'importe qui sur nos terres, surtout parce qu'on ne sait pas où elle mène. (Je désignai la maison d'un mouvement de tête.) Va chercher une corde et un bâillon. On ne sait jamais. Il pourrait se servir d'incantations pour nous atteindre.

Sans un mot, elle disparut dans la maison avant moi, gravissant rapidement les marches. Elle revint accompagnée de Roz qui portait une corde sur son épaule et un torchon propre.

— J'ai pensé que Roz pourrait surveiller le portail cette nuit, dit-elle.

— Bonne idée. Aidez-moi à l'attacher, puis je montrerai son emplacement à Roz.

Pendant que Rozurial et Camille tenaient les bras et les jambes de l'homme, je fis en sorte de l'attacher le plus solidement possible, puis me servis du torchon pour en faire un bâillon, tout en m'assurant de ne pas l'étouffer.

Ma tâche terminée, je le portai jusque dans le cabanon que nous avions récemment transformé en studio pour loger Roz, Vanzir et notre cousin Shamas. Nous préférions ne pas les laisser dormir sous le même toit que nous. Je fis tomber notre prisonnier sans ménagement sur le canapé. Sous le regard inquisiteur de Camille, je haussai les épaules.

— Il a déclenché l'alarme, il l'a mérité. Il est sûrement dangereux et je ne me sens pas d'humeur affable envers un gars qui a l'intention de nous tuer.

— Je comprends, répondit-elle. Allez-y, maintenant. Je le surveille. Montre l'emplacement du portail à Roz, on décidera quoi en faire demain, ajouta-t-elle en nous mettant à la porte.

Après un dernier coup d'œil au cabanon, je fis signe à Roz de me suivre dans le fond de la propriété. Il resta un instant hébété devant la nature sauvage qui se présentait à lui.

— Génial. Vous avez déjà pensé à investir dans une tondeuse ? Ou une faux ? Hé, même une chèvre ferait des miracles dans cette jungle ! s'exclama-t-il en secouant la tête. Ces amoureux de la nature, alors... Je suis sûr que tu passes ton temps à étreindre des arbres.

Heureusement pour lui, il souriait. Ce fut la seule chose qui me retint de le faire tomber tête la première dans les buissons.

— Camille et Iris pensent que c'est mieux pour les esprits de la nature. Pour ma part, je trouve que ça change des jardins trop entretenus que l'on trouve dans le quartier. Je n'ai jamais compris pourquoi les gens s'évertuaient à transformer la nature en œuvre d'art. Même en Outremonde, dans la cité des prophètes, par exemple, ils taillent tout ce qui leur tombe sous la main de peur que ça devienne une menace.

J'écartai les branches du genêt pour permettre à Roz de s'y glisser. Les coupures et éraflures des ronces ne me dérangeaient pas, mais, malgré sa nature d'incube, Rozurial pouvait se blesser.

Nous nous frayâmes un chemin à travers les buissons jusqu'au portail des deux chênes.

— Je me demande où il mène, remarqua-t-il.

— J'aimerais bien le savoir, moi aussi. Mais si je le traverse et qu'il y a du soleil de l'autre côté… le résultat ne sera pas beau à voir. Tu veux y jeter un coup d'œil pour moi ?

Je pensai soudain à y passer simplement la main. Au moins, nous serions fixés niveau soleil. Toutefois, sans me laisser le temps de le suggérer, Roz avait déjà traversé le portail et disparu.

J'attendis. Une minute. Deux minutes. Au loin, une chouette ululait. Trois minutes. Je commençais à m'inquiéter un peu. Et si Roz était tombé dans un piège ? Ou pire ? À côté de certaines parties d'Outremonde, les Royaumes Souterrains ressemblaient au paradis. Quatre minutes. Merde, où était-il ? Et si j'allais vérifier… ?

Alors que je me préparais à l'éventualité d'une mort rapide, Roz sauta hors du portail.

— Où étais-tu, bordel ? J'étais folle d'inquiétude !

Je détestais admettre ce genre de choses. Ça jurait avec mon image.

Alors, Roz passa un bras autour de mes épaules. Geste risqué. Il savait que les contacts me rendaient mal à l'aise… même si nous nous étions embrassés plusieurs fois. En fait, tout dépendait de mon humeur.

Je me forçai à rester immobile. Son pouls était chaud, plein d'énergie sexuelle et de sang. Le mélange pouvait se révéler mortel selon le vampire auquel il s'adressait. Heureusement, en tant qu'incube, il pouvait s'autoriser quelques libertés.

— Tu t'inquiétais pour moi ? Comme c'est gentil, murmura-t-il en enfouissant son visage dans mon cou.

Tremblante, je me débattis légèrement, me reculant de façon qu'il ne puisse pas me mordiller.

— Arrête, chuchotai-je. C'est pas le moment. Nous devons nous occuper de choses plus importantes que ton pénis et ses caprices.

— Tu adorerais mon… mes caprices… si tu me laissais une chance, dit Roz d'une voix sortie tout droit de draps en satin. Avoue-le, tu sais qu'on ferait des étincelles, tous les deux.

Et c'était bien le problème. Je savais qu'il avait raison. Pourtant, je n'étais pas sûre de vouloir m'engager dans une deuxième relation. Même si Roz ne cherchait pas d'histoire compliquée, il avait le potentiel pour m'entraîner dans son monde. Je n'y étais pas encore prête.

— Si tu n'arrêtes pas tout de suite, je refuse de continuer à t'offrir mes lèvres, menaçai-je en le repoussant, les bras croisés.

Il s'éclaircit la voix et haussa les épaules d'un air blasé.

— OK, OK. Je promets de bien me tenir. D'après ce que j'ai pu voir, le portail mène à la vallée du saule venteux. Pas de gobelins, ni de gangs assoiffés de sang. Je me suis contenté de jeter un coup d'œil alentour. Je pense que ce n'est pas très loin de l'océan Wyvern.

— Dans ce cas-là, il s'agirait de la frontière nord-est de la vallée. Près des plaines de Silofel. (Je ne m'y étais jamais rendue, mais je me souvenais de mes leçons de géographie.) Est-ce que tu as aperçu quelqu'un ? Des licornes peut-être ?

— Non, répondit Roz en secouant la tête. Personne, et ça m'étonne. Tu es sûre que l'homme de tout à l'heure vous veut du mal ? Après tout, très peu de Fae se baladent dans cette vallée, à l'exception de ceux qui vivent en harmonie avec les Cryptos. C'est une terre sauvage, hostile à toute forme de gouvernement… sauf peut-être à Dahnsburg, où, visiblement, le roi des licornes règne d'une poigne de fer.

—Il portait les couleurs d'Y'Elestrial, répondis-je en me mordant la lèvre.

Quelque chose clochait. J'étais sur le point de revenir au cabanon pour interroger notre visiteur quand le cri de Delilah retentit dans la nuit.

—Mince, c'est Delilah ! Oublie le portail pour l'instant !

Courant à travers les branches et les buissons, nous écrasâmes les graines dispersées à notre passage. Une fois arrivés devant la maison, nous aperçûmes Chaton sur la pelouse au bout du sentier. Elle se battait avec quelque chose qui ressemblait dangereusement à un calamar plein d'encre.

—Merde, c'est un démon ! Voilà ce qui a déclenché l'alarme ! Dépêche-toi, il faut l'aider ! Cette satanée bestiole évolue entre les plans astral et physique. On ne peut pas s'en débarrasser comme ça.

Roz sur les talons, je me précipitai dans la cour. Soudain, il me dépassa en sautant et disparut. Je m'arrêtai net. Où était-il passé ? Les cris de Delilah me rappelèrent mes priorités.

La créature la maintenait entre ses tentacules tandis qu'elle approchait l'un d'eux de sa tête. Oh non, ça ne présageait rien de bon ! J'accélérai davantage et tentai de le frapper mais, comme à *Avalon*, mon pied percuta une barrière invisible et je fus propulsée en arrière.

Quand je me relevai, je me rendis compte que quelque chose se passait près de la tête de Delilah. Le tentacule de la créature semblait combattre un ennemi invisible. Roz ! Ça ne pouvait être que lui !

Voulant l'aider à tout prix, j'essayai de trouver un moyen d'intervenir. Alors, j'eus une idée. Même si j'étais incapable de toucher la créature, je pouvais approcher ma sœur. Aussitôt, je sautai derrière elle et passai mes bras autour de sa taille. Puis je tentai de l'emmener avec moi vers la sécurité. Le démon ne voulait pas la lâcher, mais, contrairement à lui, j'avais l'avantage de me trouver entièrement sur le plan physique, et je réussis finalement à libérer Delilah de ses tentacules. Un grand bruit de succion se produisit.

Delilah saignait légèrement. Après l'avoir balancée sur mon épaule, je courus hors de portée du démon.

— Menolly, cache-toi derrière un buisson et ferme les yeux ! cria soudain Camille.

Je m'exécutai sans demander mon reste. Derrière un plant de genêts de presque un mètre de haut, je me tapis contre le sol près de mon Chaton et fermai les yeux.

J'entendis un grand éclat qui ressemblait un peu à un éclair, puis je sentis la peau de mon dos brûler sous l'effet d'une vague de lumière. J'attendis qu'elle passe sans bouger.

— C'est fini, m'informa Rozurial en me tendant la main pour m'aider.

Pour une fois, je l'acceptai et me relevai en chancelant. La lumière m'avait retiré toute mon énergie. Je ne voulais même pas imaginer les résultats qu'elle aurait eus sur moi si j'avais été à découvert. Quand Delilah laissa échapper un gémissement, nous l'aidâmes à se mettre debout. Elle tenait à peine sur ses pieds.

— C'était le même… le même démon qui m'a attaquée dans la boîte de nuit, dit-elle en retrouvant l'usage de sa voix. Je l'ai senti à l'intérieur de ma tête. Je pense qu'il a placé une sorte de radar sur moi, comme si nous étions connectés. (Elle se massa les tempes.) J'ai un mal de tête carabiné.

— Comment a-t-il réussi à te retrouver ? demandai-je. Et si c'est le démon qui a déclenché notre alarme, alors qui est le type… ?

— Il a été envoyé par Y'Elestrial, m'interrompit sèchement Camille. Par la reine Tanaquar. Nous avons attaché et bâillonné l'assistant du conseiller principal de la Cour et la Couronne ! Et crois-moi, il n'est pas content du tout !

Chapitre 12

Le conseiller principal de la Cour et la Couronne était notre père. Par conséquent, l'homme saucissonné dans notre cabanon n'était autre que… son assistant.

— Oh merde !

Comme j'étais celle qui l'avait assommé, je me précipitai pour lui présenter mes excuses. Père allait nous en vouloir… à moi en particulier. Il m'avait toujours dit de réfléchir avant d'agir. Déjà enfant, j'avais été impulsive, malgré mon côté introverti.

Quand j'entrai dans le studio, l'homme était assis sur le canapé, les bras croisés. Il m'adressa un regard empli de haine, glacial comme le givre d'un matin d'hiver.

Camille l'avait détaché. Pourtant, quelque chose me disait que ça ne suffirait pas à me faire pardonner la bosse sur sa tête ou les brûlures que la corde avait laissées autour de ses poignets. J'avais fait en sorte qu'il ne puisse pas s'échapper.

D'habitude, ça m'aurait été égal. Les erreurs étaient monnaie courante. Dans notre guerre contre les démons, il arrivait qu'un innocent soit pris entre deux feux, mais nous ne pouvions pas faire autrement. Nous devions nous méfier de tout le monde. Pourtant, cette fois, il s'agissait d'un membre de la Cour et la Couronne. Tanaquar nous versait de nouveau un salaire. Nous ne pouvions pas nous permettre de perdre cet argent ou son soutien. Trop de choses dépendaient de nos alliés.

Camille avait plongé dans une profonde révérence. Delilah aussi, mais ça n'avait pas le même effet en jean. Quant à moi, je me contentai de m'incliner légèrement. Nous devions respecter le protocole. En Outremonde, Lethesanar exigeait de ses sujets qu'ils se mettent à genoux devant elle. Au moins, Tanaquar n'était pas aussi assoiffée de reconnaissance et de pouvoir. Après avoir volé la couronne de la mangeuse d'opium, elle avait procédé à quelques ajustements dans les règles de la Cour.

Je patientai en silence.

— Au moins, vous n'avez pas oublié toutes vos manières, grogna-t-il. (Il se leva et tenta de lisser son costume. Il nous fit signe de nous relever.) Levez-vous. Auriez-vous l'obligeance de me dire pourquoi vous m'avez attaqué ?

J'adressai un regard alarmé à Camille qui resta muette. Je m'étais mise dans cette situation toute seule et je m'en sortirais de la même façon. Ma sœur recula pour me laisser l'espace nécessaire. Je ne connaissais même pas le nom de notre invité. Père nous en avait sûrement parlé, mais impossible de m'en souvenir.

— Honorable… assistant…

— Déjà oublié ? Je m'appelle Yssak ob Shishana, fit-il en croisant les bras sur son torse.

Je m'éclaircis la voix.

— Honorable assistant Yssak, je suis terriblement désolée. Je ne vous aurais jamais assommé si j'avais su que vous étiez l'assistant de notre père. Je pensais que vous étiez envoyé par Lethesanar pour nous assassiner. Vous savez, sans doute, qu'elle avait mis nos têtes à prix.

Clignant des yeux, je relevai la tête vers lui. Malgré son expression perplexe, Yssak sembla rassuré. J'arriverais peut-être à m'en sortir toute seule, finalement.

C'était un homme impressionnant, sans être très beau ni charmant. Il avait un visage intéressant, plein de bosses et de cicatrices obtenues à la guerre. Ses cheveux blonds étaient coiffés en queue-de-cheval, attachés avec un lien de la même couleur que son uniforme, comme ceux de notre père. Il était grand, mais pas trop. En réalité, il paraissait presque ordinaire si on exceptait le fait qu'il respirait le pouvoir. Je pouvais le sentir comme des phéromones.

Il prit une inspiration avant d'expirer lentement.

— Je suppose que je peux comprendre votre réaction étant donné la menace démoniaque contre laquelle vous vous battez et l'état d'esprit de la reine précédente.

— Ce n'est pas tout, intervint Camille en s'approchant de moi. Juste avant votre arrivée, les protections entourant notre propriété ont détecté une présence inconnue. Nous étions parties à sa recherche. Menolly vous a trouvé avant que l'on découvre le vrai coupable… un démon que nous n'avons pas encore pu identifier et que nous avons beaucoup de mal à combattre.

Je lui adressai un sourire reconnaissant. Ce n'était pas parce qu'Yssak travaillait pour notre père qu'il excuserait nos erreurs. Jusqu'à présent, Père se révélait le plus sévère de nos supérieurs.

Delilah s'était affalée sur le canapé, l'air pâle.

— Excusez-moi, honorable assistant. Notre sœur a été attaquée par la créature. Puis-je m'occuper d'elle ?

Je détestais ces formalités, mais encore une fois, c'était le protocole et je devais m'y soumettre. Père nous l'avait appris dès notre plus jeune âge. Ne pas les respecter devant la Cour et la Couronne revenait à se faire arracher les dents. Pas très ragoûtant.

Yssak cligna des yeux.

— Pourquoi ne l'avez-vous pas dit plus tôt ? Pour l'amour du ciel, je suis en colère, c'est vrai, mais je ne vous aurais pas fait attendre si vous me l'aviez demandé ! Votre père me tuerait si je mettais une de ses filles en danger.

Quand il recula, nous nous précipitâmes près de Delilah.

— Ça va, ma chérie ? demanda Camille en lui prenant la main pour tâter son pouls. (Elle m'adressa un regard inquiet.) Beaucoup trop rapide. Merde, est-ce que ce truc a réussi à entrer en contact avec son fil d'argent ? Je ne peux pas lire sa signature, je suis trop proche d'elle.

Roz la repoussa légèrement, puis il posa une main sous le menton de Delilah pour lui faire relever la tête et la regarder dans les yeux. Quand notre sœur murmura quelque chose, il retira la main.

— Par tous les dieux ! La créature est toujours reliée à elle. Elle aspire son énergie.

— Est-ce que tu peux nous emmener avec toi sur le plan astral pour la combattre ? demanda Camille. Flam l'a déjà fait.

— Flam est beaucoup plus puissant que moi, répondit Roz. Je ne pourrais pas maintenir une barrière autour de nous. En revanche, je peux aller chercher le dragon. Il doit être chez lui.

En un clin d'œil, il avait disparu dans la mer ionique. Camille se tourna vers moi.

— Va chercher des couvertures. Il faut la garder au chaud. Et du brandy ou du porto aussi, quelque chose de fort pour la maintenir éveillée. Putain, putain, putain ! Il faut à tout prix découvrir contre quoi on se bat et les éliminer !

Yssak s'approcha de moi.

— Comment puis-je vous aider ? Dites-le-moi.

— Je ne sais pas, répondis-je d'un air désespéré. Je ne sais vraiment pas. Restez avec Camille pendant que je ramène des couvertures et de l'alcool.

Hochant la tête brièvement, il se posta devant la porte pour surveiller l'entrée, tandis que je me dirigeais vers la maison en courant. C'était dans des moments pareils qu'être un vampire ne me dérangeait pas. Ma vitesse surhumaine me permettait de venir en aide à mes sœurs bien plus rapidement.

Quand j'ouvris la porte à la volée, je tombai sur Iris qui, alerte, gardait un œil sur Maggie. Elle brandissait sa baguette. Malgré sa petite taille, Iris pouvait faire beaucoup de dégâts à l'aide de ce bout de cristal et d'argent.

Je fus soulagée de voir Vanzir à son côté. Il fronça les sourcils.

— Qu'est-ce qui se passe ?

— Encore ces satanés démons ! L'un d'eux s'est accroché au fil d'argent de Delilah. C'est le même qui l'a attaquée tout à l'heure. La créature a réussi à suivre sa trace à travers le plan astral. Delilah commence à perdre toute son énergie. Iris, va me chercher une couverture et du brandy ou du porto, demandai-je avant de me tourner vers Vanzir. Nous devons à tout prix découvrir ce qu'ils sont et comment les tuer avant qu'ils mettent le monde sens dessus dessous.

Vanzir m'étonna en posant doucement la main sur mon bras. D'habitude, il évitait de nous toucher. Je m'arrêtai pour le dévisager.

— Je sais ce qu'ils sont, dit-il. J'ai fait quelques recherches.

— Continue, le pressai-je.

— Il s'agit d'une ancienne race de démons que l'on trouve principalement sur Terre sur le plan astral. Ils ont été invoqués il y a quelques milliers d'années par les sorciers d'une culture précédant Sumer. Ils sont connus sous le nom de Karsetii.

Vanzir pâlit. Et quand ça arrive à un démon, en particulier à un démon qui a fait et vu autant de choses que Vanzir, ça signifie que vous êtes dans de sales draps.

— Tu n'as pas l'air très bien, dis-je en me tournant vers Iris qui revenait dans la pièce avec la couverture et une bouteille de brandy. (Elle me les tendit.) Iris, reste avec Maggie. On revient dans pas longtemps.

Je fis signe à Vanzir de me suivre par la porte de derrière. Toutefois, je me déplaçais plus vite seule.

— Rejoins-moi au studio. *Pronto*, lui dis-je avant de détaler.

Quand j'atteignis le cabanon, Roz n'était toujours pas de retour. Aussi, j'aidai Camille à installer Delilah et à lui faire boire un peu d'alcool. Elle était consciente, mais pas tout à fait parmi nous. Nous dûmes la forcer à avaler.

— J'aimerais que sa jumelle puisse nous aider. Elle évolue sur le plan spirituel, intervint Camille.

— Oui, mais le plan spirituel n'est pas le même que l'astral. Arial ne pourra peut-être pas traverser si facilement.

Prononcer ce nom me paraissait encore étrange. Nous avions découvert récemment que Delilah avait une jumelle mort-née. Elle veillait sur elle sous sa forme de léopard-garou. L'apparition de la forme de panthère de Delilah était peut-être connectée à Arial. Ou pas. Comme notre père avait rechigné à nous en parler, la situation n'était pas encore tout à fait claire.

Vanzir apparut au moment où Delilah acceptait une gorgée du liquide ambré. Il la regarda d'un air interdit.

Camille le présenta rapidement à Yssak.

— Vanzir travaille pour nous maintenant.

— C'est ce qu'on m'a dit, répondit Yssak en hochant la tête avant de se tourner vers l'intéressé. Vous êtes très courageux de vous être soumis au rituel d'assujettissement.

— Si vous le dites, marmonna Vanzir. Je disais à Menolly que j'avais trouvé des renseignements sur nos démons.

— Les dieux soient loués ! s'exclama Camille, le souffle court. Enfin, une bonne nouvelle ! Qui sont-ils ? Comment est-ce qu'on peut les tuer ? Tu crois qu'ils sont de mèche avec l'Ombre Ailée ?

— Tu ne penseras plus que c'est une bonne nouvelle quand tu auras entendu tout ce que j'ai à dire. Ce sont des Karsetii, une race de démons lâchée sur le plan astral. Ils se nourrissent principalement de personnes.

— Tu ne parles pas de démons spirituels, par hasard ? demanda Camille.

— Bien vu, intervins-je. Les démons spirituels sont très puissants. Toutefois, on peut les tuer sur le plan physique avec une arme en argent.

Vanzir secoua la tête.

— Non… même si leurs natures sont similaires. Les Karsetii sont bien pires que les démons spirituels. Ils sont aussi connus sous le nom de « démons des profondeurs » et ont été vus pour la dernière fois il y a deux mille ans, finit-il avec un soupir.

Putain de merde ! Pas étonnant qu'il soit affamé !

— Deux mille ans ? Alors c'est sûrement l'Ombre Ailée qui…

— Pas si vite, m'interrompit-il. Contrairement aux démons spirituels, les Karsetii ne vivent pas dans les Royaumes Souterrains. Je n'ai jamais entendu parler d'eux là-bas. Carter, un ami à moi, est expert en démonologie. Je suis passé le voir et il est persuadé que l'Ombre Ailée n'y est pour rien tout simplement parce que les Karsetii n'obéissent aux ordres d'aucun démon. (Il s'agenouilla près de Delilah pour sentir son pouls.) La créature est toujours là. Elle se nourrit d'elle. Nous devons maintenir votre sœur en vie jusqu'à ce que nous trouvions un moyen de tuer cette chose.

— Alors, le démon ne fait pas partie d'une escouade de Degath ?

Je me surprenais presque à espérer le contraire. Les éclaireurs de l'enfer, ça, nous connaissions : nous pouvions leur faire face.

— Non, répondit-il en secouant la tête. Ils ne font pas partie d'une escouade de Degath. Ils ne prêtent allégeance à personne et ne forment pas d'alliance. Ils vivent selon leurs propres règles. Et comme je l'ai déjà dit, Carter a vérifié toutes ses sources. Il les a informatisées. Personne n'en avait plus vu depuis deux mille ans.

— Comment est-ce qu'on le tue ? demandai-je en tapotant du doigt sur la table.

— C'est la partie que vous n'allez pas aimer. On ne peut rien faire d'ici. Il faut l'attaquer sur le plan astral.

— Génial, marmonna Camille en se dirigeant vers la fenêtre. (Puis elle revint auprès de Delilah pour lui caresser le visage.) Si j'ai bien compris, nous devons nous rendre sur le plan astral et le mettre en pièces. Après quoi, il faudra faire des recherches pour savoir ce qu'il faisait là.

— Il y a autre chose, ajouta-t-il en me regardant dans les yeux.

— Dis-nous tout, le pressai-je.

— Pour commencer, je ne sais pas exactement comment le tuer. Personne ne le sait. Cette créature n'est pas réapparue pendant deux mille ans ! Et puis, il se pourrait que le démon relié à Delilah fasse en fait partie d'une ruche.

— Répète un peu pour voir ?

Je n'aimais pas ça du tout.

— Le démon qui pompe l'énergie de Delilah et les autres démons qui ont tué les clients d'*Avalon* ne sont que des avatars de leur reine. Il n'y a en fait qu'un Karsetii, mais il est capable de créer des représentations de lui-même. Puis ces ombres voyagent à la recherche de sa nourriture qu'il absorbe directement. Même si nous nous rendons sur le plan astral et que nous détruisons la créature qui s'accroche à Delilah, la reine se contentera d'en créer une autre.

— Mais est-ce que Delilah serait sauvée ? Pour l'instant, je me moque complètement de tuer la source !

Je voulais simplement que ma sœur soit libérée. Vanzir sembla hésiter.

— Je ne sais pas, répondit-il lentement. Mais on peut essayer.

— Alors trouvons un moyen de pénétrer sur le plan astral, lançai-je en retirant ma veste. (Au même moment, Flam et Rozurial apparurent dans la pièce, sortant tout droit de la mer ionique. Je leur fis signe de me rejoindre sans préambule.) Dépêchez-vous les gars, on doit aller sur le plan astral pour une petite chasse au démon.

Flam regarda Delilah avant de reporter son attention sur moi.

— Je peux emmener deux personnes. Camille et Menolly, venez avec moi.

— Et je peux probablement t'aider à traverser, ajouta Roz en s'adressant à Vanzir… même si je ne prendrais pas le risque avec les filles.

— Je suis capable d'y aller tout seul, rétorqua l'intéressé. Je suis simplement moins rapide que le dragon et toi.

— Nous n'avons pas de temps à perdre, les interrompis-je. Va avec Roz.

Yssak me donna une tape sur l'épaule.

— Que voulez-vous que je fasse ? demanda-t-il.

— Ne laissez entrer personne, répondis-je en indiquant la porte d'un geste de la main… sauf s'il s'agit d'Iris ou de

Chase Johnson. Et surveillez Delilah. Nous allons sur le plan astral de manière physique. Vous serez le seul à pouvoir la protéger ici.

Hochant la tête, Yssak porta une main à son épée. Ni Flam ni Vanzir ne posèrent de question sur ce nouveau venu pendant que nous nous préparions à notre expédition.

Quand Flam tendit les bras, Camille se plaça immédiatement sous le couvert de son épaule gauche et je pris place, hésitante, à droite. J'aimais bien Flam, mais je n'étais pas sous son charme comme Camille.

Installée ainsi contre lui, l'odeur du dragon me monta soudain au nez. Petit rappel qu'il n'était pas tout à fait humain. Peu importe la forme qu'il prenait, en définitive, il serait toujours un énorme reptile blanc et argenté cracheur de feu.

Avec un léger sourire, Flam baissa la tête vers moi, comme s'il avait deviné mes pensées.

— Occupons-nous de Delilah, dit-il.

Tandis que j'observais Camille qui avait l'air complètement à l'aise dans ses bras, je me rendis compte que je n'avais jamais posé les pieds sur le plan astral de mon plein gré. Dans mes rêves, j'avais l'impression de parcourir le monde, mais mon esprit était bel et bien enfermé dans mon corps.

Camille passa la main sur le ventre de Flam pour toucher la mienne que j'avais posée à l'endroit qui me semblait le plus convenable. Quand elle entrelaça nos doigts, je croisai son regard. Elle avait toujours su deviner mes pensées.

— Ne sois pas nerveuse. Nos corps nous suivent cette fois. Tout ira bien, me rassura-t-elle. À côté de la mer ionique, c'est du gâteau. C'est la même chose que traverser un portail, tu verras.

— Oui, oui…

Je n'aimais pas faire confiance à quelqu'un d'autre pour me déplacer ainsi, mais je n'avais pas le choix. Et si elle avait raison… j'avais traversé suffisamment de portails pour savoir à quoi m'attendre.

L'aura de Flam se mit à fredonner. Même moi, je pouvais l'entendre, alors que je n'avais jamais été très réceptive pour une métisse. Je reconnaissais les démons sans problème, les morts-vivants et les manifestations physiques comme la peur, le désir ou la chaleur. Toutefois, la magie de la lune ou des dragons me dépassait totalement.

Je frissonnai. Le monde se mit à disparaître autour de moi, partout, sauf dans l'abri protecteur des bras de Flam. Camille se trompait. Ça n'avait rien à voir avec la traversée d'un portail. À l'intérieur d'un portail, on avait l'impression que deux aimants géants séparaient votre âme et votre corps avant de recoller les morceaux à la sortie. Dans un portail, le monde semblait se déchirer en même temps que votre corps. Là, c'était différent.

Tout ce qui ne faisait pas partie de la barrière que Flam avait érigée autour de lui était flou et inconsistant. Le cabanon, Delilah et Yssak avaient disparu derrière un brouillard grisâtre qui étincelait de pointes de lumière argent et blanc, comme de la rosée sur des bandes de nuages.

Tout à coup, nous fûmes ailleurs. Le brouillard était encore épais quand Flam ouvrit les bras. Camille et moi sortîmes de son ombre. Les nuages encerclaient nos chevilles, nos genoux. Au loin, de vagues ombres ressemblaient à des arbres difformes.

— Où sommes-nous ? demandai-je en avançant avec hésitation.

Le sol ou, du moins, ce qui se trouvait sous la brume, semblait relativement solide, mais il y avait quelque chose de fantomatique dans l'air. Je me tournai vivement vers Camille.

— Tu arrives à respirer ? Il y a de l'oxygène ? Je n'arrive pas à m'en rendre compte.

— Oui, répondit-elle en hochant doucement la tête. On dirait bien. Ce n'est pas… comme la mer ionique. Je suis déjà venue plusieurs fois physiquement sur le plan astral, surtout quand je m'adonne à la Chasse. Mais cette fois, c'est différent. Je ne sais pas comment l'expliquer. J'ai l'impression de ne pas avoir besoin de respirer.

Flam s'éclaircit la voix.

— Les plans astraux font partie des terres ioniques. Aucune d'entre elles ne fonctionne selon les mêmes principes que ceux de la Terre ou d'Outremonde. Tout ira bien du moment qu'on n'essaie pas de pénétrer dans la mer. Ou qu'on ne tombe pas sur un sort perdu. Méfiez-vous si vous apercevez un éclair étrange, surtout s'il contient du rouge ou de l'orange. En général, c'est synonyme de sorcellerie. Certains sorciers de l'ombre viennent s'entraîner ici.

— D'accord… alors, où se cache la créature ?

Ma voix mourut quand j'aperçus une ombre à notre droite. J'avais du mal à estimer à quelle distance elle se trouvait à cause du manque de perspective du plan astral, mais ça ressemblait fort au démon que nous recherchions. Seulement, ici, je le voyais enfin sous sa vraie forme. Pas très rassurant.

Il était énorme, bien plus que sur le plan physique. Noir, avec sa tête bourgeonnante, il me faisait penser à un cerveau géant ou à un chou-fleur. Deux de ses tentacules étaient reliés à un fil d'argent qui menait à… merde ! J'avais trouvé Delilah. Comme elle ne se trouvait pas sur le plan astral, elle apparaissait de manière fantomatique et floue.

—Là-bas ! Il absorbe son énergie ! grognai-je. Mettons-le en pièces.

Soudain, Rozurial et Vanzir apparurent près de nous. Je leur montrai Delilah. Ils hochèrent la tête pendant que j'avançais avec Camille.

—Attendez ! Laissez-moi vérifier qu'il n'y a pas de danger…

Les paroles de Flam se perdirent dans la brume. Quelqu'un s'en prenait à notre sœur. C'était suffisant. Tandis que Camille lançait un sort quelconque, je tâchai de déterminer le meilleur angle d'attaque. Si je voulais éviter de blesser Delilah, nous devions d'abord la séparer de la créature. Ça signifiait couper les tentacules qui pompaient l'énergie du fil d'argent.

Comme si elle avait lu dans mes pensées, Camille les frappa d'un éclair d'énergie bien plus brillant ici qu'il l'était d'habitude. Elle les toucha en plein dans le mille, tranchant proprement les tentacules au niveau de la carapace qui protégeait la tête difforme. Alors, le fil d'argent se rétracta et Delilah disparut de notre champ de vision. Avec un cri de rage, le Karsetii se tourna doucement vers nous.

—Allez viens, murmurai-je en lui faisant signe d'approcher.

Apparemment la chose avait des oreilles car elle évita Camille pour se diriger directement vers moi. Me préparant à l'attaque, j'attendis qu'elle lance un tentacule dans ma direction pour sauter par-dessus et lui assener un coup de pied dans la tête. Cette fois, je réussis à la toucher. Un point pour nous.

Je la frappai juste au-dessus de son œil géant, pupille ronde perdue dans un océan blanc. Le corps du Karsetii n'était pas aussi mou qu'il semblait l'être à première vue. En fait, si j'avais été vivante, ma jambe n'aurait pas résisté à l'impact. Je laissai l'empreinte de ma chaussure dans le front de la créature.

Elle grogna et m'attaqua de nouveau. Elle réussit à m'atteindre au flanc tandis que je battais en retraite. Une onde de choc me parcourut, si bien que je retombai, dans un spasme, avant de m'accroupir.

Sans prêter attention à la douleur, je me tournai vers Camille.

— Fais attention à ses tentacules. Ils envoient des décharges d'électricité !

— Compris, répondit-elle en se tenant prête à lancer un nouveau sort.

Au même moment, Flam s'engagea dans la bataille dans son style habituel : bras tendus, griffes à la place des ongles, longs cheveux battant l'air de leur volonté propre. Il réussit à entailler le démon sur le côté, mais en échange, il reçut un coup à la tête. Hurlant, Flam retomba sur le dos.

— Merde ! murmurai-je.

Je n'osais pas imaginer la puissance de cette chose pour être capable de mettre un dragon KO.

— Je pense que les tentacules qui se trouvent près de sa tête sont les plus dangereux, dit-il soudain en se relevant comme si de rien n'était.

Pas une égratignure. Impressionnant. Roz accourut à mon côté.

— Voyons si la technologie marche ici, dit-il en sortant un revolver.

— Ça va pas ? Range ça tout de suite !

Une salve de munitions en direction du démon m'interrompit. Comme je m'y attendais, elles se contentèrent de ricocher sur lui. Heureusement, personne ne se trouvait sur leur chemin.

— Idiot ! Range ça ! Les démons ne craignent pas les balles. Tu devrais le savoir ! s'exclama Vanzir en lui arrachant le revolver des mains pour le jeter à terre.

— Vanzir a raison. De toute façon, nous ne sommes pas là pour le tuer. Il va rentrer au vaisseau mère jusqu'à ce qu'on réussisse à détruire la créature principale, remarqua Camille. J'aimerais pouvoir invoquer la foudre ici, mais ça ne marche pas comme ça. Le mieux qu'on puisse faire sans Morio, c'est d'utiliser des éclairs d'énergie. S'il était là, je pourrais me servir de la magie de la mort…

Pendant qu'elle parlait, le démon s'était rapproché de nous. Un de ses tentacules la visa directement à la tête. Je n'avais pas le temps de la prévenir, alors je l'attrapai par les épaules pour la pousser hors du chemin. Nous percutâmes le sol avec violence, entourées de brume. Camille laissa échapper un petit cri de surprise tandis que le tentacule du démon des profondeurs passait au-dessus de nous sans nous toucher.

En essayant de me défaire des vêtements de Camille, j'aperçus Vanzir avancer, les yeux semblables à un kaléidoscope.

Des fils étincelants apparurent dans ses paumes tournées vers le ciel. Ils se mirent à grandir dans la brise astrale et avec un rire guttural, Vanzir les dirigea vers le Karsetii, comme une nuée de vers luisants. L'expression qu'il arborait était effrayante. Pour la première fois, je me rendis compte à quel point nous avions de la chance de l'avoir de notre côté.

— Par tous les dieux, regarde-le ! s'écria Camille en frissonnant pendant que je l'aidais à se relever. Tu vois les fils ?

— Oui, répondis-je. Qu'est-ce que c'est ?

— Je n'en suis pas certaine, mais… Merde ! Regarde, ils ont capturé le démon !

Sans quitter les combattants des yeux, elle recula d'un pas. Les fils de Vanzir étaient entrés en contact avec le Karsetii. Ils semblaient pénétrer dans son flanc de la même manière que les tentacules avaient retenu prisonnier le fil d'argent de Delilah. Tout à coup, Vanzir pencha la tête en arrière dans une expression de plaisir intense. Un plaisir sinistre, sauvage, qui me donnait à la fois envie d'y goûter et de fuir le plus loin possible.

— Il se nourrit, murmura Camille. Vanzir est un chasseur de rêves. Il est sûrement capable de se nourrir de l'énergie des créatures du plan astral aussi.

— Dans tous les cas, ça marche, fit Flam en désignant le Karsetii. Regardez !

Le démon s'évanouissait sous nos yeux. L'aura qui l'entourait commença à se dissiper, puis, sans prévenir, la créature disparut. Vanzir fut rejeté en arrière sous la force du choc.

— Tu vas bien ? lui demandai-je en m'agenouillant près de lui. Tu es blessé ?

— Non, répondit-il en secouant la tête.

Quand je lui tendis la main, il hésita brièvement avant d'accepter mon aide. Son odeur trahissait son excitation.

— Tu es sûr que ça va ?

— Tu vois l'effet que le sang a sur toi ? murmura-t-il en se penchant vers moi. Eh bien, c'est la même chose. Aspirer de l'énergie est comme une drogue. C'est ce qui me fait planer.

En parlant, il m'inondait de tension sexuelle par vagues. Je sentis mes canines s'allonger. Quand il s'en rendit compte, il s'humecta les lèvres et une lueur dangereuse passa dans ses yeux.

Je déglutis avec difficulté et repoussai les pensées qui commençaient à germer dans mon esprit. Je n'avais vraiment pas besoin d'une relation avec un démon, encore moins un démon de son envergure avec un rituel d'assujettissement sur la tête. Pourtant, il avait réussi à attirer mon attention, et il le savait. Il m'envoya un baiser avec un sourire gentiment moqueur.

Lui tournant le dos, je me rapprochai de Camille et Flam.

— Barrons-nous d'ici avant que la créature revienne.

Alors, sans un mot de plus, nous rentrâmes à la maison pour voir comment se portait Delilah.

Chapitre 13

Yssak se tenait au même endroit que lorsque nous l'avions quitté. Il nous regarda sortir du plan astral d'un air impassible. Réveillée et effrayée, Delilah s'était recroquevillée sur elle-même. J'accourus auprès d'elle.

— Nous avons réussi à le faire fuir. Il ne reste plus qu'à mettre la main sur la reine.

Elle frissonna avant de soupirer.

— Est-ce qu'il va revenir me chercher ? Je me sens si faible…

— Qu'est-ce qu'on peut faire ? demandai-je aux autres. En attendant de trouver cette créature, qu'est-ce qu'on peut faire pour protéger Delilah ? Elle peut traverser nos barrières magiques. Elle peut nous voir sans être vue. Le Karsetii pourrait facilement l'attaquer avant qu'on s'en aperçoive. Et s'il bat en retraite sur le plan astral, on ne pourra de toute façon rien faire avant de le rejoindre là-bas.

— J'aurais bien une solution, intervint Camille en caressant les cheveux de Delilah. Ce ne serait pas de tout repos, mais au moins, tu serais à l'abri.

— Qu'est-ce que c'est ? demanda l'intéressée en se redressant. Je ne veux plus que cette chose s'insinue dans ma tête. J'ai l'impression d'être violée, murmura-t-elle avant de fondre en larmes.

Quelques secondes plus tard, un petit chat effrayé tremblait sur le canapé là où elle s'était trouvée. Je la pris dans mes bras et la serrai contre moi. Elle enfouit sa tête dans ma poitrine.

— Pauvre Chaton, tu as eu une sacrée nuit, pas vrai ? Et te transformer aussi rapidement ne va pas aider les choses. Je sais que ça te fait mal…, murmurai-je.

Elle se mit à ronronner. Je la grattai derrière l'oreille. Pendant ce temps, Camille retourna tout le studio à la recherche de nourriture pour chat. Delilah l'engouffra d'une traite. Au bout de dix minutes, je sentis son corps trembler de façon familière. Elle n'allait pas tarder à se retransformer.

Aussitôt fait, Delilah nous adressa un sourire contrit.

— Je suis désolée. C'est juste que je suis stressée et avoir un démon aux trousses n'arrange pas les choses.

Je posai une main sur son épaule. Grâce à Dredge, je savais exactement ce qu'elle ressentait. De telles violations ne s'oubliaient pas facilement.

— Qu'est-ce que tu allais dire ? demanda-t-elle à Camille.

— Je me trompe peut-être, répondit-elle en haussant les épaules, mais qu'est-ce que vous pensez de la salle sécurisée du *Voyageur* ? Celle où nous avons mis Vanzir en attendant de jeter le sort d'assujettissement ? Réfléchissez cinq minutes. La pièce est inaccessible par les dimensions astrales, spirituelles ou même démoniaques. Si Vanzir n'a pas pu s'en échapper, alors le Karsetii ne devrait pas être capable d'y entrer.

— Tu as peut-être raison, admis-je.

J'avais complètement oublié l'existence de cette salle. Camille hocha vivement la tête.

— Qu'est-ce que tu en penses, Delilah ? On pourrait y descendre un canapé et y apporter des couvertures, de la nourriture, quelques livres… Ce n'est pas une perspective très excitante, mais au moins, tu serais en sécurité.

Delilah poussa un profond soupir avant de se tourner vers Vanzir.

— Au sujet du symbiote que tu portes autour du cou, sois franc avec moi. Quand tu étais dans cette salle, étais-tu vraiment incapable de sortir ou de communiquer avec quelqu'un de l'extérieur ?

Le regard de Vanzir se fit soudain lointain et je me demandai à quoi il pouvait bien penser.

— Pour te dire la vérité, je n'ai pas vraiment essayé, mais... je ne pouvais pas sentir ce qu'il y avait de l'autre côté des murs, lui avoua-t-il. Je tiens quand même à te dire que cette salle m'a mis mal à l'aise. Elle est trop silencieuse. J'avais l'impression d'être coupé du reste du monde.

— Je ne pourrais plus vous aider si je m'enferme là-bas, remarqua-t-elle. Mon téléphone et mon ordinateur ne marchent pas derrière les barrières magiques. Et je dois sortir de là d'ici à mardi soir. La lune sera pleine mercredi. Si je reste enfermée, je vais devenir folle.

Je jetai un coup d'œil à Camille.

— Nous avons déjà réalisé l'impossible.

— Alors, c'est décidé. On ferait mieux de se dépêcher avant que la créature revienne. Depuis qu'elle piste Delilah, celle-ci semble être devenue sa cible principale.

Alors, tout le monde, même Yssak, se replia vers la maison.

Quand nous entrâmes dans la cuisine, Yssak regarda autour de lui avec de grands yeux.

— C'est la première fois que vous venez sur Terre, pas vrai ? demandai-je en me tournant vers Iris. Iris, est-ce que tu peux aider Delilah à faire sa valise ? Il lui faut des vêtements, quelques livres, des jeux, une couverture ou deux, un oreiller... voyons voir... des bouteilles d'eau et de la nourriture. Oh et ajoute du papier toilette et du savon à la liste. La pièce sécurisée comporte aussi des toilettes et une salle de bains, mais je ne pense pas qu'il y ait le nécessaire.

En un clin d'œil Iris s'était retournée et avait disparu, entraînant Delilah à sa suite. L'esprit de maison réagissait vite.

Yssak ne quittait pas le réfrigérateur des yeux.

— Cette boîte fait du bruit, remarqua-t-il.

— Oui, c'est normal. On vous expliquera plus tard. Au fait, pourquoi est-ce que Père vous a envoyé ici ? Nous avons été tellement occupés par le démon que nous n'avons pas pensé à vous le demander.

J'attrapai mes clés, accrochées près du téléphone.

— Votre père m'a chargé de vous transmettre des nouvelles. La première : selon nos sources, Lethesanar aurait battu en retraite vers les déserts du Sud, mais comme nous n'en sommes pas sûrs, mon seigneur Sephreh vous demande de rester sur vos gardes. Il est peu probable que l'ancienne reine traverse un portail, mais on ne sait jamais.

C'était bizarre d'entendre notre père se faire appeler « seigneur ». Pendant des années, il avait arboré le titre de capitaine de la garde Des'Estar. Cela signifiait-il que nous serions mieux acceptées désormais par les nobles qui tournaient autour de la Cour et la Couronne comme des vautours ?

— Bon à savoir, dis-je en fronçant les sourcils. Les déserts du Sud sont l'endroit idéal pour une personne en cavale comme Lethesanar. Qu'elle s'y cache et y disparaisse !

Cet énorme désert s'était formé durant la guerre qui avait opposé différentes guildes de sorciers. Les villes qu'on y trouvait, dirigées par un puissant nécromancien, débordaient de magie clandestine. Le désert attirait des créatures crapuleuses et des mercenaires qui désiraient sombrer dans l'anonymat.

— Qu'avez-vous d'autre à nous apprendre ?

— J'ai des nouvelles pour Camille.

Celle-ci posa la bouteille d'eau à laquelle elle buvait.

— Un message de Trillian ? demanda-t-elle, le souffle court.

Chargé de retrouver notre père, Trillian avait fait croire à sa capture par des gobelins. Puis, nous avions découvert qu'il s'agissait en fait d'une ruse. Trillian accomplissait une mission secrète à la solde de Tanaquar.

Notre père qui, lui, avait vraiment été enlevé par des Fae des montagnes, avait réussi à s'échapper. À ce moment-là, nous avions espéré que Trillian referait surface, mais nous nous trompions. Désormais, nous étions tous inquiets à son sujet. Même si la statue de son âme demeurait intacte, il ne nous avait pas donné signe de vie, alors qu'il avait été vu dans Darkynwyrd quelque temps auparavant.

— Non, mais ça le concerne. Il ne s'agit pas d'un message officiel, répondit Yssak en adressant à ma sœur un regard qui signifiait clairement : « Contente-toi d'écouter ce que j'ai à te dire. »

— Que se passe-t-il ?

Camille porta une main à sa gorge. Je m'approchai d'elle, espérant qu'il ne s'agissait pas d'une mauvaise nouvelle.

— Sur ordre de votre père, vous devez vous rendre dans la vallée du saule venteux juste avant l'équinoxe d'automne. En attendant, ne vous faites plus de souci.

— Et, continua-t-elle, l'air ahuri, où veut-il que j'aille exactement, une fois que j'aurai mis les pieds dans la vallée ?

— Voyagez jusqu'à Dahnsburg. (Alors qu'elle ouvrait la bouche, Yssak leva une main pour l'interrompre.) Je n'en sais pas plus.

Camille prit une grande inspiration.

— Merci, murmura-t-elle.

— Il y a autre chose, reprit-il en me regardant, les lèvres serrées.

Je sentis de la bile remonter dans ma gorge. Autre chose ? Je trouvais que c'était largement suffisant. Quantité allait rarement main dans la main avec qualité.

— Que se passe-t-il ?

— J'ai bien peur que ce soit de mauvaises nouvelles.

Il n'avait pas l'air content, mais les assistants, surtout ceux de la Cour et la Couronne, avaient l'habitude de délivrer des messages, bons ou mauvais. Alors, il se redressa et se passa la main dans les cheveux.

— Je suis désolé de devoir vous l'apprendre. Votre tante Olanda a été assassinée par un sorcier lors d'un voyage à travers Darkynwyrd. Elle se rendait à Y'Elestrial pour voir votre père. Tout le monde a été tué : votre tante, ses assistants, ses gardes. C'est la raison principale de ma visite. Votre père m'a chargé d'escorter votre cousin Shamas jusqu'en Outremonde pour assister aux rites funéraires. Le mari et les enfants d'Olanda et Tanu doivent accomplir un rituel de séparation avant la cérémonie qui se tiendra lors de la prochaine nuit sans lune.

— Oh non, murmura Camille, chancelante.

Tante Olanda, bien que distante, était une femme délicieuse. Père était plus proche de notre tante Rythwar, mais la présence d'Olanda, plus lointaine, avait toujours été chaleureuse. Nous la connaissions très peu mais nous savions qu'elle agissait pour le bien de tous.

— Est-ce qu'on connaît l'identité du coupable ? demandai-je.

— Non, répondit Yssak en secouant la tête, j'ai bien peur que non. Votre père a engagé un détective, mais pour l'instant, nous n'avons aucune piste.

— Camille, Delilah et toi devriez aller à ses funérailles, remarquai-je. Père aura besoin de votre soutien. Je resterai ici avec Maggie pour m'occuper de nos affaires. Yssak, je vous en prie, prenez un siège pendant que nous contactons Shamas.

— Tu as raison. Nous devrions y aller, murmura Camille en décrochant le téléphone. J'appelle Chase pour lui demander de nous envoyer Shamas.

Pendant ce temps, je me tournai vers Roz et Vanzir.

— Vanzir, je veux que tu restes ici. Protège Iris et Maggie pendant notre absence. Si Flam ou Morio passent à l'improviste, appelle-nous. Roz, tu viens avec nous.

Acquiesçant d'un bref signe de tête, Vanzir se dirigea immédiatement vers la porte arrière pour la verrouiller.

— N'oublie pas de demander à Camille d'ériger de nouveau les barrières de protection avant de partir, me dit-il. Et…

— Merde ! jura Camille.

— Qu'est-ce qui se passe ? demanda Delilah. Tu n'as pas pu le joindre ?

— Si, je viens de lui parler. Il va passer la nuit à son bureau et il nous envoie Shamas tout de suite. Ce n'est pas le problème. Il y a eu un autre meurtre. Une elfe. Elle a été battue à mort. Mais cette fois, Chase a obtenu un renseignement précieux. Apparemment, la fille en question aurait été trouvée près de la maison d'Harold Young. Chase a reconnu l'adresse des recherches qu'il a faites sur Sabele. On ferait bien de se le rappeler pour plus tard.

Voilà qui était intéressant… Même si je ne savais pas du tout ce que ça signifiait.

— Camille, ça te dérange si on prend ta Lexus ? On rentre tous dedans et tu pourras rester au *Voyageur* pendant que je vérifie deux ou trois trucs. Roz, tu peux mettre les affaires de Delilah dans la voiture ?

L'incube s'exécuta aussitôt, se frottant contre moi au passage. Je frissonnai. Mon taux d'adrénaline n'était toujours pas redescendu et je sentis mes tétons durcir.

— J'ai très bien vu ce qui s'est passé entre Vanzir et toi sur le plan astral, me murmura-t-il à l'oreille. Ne crois pas que je n'ai rien remarqué. Pourtant, tu sais que tu ferais mieux de te rapprocher de moi. Je suis beaucoup moins dangereux.

Je pouvais le sentir, sentir le sang chaud couler dans ses veines et, pour une fois, je ne trouvai rien à lui répondre. Il se pencha lentement pour m'embrasser le bout du nez. Puis il se dirigea vers la porte en riant. Pas un mot ne franchit mes lèvres. Pas un mot.

Chapitre 14

À notre arrivée au *Voyageur*, le bar était déjà presque vide. L'heure de la fermeture approchait. Je sentais que Camille et Delilah commençaient à être épuisées. Sachant que nous avions essuyé deux batailles en une soirée, j'étais surprise de les voir encore debout. Grâce à notre héritage Fae, nous avions beaucoup d'endurance, mais il y avait des limites.

En nous voyant, Luke haussa les épaules et soupira.

— Tu as enfin décidé de te montrer, demanda-t-il en me faisant un clin d'œil.

Au fil des mois, nos rapports étaient devenus naturels et décontractés. Je lui faisais confiance pour tenir le bar, du moment que Tavah surveillait le portail.

— On descend au sous-sol, l'informai-je. Je reviens dans pas longtemps. Si tu fermes avant, tu n'auras qu'à verrouiller la porte derrière toi.

Il hocha la tête tandis que nous disparaissions sous l'arche qui menait à l'escalier. En descendant les marches, j'entendis Tavah parler à quelqu'un.

La salle sécurisée se trouvait au sous-sol près du portail. Nous avions altéré le programme magique de ce dernier pour empêcher Lethesanar de savoir que nous étions restées sur Terre.

Comme cette garce de reine avait mis le cap au Sud, nous n'avions plus de soucis à nous faire de ce côté-là. Nous lui avions rendu sa destination originale et des visiteurs outremondiens en règle s'étaient remis à le traverser régulièrement. Le club des observateurs de fées était également de retour pour les accueillir, sans Erin à leur tête. Henry Jeffries, client régulier et employé à mi-temps au *Croissant Indigo*, avait repris le flambeau.

Tavah disait au revoir à un elfe qui passait par le portail. Il y eut un éclair de lumière, puis il disparut dans une rafale de poussière étincelante. De la poussière de fée. Je reniflai.

— Tout va bien ? lui demandai-je.

Tavah hocha la tête. C'était un vampire, elle aussi. Fae à part entière, elle n'était pas très regardante sur ses repas. Toutefois, je lui avais fait promettre de ne pas s'attaquer à nos clients.

— Rien d'inhabituel. Pas de trolls, ni de gobelins. Depuis que nous avons reprogrammé le portail vers Y'Elestrial et que la reine Tanaquar a posté des gardes de l'autre côté, nous n'avons plus aucun problème. Sept Svartan devraient arriver dans environ une heure. J'ai pensé que tu aimerais le savoir.

Cette information sembla intéresser Camille, mais Tavah brisa ses espoirs d'un signe de tête.

— Désolée, Camille, pas de Trillian parmi eux.

— J'aurais dû m'en douter, marmonna-t-elle.

— N'oublie pas de noter leur itinéraire et la durée de leur séjour. Ça ne servira sûrement pas à grand-chose, mais ils vont probablement passer leur temps à séduire des gens pour leur soutirer de l'argent. (Je me tournai vers mes sœurs.) Venez vous installer.

Nous nous enfonçâmes dans le couloir sombre qui menait à la salle sécurisée. Elle avait été créée par l'OIA lorsque celle-ci avait fait l'acquisition du *Voyageur*. Les sorciers les plus puissants, du moins, du bon côté de la loi, s'en étaient chargés en injectant directement la magie dans les molécules des murs. Ils avaient altéré la composition du bois et du métal pour les renforcer en cas d'attaque physique ou magique. Si *Le Voyageur* venait à brûler ou exploser, cette salle resterait intacte. Et personne ne semblait pouvoir s'y téléporter.

Après avoir déverrouillé la porte, j'allumai la lumière. Il n'y avait pas de télévision. C'était une cellule, pas une chambre d'hôtel. Et de toute façon, la télé n'aurait pas fonctionné. Les protections magiques créaient des interférences. On ne pouvait pas non plus y utiliser une radio ou un portable. Les téléphones classiques fonctionnaient très bien, mais nous n'en avions pas installé. Un prisonnier n'a pas besoin d'un lien avec l'extérieur.

Delilah jeta un coup d'œil autour d'elle avant de soupirer.

— C'est la chambre la plus glauque que j'aie jamais vue. Les murs sont vert olive et le plafonnier ressemble à une lampe d'interrogatoire sortie d'un film des années 1950. Comment Vanzir a fait pour supporter ça ?

— S'il a réussi, tu le pourras aussi. Ça ne durera pas longtemps, remarqua Camille en posant les sacs de Delilah sur le canapé. Tu as des livres et même ton ordinateur. Tu n'auras pas Internet, mais tu pourras au moins jouer avec.

Roz regarda autour de lui en déposant le reste des bagages par terre.

— Vanzir ne mentait pas. Je serais incapable de m'enfuir vers la mer ionique à partir de cette salle.

— Bien, répondis-je. Tu es en sécurité, alors.

— Écoutez, je réfléchissais…, intervint Delilah. Vous devriez appeler Tim pour lui demander une liste des membres de la communauté surnaturelle. Établissez un diagramme et informez les groupes les plus importants de l'existence du Karsetii. Si cette chose s'attaque aux Fae et aux elfes, il vaut mieux prévenir tout le monde, on ne sait jamais. Après tout, on a affaire à un démon coriace, cette fois.

— Bonne idée, acquiesçai-je. Je l'appellerai en remontant.

Je recouvris le canapé d'un drap pendant que Camille secouait une couverture et tassait un coussin.

Delilah installa son ordinateur sur une petite table dans un coin près de la lampe, puis se glissa dessous pour le brancher. Quand elle se releva, elle était couverte de moutons de poussière. Elle m'adressa un regard glacial.

— Tu pourrais au moins nettoyer de temps en temps, remarqua-t-elle avant de disparaître dans la salle de bains.

En réalité, il s'agissait simplement d'une cabine de douche, de toilettes et d'un petit lavabo. Enfin, tout fonctionnait, c'était l'essentiel. Camille lui lança une serviette et du savon.

— Tiens. J'ai aussi pensé à apporter du shampooing et de l'après-shampooing… sans oublier tes en-cas, ajouta-t-elle en sortant un énorme sachet de Cheetos et une boîte de doughnuts au sucre.

— Tu es la meilleure grande sœur qu'on puisse avoir, répondit Delilah, en souriant. (Elle se tourna vers moi.) Tu pourras expliquer la situation à Chase ?

— Pas de problème, mais s'il veut venir te rendre visite, il devra passer par moi. Je refuse d'en parler à Luke ou Chrysandra. Ils n'ont pas besoin de le savoir. D'une, parce que ça les mettrait en danger et de deux, parce qu'il vaut mieux rester discrets.

— En parlant de Chase, il était censé venir manger à la maison demain. Tu peux annuler pour moi, s'il te plaît ? Je doute d'être d'humeur à manger des spaghettis. (Elle soupira et s'assit sur le canapé.) Au moins, il est confortable… et il y a de la lumière et une bonne aération. Mais ça reste une cage.

Camille l'embrassa doucement sur le front.

— On sait… on sait. Mais c'est pour ton bien. Comme ça, on pourra se concentrer sur notre chasse au démon sans s'inquiéter pour toi. Ce ne sera pas très long.

— Camille a raison, Chaton, dis-je en lui caressant les cheveux. Moins on se fera de souci, plus vite tu sortiras d'ici. Tu n'as qu'à comparer l'expérience à une nuit au chenil. En parlant de ça, est-ce que tu as pensé à amener ta litière ?

— Mince ! Je savais que j'oubliais quelque chose ! s'exclama-t-elle.

— Je t'en apporterai une, la rassurai-je tandis que Camille et moi nous dirigions vers la porte. Je redescendrai plus tard avec une boîte, du sable et un bon plat chaud.

À peine la porte refermée derrière nous, Camille se tourna vers moi.

— Je déteste ça.

— Moi aussi, mais on n'a pas vraiment le choix. Cette sale bête connaît sa signature énergétique. Elle est probablement à sa recherche en ce moment même. J'espère simplement qu'elle ne s'en prendra pas à mes clients si elle comprend que Delilah se cache ici.

— C'est l'heure de la fermeture. Tu n'auras pas à t'en inquiéter avant demain. Il faut vraiment que je dorme, ajouta Camille en remontant au rez-de-chaussée.

Luke était déjà parti et le bar était propre et verrouillé. Camille bâilla.

— Bon, je vais m'allonger sur le lit à l'étage, dans l'ancienne chambre de Sabele.

— D'accord, lui répondis-je. J'ai quelques petites recherches à faire et une litière à aller chercher. Roz, reste ici pour protéger Camille au cas où. Sois prudent, si tu laisses traîner tes doigts, tu vas encore finir avec un nez cassé. Et ça ne sera pas ma faute.

— Hé ! s'indigna-t-il. Mes doigts sont toujours au bon endroit ! Tout est une histoire de timing. (Quand Camille lui adressa un regard meurtrier, il leva les mains au ciel.) OK, OK, le timing n'est pas bon ce soir. Tu n'as pas à t'inquiéter.

— Bien, répondit-elle en souriant avant de monter l'escalier d'un pas las. Bonne nuit. Menolly, réveille-moi avant de rentrer à la maison. Je viendrai avec toi.

En lui expliquant le fonctionnement du système de sécurité, je priai de nouveau pour que Roz ne fasse pas de bêtise. Flam n'hésitait pas à cuisiner ses rivaux avant de les manger. Même si les autres ne prenaient pas ses menaces au sérieux, je le connaissais suffisamment pour savoir qu'il ne plaisantait pas quand il s'agissait de ma sœur.

Avant de quitter le bar, j'appelai Chase au FH-CSI. Comme il avait prévu de dormir là-bas, il répondit presque immédiatement.

— Chase ? C'est Menolly. Écoute, j'ai quelques questions à te poser.

Chase s'éclaircit la voix, groggy.

— J'étais en train de dormir, mais pas de problème, vas-y. Il n'est que… quoi ? Trois heures du matin…

Ce qui signifiait qu'il ne me restait que trois heures avant le lever du soleil et deux heures et demie seulement avant d'aller chercher Camille pour la ramener à la maison et m'enfermer dans mon repaire.

— Est-ce que tu peux me rappeler l'adresse d'Harold ? J'aimerais faire quelques recherches sur lui, dis-je en attrapant un stylo et un carnet de notes derrière le bar.

— Pourquoi ? Qu'est-ce que tu comptes faire ? demanda-t-il d'un air soupçonneux.

— Ne t'inquiète pas, rétorquai-je en souriant. Je n'ai pas l'intention de le mordre. Je veux simplement le sonder un peu. Je promets de le laisser en vie. Et de ne pas lui prendre une goutte de sang.

Avec un soupir, Chase me mit en attente. Quand il reprit le combiné, il me dicta l'adresse que je lui avais demandée. Je pris note sur le carnet avant de déchirer la page et de la fourrer dans ma poche.

— Au fait, Delilah va s'installer quelque temps dans la pièce sécurisée du *Voyageur*. Tu te rappelles le démon qui l'a attaquée tout à l'heure ? Eh bien, il a réussi à retrouver sa trace. Il s'en est pris à elle à la maison. Nous l'avons mis en fuite, mais le seul endroit où elle est en sécurité pour l'instant, c'est une salle où les créatures magiques et astrales ne peuvent pas entrer.

— Putain de merde ! s'exclama Chase avant de se racler la gorge. Tu es sûre qu'elle ne craint rien là-bas ?

— Pour le moment oui, mais écoute-moi bien. On ne veut pas que ça se sache. Si tu veux venir la voir demain, attends que le soleil se couche. Je t'y emmènerai. De cette façon, personne ne se doutera de rien. Oh et à moins d'attraper le démon d'ici à demain soir, ton invitation à dîner à la maison ne tient plus pour le moment. (Je jetai un coup d'œil à l'horloge.) Il faut que j'y aille. Je dois essayer d'obtenir une invitation pour *L'Horlogerie* auprès de mon contact.

Après lui avoir dit au revoir, je fis signe à Roz qui attendait dans un coin que je parte pour fermer derrière moi. Il se leva pour me rejoindre au bar.

— J'y vais, annonçai-je en repoussant les tresses qui me tombaient dans les yeux. Je ne devrais pas rencontrer le moindre problème, mais si quelque chose arrive, appelle Chase. Il sait où je vais. Et Sassy Branson aussi. Camille n'aura qu'à la contacter.

Je jetai un coup d'œil à la pièce silencieuse. *Le Voyageur* était devenu une seconde maison pour moi. J'adorais mon boulot. Bien sûr, il ne s'agissait que d'une couverture, mais elle me permettait de rencontrer des gens, de profiter de l'ambiance du bar et de me tenir au courant des dernières rumeurs.

Soudain, Roz m'attrapa le poignet pour m'empêcher de partir.

—Attends une minute. Je n'en ai pas pour longtemps.

—Qu'est-ce qu'il y a?

Ses longs cheveux noirs et bouclés caressaient ses épaules. Sa peau blanche faisait ressortir ses yeux de jais. Avec un léger sourire aux lèvres, il semblait me jauger du regard.

—Je sais que tu crois que je ne pense qu'au sexe. Et d'habitude, c'est vrai. Je suis un incube. C'est mon job, commença-t-il. (Je fronçai les sourcils. Où voulait-il en venir? Pourquoi maintenant? Il se pencha vers moi pour me murmurer à l'oreille.) Tu ne sens pas l'alchimie qu'il y a entre nous? J'en ai marre de cacher mon attirance pour toi. Et ne me parle pas de Nerissa, je sais très bien que vous êtes ensemble. Je n'essaie pas de la remplacer. Je ne pourrai jamais retrouver ce genre de relation avec quiconque. Je ne serai plus jamais l'amour d'une vie, ni un mari, ni même un petit ami sérieux. Si c'était le cas, je serais toujours avec Fraale… et tu sais aussi bien que moi comment ça s'est terminé.

Fraale était son ex-femme. Des centaines de siècles auparavant, les dieux s'étaient amusés à les transformer en incube et succube. Même s'ils s'aimaient encore, leur relation ne serait plus jamais la même. Rozurial savait que c'était sans espoir.

—Je sais, dis-je en soupirant. (La situation semblait l'exiger.) Et je suis désolée car vous êtes faits l'un pour l'autre…

— Non, plus maintenant, nia-t-il en secouant la tête, plus jamais. Nous avons traversé trop d'épreuves ensemble. En sortant de sa vie, je lui épargne de penser à ce que nous avions. Ce que nous étions. Ce qu'elle était. Mieux vaut ne pas ressasser le passé. Toi, plus que n'importe qui, devrais le savoir.

Il s'approcha davantage, si bien que nous n'étions plus qu'à quelques centimètres l'un de l'autre. Je savais exactement de quoi il parlait. Avant d'être transformée en vampire, j'avais des rêves, un projet de vie qui ne comprenait ni démon, ni dîner sanglant.

Mais je ne pouvais pas revenir en arrière. Si par miracle, un jour, Roz et moi redevenions humains, nos souvenirs et notre expérience, eux, seraient toujours les mêmes. Rien ne serait plus jamais pareil. Le passé n'existait plus. Point final.

— Je sais. Crois-moi, je le sais très bien.

Quand mon regard croisa le sien, je me surpris à vouloir franchir la distance qui nous séparait pour l'embrasser.

Quel mal y aurait-il à ça ? Personne ne serait blessé. Camille et Delilah ne s'intéressaient pas à Rozurial de cette manière et j'avais seulement promis à Nerissa de ne pas coucher avec d'autres femmes. Quant à Jareth, le seul homme que j'avais laissé me toucher depuis Dredge, il vivait en Outremonde, à Aladril, la cité des prophètes. Pour être franche, j'avais couché avec lui pour le remercier, d'une certaine manière.

Alors pourquoi hésitais-je ? Avais-je peur de me lier à l'incube ? Bien sûr, nous nous étions déjà embrassés, mais ce n'était rien de sérieux, des taquineries entre potes. Cette fois, c'était réel.

En écoutant le « tic-tac » de l'horloge au loin, je pris ma décision. Je lévitai légèrement au-dessus du sol pour l'atteindre.

À l'instant où il me prit dans ses bras et glissa sa langue dans ma bouche, je sentis une onde de choc me parcourir. Tous les nerfs de mon corps s'étaient réveillés, brûlés par la tension sexuelle qui émanait de son contact. Il raviva mon besoin de boire, de me nourrir, de baiser.

La couleur des yeux de Rozurial changea de marron à noir profond. Ses mains ne bougeaient pas, pourtant, j'avais l'impression qu'elles étaient partout sur mon corps. Quand le baiser se fit plus intense, je sombrai dans cette passion sombre et sauvage qui s'échappait de son aura.

Je compris alors pourquoi les hommes craignaient les incubes. Un baiser suffisait à charmer une femme, à l'amener à suivre le Saint-Graal du sexe qui promettait de les satisfaire, de les épuiser d'une façon qu'elles n'avaient jamais connue. Camille ressentait-elle la même chose avec Trillian ? Le charme svartan était-il aussi puissant que le baiser d'un incube ? Dans ce cas-là, je comprenais pourquoi Camille refusait de le quitter.

Soudain, Roz s'écarta et me repoussa légèrement. Il paraissait triomphant, excité… et prêt à passer à l'étape suivante. Toutefois, il se contenta de dire :

— Tu as encore du travail avant l'aube. Ce n'est que le début, ma Menolly. Nous sommes des démons, des créatures de la nuit, des créatures de sang. Tu le bois, je le mets en ébullition. Ensemble, on peut conquérir le monde…

Sur ces paroles, il me poussa hors du bar et je l'entendis enclencher le système de sécurité. J'avais des palpitations. Pendant un instant, je ne pus que regarder la porte d'un air hébété, la gorge sèche. Je venais d'ouvrir ma propre boîte de Pandore.

Chapitre 15

Les routes étaient sèches et sombres. La chaleur créait une brume épaisse au ras du sol. Toutefois, il n'y avait aucun vent pour chasser le goût d'épuisement qui planait dans l'air.

Je ne savais pas exactement ce que je cherchais, mais les paroles de Chase résonnaient encore dans mon esprit. La police avait trouvé le dernier corps près de la maison d'Harold Young. Le même Harold Young qui avait suivi Sabele.

Visiblement, il vivait dans un quartier chic. Je garai la Lexus de Camille à un pâté de maisons de chez lui et continuai à pied. Les trottoirs étaient vides et la plupart des lumières déjà éteintes. Je ressemblais à un fantôme ou à une apparition tout droit sortie d'un rêve. J'avançai en silence dans les rues bordées d'érables, dissimulée par leur ombre. Les feuilles frottaient contre mes épaules en produisant un léger murmure. Seul signe de ma présence ici.

Lire les numéros des maisons n'était pas facile, surtout que la lune commençait à se coucher, mais ça ne me prit que quelques secondes. Deux numéros avant ma destination, je ralentis.

Harold vivait dans une maison incroyablement grande, mais elle n'était pas aussi propre que celle de ses voisins. Plusieurs voitures et un van étaient garés dans l'allée. Je trouvai sa boîte aux lettres sur le côté de la route et vérifiai les noms avec une lampe de poche. Harold Young, bien sûr, ainsi qu'une demi-douzaine de noms masculins : ses colocataires.

M'aventurant sur la pelouse, je me cachai derrière l'un des sapins qui la parsemaient. La maison était dotée de deux étages. Une lampe brillait au second. Quelqu'un était encore debout et je voulais savoir de qui il s'agissait.

Il n'y avait aucun arbre près de la fenêtre pour me permettre d'y grimper. Bien sûr, je pouvais léviter sans être vue, mais, pour une fois, je décidai de me transformer en chauve-souris. Je n'étais pas très fière de ce que je pouvais faire. Certains vampires maîtrisaient le pouvoir à la perfection tandis que d'autres n'en seraient jamais capables. Et puis, il y avait ceux dans mon cas : faibles, arrivant à se transformer de temps en temps. S'il y avait eu du vent, je n'aurais même pas tenté ma chance. Le vent et les chauves-souris ne font pas bon ménage.

Fermant les yeux, je tentai de me concentrer. Contrairement à Delilah, il ne s'agissait pas d'un état naturel pour moi. Ce n'était pas facile. Pourtant, au bout d'un moment, à force d'imaginer une chauve-souris dans mon esprit, je sentis mon corps commencer à se transformer. Le changement me déstabilisait toujours. Je n'aimais pas cette sensation. Ce n'était pas douloureux. J'avais simplement l'impression d'être vulnérable, de ne pas être moi.

Quelques secondes plus tard, je m'élevais dans les airs. Menolly, le vampire chauve-souris. Impatiente, je battis des ailes jusqu'à la fenêtre qui m'intéressait. Le rebord n'était pas très large, mais je réussis à m'y poser pour jeter un coup d'œil à l'intérieur de la maison.

Malgré la lumière qui inondait la pièce, j'avais du mal à voir ce qui s'y passait. Contrairement à ce que la plupart des gens pensent, les chauves-souris ne sont pas aveugles, mais je possédais une meilleure vision sous ma forme humaine. Frustrée, je me posai sur l'avancée de toit pentu juste en dessous, en prenant soin de ne pas glisser, et me retransformai. J'avais du mal à m'imaginer faire ça régulièrement.

Avant toute chose, je vérifiai que j'étais en un seul morceau, puis, en me faisant toute petite, je regardai de nouveau par la fenêtre. Heureusement, la pièce était vide pour l'instant.

Depuis ma cachette, je pouvais apercevoir un lit simple, défait. Les draps n'avaient pas l'air de première fraîcheur. Des vêtements sales jonchaient le sol, ainsi que des boîtes de plats à emporter et une demi-douzaine de carnets de notes. Sur les murs étaient collés des posters mettant en scène, pour la plupart, des sorciers, des châteaux et des œuvres de Boris Vallejo. L'une d'elles attira mon attention. Une femme avec de gros seins et une peau dorée me rendit mon regard. Elle ressemblait énormément à Nerissa. Je sentis mon bas-ventre se réveiller.

Retour à la réalité. Sur une commode se trouvaient quelques effets personnels : brosse à cheveux, peigne, rasoir, porte-monnaie, argent… un vrai vide-poche. Le bureau, lui, était couvert de livres et de papiers. Le propriétaire de cette chambre avait tout l'air de faire partie d'une fraternité, comme tous les habitants de cette maison, d'ailleurs. Aucune mère ne tolérerait une chambre aussi sale.

Alors, j'aperçus un dessin sur le mur, coincé entre une amazone bien pourvue et un diagramme scientifique quelconque. Je plissai les yeux pour y voir plus clair. Les symboles me paraissaient vaguement familiers et déclenchèrent une sonnette d'alarme au plus profond de mes entrailles. Toutefois, comme ils étaient écrits au crayon à papier, j'avais du mal à les discerner depuis mon perchoir.

Je testai la fenêtre. Ouverte. Les gens sont vraiment stupides, parfois. Ou peut-être trop confiants. Personne ne pensait que quelqu'un pouvait atteindre une fenêtre du deuxième étage. Pourtant, ce n'étaient pas les candidats qui manquaient.

Je fis glisser la fenêtre le plus silencieusement possible et me faufilai à l'intérieur. Personne ne sembla réagir. La porte était fermée. Je m'approchai du papier pour le regarder de plus près.

Aussitôt, une vague d'énergie me frappa de plein fouet. Hein ? Plus j'avançais, plus l'intensité de l'attaque augmentait. Finalement, je réussis à m'en approcher assez pour le lire. Je reconnus certains des symboles. Des runes d'invocation. Et celles-ci invoquaient plus précisément des démons.

Un mouvement à l'extérieur de la pièce attira mon attention. Je parvins à me glisser sous le lit avant que la porte s'ouvre. Au moins, je n'avais pas à m'inquiéter de respirer trop fort. En plus, j'avais de la chance, les draps retombaient suffisamment pour me cacher dans leur ombre.

Alors que je reculais le plus loin possible du bord, je remarquai à quel point le sol était sale : poussière, une ou deux frites abandonnées… Oh quelle horreur ! Au milieu des moutons de poussière et des miettes, il y avait plusieurs préservatifs usagés. Au moins, ils avaient été noués et ne coulaient pas, mais c'était écœurant, même pour quelqu'un avec mes habitudes alimentaires. Aucun doute, il s'agissait bien d'étudiants.

— Calme-toi, mon pote ! fit une voix d'homme.

En ajustant ma position, j'aperçus ses chaussures : des Skecher.

— Mais merde, ce qu'on a fait… Ce que t'as fait…, balbutia le gars aux Reebok.

— Elle ne dira pas un mot, mon pote. J'ai corsé son verre. Elle a tellement de Z-fen dans le sang qu'elle ne se souviendra de rien. Et ne me dis pas que tu ne t'es pas éclaté, parce que tu y as participé. N'essaie même pas de me dire que tu n'as pas adoré. (Le type aux Skecher bougea, de telle sorte que j'aperçus son treillis.) Et puis, ajouta-t-il d'une voix menaçante. C'est toi qui en as eu l'idée. Tu voulais satisfaire tes désirs.

— Merde, dit le gars aux Reebok en soupirant. Ouais, je sais. Je sais. C'est juste que je commence à avoir des remords.

— Pas la peine. C'est fini. Si elle nous cause des ennuis, ça nous fera de la chair fraîche pour le boss. Va fermer cette putain de fenêtre, Larry. C'est ton tour de surveiller la pierre de l'âme. Tu es en retard, remarqua-t-il avant de quitter la pièce et de fermer la porte.

« Pierre de l'âme » ? Qu'est-ce que ça pouvait bien être ? Voulait-il parler de statue de l'âme ? Dans ce cas-là, comment ces deux barjots auraient-ils mis la main sur l'une d'entre elles ? Et pourquoi la surveilleraient-ils ?

Visiblement, ces types vivaient dans leur petit monde de folie douce et j'aurais bien voulu leur régler leur compte. Ça me démangeait. Je m'entendais très mal avec les violeurs. Ou peut-être n'étaient-ils pas fous, après tout ? Peut-être qu'ils jouaient à un jeu de rôles, comme *World of Warcraft*… même si après l'ouverture des portails, les JDR avaient connu une baisse de popularité. Tout à coup, la réalité était devenue bien plus intéressante.

Larry, le gars aux Reebok, s'éclaircit la voix, avant de murmurer un « Va te faire foutre, Duane » et de fermer la fenêtre. J'espérais qu'il sorte à son tour pour me laisser l'occasion de partir, mais il décida de se changer.

Tandis qu'il baissait son pantalon, je me rendis compte que je me trouvais dans l'angle parfait pour voir sa queue, tout à fait banale. En fait, la présence de préservatifs usagés autour de moi m'empêchait d'éprouver le moindre intérêt pour cette partie de son anatomie. Il ne portait pas de tee-shirt et faisait vraisemblablement de l'exercice. Je réussis à apercevoir des cheveux qui ne semblaient pas avoir été lavés depuis des jours, et un étrange tatouage sur son mollet. Je me rendis alors compte qu'il s'agissait d'une rune démoniaque.

Merde ! Que se passait-il ici ?

Pourquoi avait-il ça sur le corps ? Il était évident qu'il s'agissait d'un HSP. Aucun sang de démon ne coulait dans ses veines. Du moins, je ne pouvais pas en sentir. Consciente du mal de tête qui s'annonçait, je patientai pendant qu'il enfilait un pantalon et un col roulé noirs. Puis, il vissa un bonnet sur sa tête et observa la pièce. Je me contraignis à rester immobile. M'avait-il vue ? Mais il attrapa ce qui ressemblait à un Taser et sortit en refermant la porte derrière lui.

Enfin libérée de ma cachette, j'époussetai mes vêtements. Je voulais à tout prix découvrir ce qui se passait ici. Quelque chose n'était pas net et j'avais le sentiment que le viol n'était pas le pire crime qu'ils avaient commis. Toutefois, je devais être couchée dans deux heures. Soit j'abandonnais l'idée de contacter Roman, le vampire avec lequel Sassy m'avait arrangé un rendez-vous pour en apprendre plus sur *L'Horlogerie*, soit je laissais tranquille Harold et ses camarades pour l'instant.

J'hésitai.

Même si je voulais suivre Larry, je n'aurais pas d'excuses valables pour me trouver sur leur propriété. Je pouvais utiliser mon charme, bien sûr, mais Camille ferait sûrement un meilleur job que moi. Je pris quand même le temps de prendre les runes en photo avec mon téléphone avant d'ouvrir la fenêtre pour me glisser à l'extérieur. En l'espace de quelques secondes, je me retrouvai de nouveau sur le trottoir devant la maison et me dirigeai vers la voiture. Comme d'habitude, je n'avais fait qu'approfondir le mystère.

La maison de Roman n'était pas loin. Encore une bâtisse imposante, mais cette fois, aucun étudiant en vue. Aux yeux de tous, Roman avait hérité sa fortune d'un vieil oncle. En réalité, c'était une façon de renaître chaque fois que révéler son identité vampirique était mal vu.

En sonnant à la porte, je m'attendais à voir apparaître un homme relativement âgé, peut-être marqué par le temps. Une femme en uniforme de soubrette m'ouvrit. C'était un vampire. Je l'avais senti tout de suite. Mais elle n'était pas très puissante. Elle garda les yeux baissés en me conduisant au salon.

Si Sassy possédait un hôtel particulier, Roman, lui, s'était offert un palace… un peu trop clinquant à mon goût. Il y avait tellement de frivolités que je pouvais à peine apercevoir les antiquités sous les froufrous. La décoration des fauteuils était trop chargée, les tables croulaient sous le poids de plantes tombantes, de napperons en dentelle ou de paniers remplis de… je ne savais pas trop. J'avais l'impression de me trouver dans un dépôt-vente.

Je m'éclaircis la voix. Était-ce là la conception du bon goût en vogue parmi les vieilles fortunes de *L'Horlogerie* ? Dans ce cas, je ne pourrais jamais y entrer. Heureusement que je n'y allais que pour enquêter sur la disparition de Claudette !

Comme il n'y avait pas âme qui vive dans la pièce, je m'assis sur le bord d'un fauteuil pour éviter de le salir, même si, avec le manque de lumière, personne ne s'en serait aperçu.

J'attendais depuis dix minutes lorsque la porte s'ouvrit pour laisser entrer une ombre et, soudain, Roman apparut à mon côté. Il était plus rapide que je pourrais jamais l'être. Finalement, il n'était pas si vieux que ça, du moins en apparence. Je lui donnais environ trente-cinq ans avec ses longs cheveux bruns, sa barbe et ses yeux d'un gris profond. Il resta silencieux. Complètement silencieux. Et quand je me levai pour le saluer, j'eus l'impression que son regard me transperçait.

Je frissonnai. Le pouvoir émanait du vampire par vagues. Au lieu de lui serrer la main, je choisis de lui faire un signe de tête.

— Merci de me recevoir, dis-je après avoir retrouvé l'usage de ma voix.

Ce vampire était encore plus vieux que Dredge. Il se mit à tourner autour de moi pour m'observer. Il semblait chercher quelque chose. Je me sentais terriblement mal à l'aise. Les pouvoirs de Roman me rappelaient trop ceux de mon sire.

Au bout d'un moment, il recula pour s'installer dans un fauteuil en face du mien et me fit signe de me rasseoir. Il portait un pantalon en lin noir ainsi qu'une chemise blanche impeccable par-dessus laquelle il avait enfilé une veste de smoking aussi flamboyante que son intérieur et sûrement aussi chère. Je pensai tout de suite à Siegfried, Roy ou Liberace, mais je n'en soufflai mot. Pas question de l'offenser avant de lui demander de l'aide.

Il attendit que je sois assise pour prendre la parole.

— Menolly, commença-t-il avec un accent que je ne parvenais pas à identifier, Sassy m'a averti de votre visite. Je suis très heureux de faire votre connaissance. Que puis-je faire pour vous ?

Pas de courbettes ou de discussions sur la pluie et le beau temps. Droit au but. Il n'était pas si mal que ça, finalement. Je tentai de trouver la meilleure formulation pour ce que j'avais à dire.

— J'ai besoin de votre aide pour entrer dans *L'Horlogerie* au cours d'une soirée. Je ne veux pas en faire partie, ni vous causer le moindre ennui. J'ai juste quelques questions à poser.

Il sortit un paquet de cigarillos, puis en tapota un sur la table avant de l'allumer. La tête rejetée en arrière, il forma un rond de fumée. Je l'observai en me demandant s'il l'avalait.

Au bout d'un moment, il jeta la fin du cigare dans un cendrier et m'observa, pensif. J'étais sur le point de me lever pour partir lorsqu'il reprit la parole.

— Peut-être. Sassy… a toute ma confiance et c'est réciproque. Si elle vous a donné mon adresse, c'est qu'elle avait une bonne raison de le faire. De quoi avez-vous besoin dans le club ?

Autant lui dire toute la vérité.

— Claudette Kerston a disparu. C'est un vampire qui a l'air heureux et bien adapté à sa nouvelle vie. Elle est membre de *L'Horlogerie*. Personne ne l'a plus vue depuis quelques jours. Ses amis et son mari se font du souci.

Il se leva et se dirigea vers la porte.

— Margaret va vous reconduire. (Puis, en jetant un coup d'œil par-dessus son épaule, il ajouta :) Vous ne la trouverez pas là-bas, Menolly. Elle a disparu, c'est vrai, mais je vous donne ma parole que vous n'obtiendrez aucune réponse en vous rendant au club. Elle a disparu d'un seul coup, comme si la nuit l'avait avalée ou le soleil l'avait réduite en cendres.

— Comment le savez-vous ?

— Parce que son sire… leur lien a été rompu. Il l'a sentie crier, puis… plus rien. Considérez que Claudette est morte. Pour de bon, cette fois.

— Qui est son sire ?

Pour une raison qui m'échappait, j'avais besoin d'insister. Quelque chose chez Roman me fascinait. Il me terrifiait, mais… il me fascinait.

— Vous posez trop de questions. Vous êtes jeunes vous apprendrez avec l'âge. Votre sang est puissant, tout comme devait l'être votre sire. (Il s'arrêta devant la porte, la main sur la poignée.) Claudette était ma fille. Je l'ai transformée. Croyez-moi quand je vous dis qu'elle est morte. Partez en paix… pour cette fois.

Sur ces paroles, il quitta la pièce. Je restai immobile un instant, sans savoir quoi faire. Puis, Margaret arriva pour me raccompagner jusqu'à la porte. Quand je retrouvai le ciel nocturne, elle jeta un coup d'œil au hall derrière elle.

— Vous avez de la chance, murmura-t-elle. Beaucoup ne revoient plus jamais le monde extérieur après lui avoir demandé un service. Je ne vous conseille pas de revenir.

Avant que j'aie pu lui demander des précisions, elle avait déjà refermé la porte et enclenché le verrou. En courant vers la Lexus, je me demandai ce qui pouvait bien se passer. Il y avait trop de secrets, de pouvoirs et de possibles complots dans l'air.

Épuisée, je fis un détour au supermarché avant de revenir au *Voyageur*. Heureusement que certains magasins ouvraient 24 heures sur 24 ! J'achetai un sac de litière, une caisse, quelques sandwichs, des doughnuts et des chips. Ça ferait plaisir à Delilah.

Roz m'aida à porter Camille, toujours endormie, jusqu'à la voiture pendant que je souhaitais bonne nuit à Delilah. Puis je parvins à me glisser dans mon repaire seulement quelques secondes avant que le soleil réveille de nouveau le monde. Trop fatiguée pour me déshabiller, je m'effondrai sur mon lit et me laissai envahir par le sommeil qui contrôle les morts-vivants.

Chapitre 16

Les bruits en provenance de la cuisine étaient forts et agaçants. J'attendais impatiemment qu'Iris mette tout le monde dehors pour me permettre de sortir. À part mes sœurs, Iris et Flam, personne ne savait que l'entrée de mes appartements était dissimulée derrière la bibliothèque, près du parc de Maggie. Et je ne voulais pas que ça change. Ainsi, je réduisais les risques que quelqu'un le répète à l'ennemi. Mais, avec autant de gens dans la maison, garder un secret se révélait de plus en plus difficile.

Je pressai l'oreille contre le mur. Roz et Vanzir avaient haussé la voix. Que se passait-il ? Je me rappelai alors un petit trou dans la bibliothèque qui me permettrait de les observer sans être vue. Je m'en servais parfois pour m'assurer que le champ était libre. Il y avait peu de risques que je sois découverte ainsi.

Au bout d'un moment, la voix d'Iris s'éleva dans la cuisine.

— Tout le monde dehors.

J'entendis Vanzir répondre :

— On sait tous qu'elle sort de la cuisine. Pourquoi ne pas nous montrer l'entrée de sa chambre une fois pour toutes ? On est entre nous.

— Tu te voiles la face et tu le sais très bien, rétorqua Iris. Personne ici n'aura cette information pour le moment. Allez, dehors !

La voix d'Iris couvrit les murmures et j'entendis le raclement des chaises contre le sol, puis des pas qui s'éloignaient. Au bout de quelques minutes, elle donna un coup sur la bibliothèque.

— C'est bon, tu peux sortir, murmura-t-elle.

Alors, poussant la porte bien huilée, j'entrai dans la cuisine, prenant soin de refermer derrière moi.

Camille était assise à la table jonchée de cartes retournées et de jetons, trahissant une récente partie de poker. Avec sa casquette de banquière et sa robe typiquement allemande, Iris avait l'air charmant, bien qu'un peu agacé.

— Merci, lui dis-je. Je commençais à croire qu'ils ne partiraient jamais.

— Les garçons ne voulaient pas me laisser l'occasion de regarder leurs cartes, répondit Iris en me faisant un clin d'œil. Je leur ai promis de ne pas le faire. (Un grand sourire naquit sur ses lèvres et son regard scintilla.) Je n'en ai pas besoin, j'ai une quinte flush.

— Petit requin, me moquai-je. Tu comptes leur prendre jusqu'à leur dernière chaussette ?

En tant qu'esprit de maison, Iris avait beaucoup de talents. Nous savions qu'elle avait été prêtresse d'Undutar, la déesse finlandaise de la brume et de la glace. Mais elle s'était aussi révélée une combattante hors pair et bluffeuse professionnelle.

— Comme d'habitude, dit-elle. Je vais les mettre à genoux. (Elle mit deux doigts dans la bouche pour siffler.) Revenez ici, appela-t-elle.

Je jetai un coup d'œil à l'horloge. 20 h 10. Le soleil venait de se coucher, mais se lèverait bien trop tôt à mon goût. Je me surpris de nouveau à espérer que l'automne et l'hiver arrivent bientôt. J'étais au moins sûre d'une chose : je ne déménagerais jamais pour l'Alaska sauf en été.

Tandis que Vanzir, Roz et Morio entraient de nouveau dans la pièce, une pensée me frappa.

— Que s'est-il passé avec Yssak ? Il est toujours là ?

— Non, répondit Camille en secouant la tête. Quand Shamas est arrivé, ils sont immédiatement partis en Outremonde. D'après ce que m'a dit Iris, notre cousin a très mal pris la nouvelle. Il a passé beaucoup plus de temps avec tante Rythwar qui l'a élevé, mais il aimait sincèrement sa mère. Quant à Flam, il est chez lui. Apparemment, Titania et lui se sont disputés à propos de Morgane. Tu sais bien qu'il la déteste.

— Moi aussi, rétorquai-je. Je me moque qu'elle soit notre ancêtre. Dès que Morgane est impliquée, nous avons des problèmes. Et elle ne nous a pas encore dévoilé sa vraie nature. En parlant de ça, on doit vraiment aller à la célébration du solstice d'été ? Je n'ai pas la moindre envie d'assister au couronnement !

— Tu rigoles ? Il faut qu'on surveille les trois reines de près ! Il y a déjà assez de tensions entre les triple Menace et les reines Fae d'Outremonde comme ça. Et n'oublie pas que Père sera là aussi. Ainsi que la reine Asteria. On est obligées d'y aller. En plus, Delilah a hâte d'y être.

— Delilah ?

Ça ne lui ressemblait pas.

— Oui, mais je ne sais pas trop pourquoi. Elle ne parle que de ça depuis quelques semaines. Et puis, j'ai envie d'y aller moi aussi, finit-elle avec un regard qui signifiait clairement que le sujet était clos.

— OK, dis-je en haussant les épaules. Je posais juste une question.

Morio hocha la tête.

— Même si vous ne vous entendez pas bien, Camille a raison. Nous devons garder de bons rapports avec les Cours.

Depuis que Camille a aidé Aeval à se défaire du cristal et à reconquérir son trône, votre sort est lié aux leurs. Quand on y regarde de plus près, les ramifications de cette restauration sont étonnantes. Les gouvernements terriens sont ravis d'avoir leurs propres Fae. Ça leur donne l'impression d'être à égalité avec Outremonde, même si je doute qu'aucun politicien sache écrire « Fae » correctement.

— Une guerre de pouvoir, marmonnai-je. « La mienne est plus grosse que la tienne. » Je sais. Je sais. N'empêche que je n'aime pas ça. Titania, passe encore. Je ne fais pas confiance à Aeval, mais au moins elle semble être sensée. Morgane, en revanche…

— Morgane est une tornade qui se prépare à tout dévaster sur son passage, intervint Iris. Elle deviendra de plus en plus difficile à contrôler. Et comme elle fait partie de votre famille, vous ne pouvez pas la mettre de côté. Du moins, pas sans une bonne raison.

— C'est vrai, dit Camille. Elle joue au bon et au mauvais flic avec nous. Et on aura le rôle du méchant si on refuse de prendre la main qu'elle nous tend. Je pense toujours que tu as tort et que la restauration des Cours terriennes est la meilleure chose qui puisse arriver, mais je ne suis pas aveugle. J'espère simplement que Flam ne les fera pas rôtir, Titania et elle.

— Personnellement, ça ne me dérangerait pas. Surtout en ce qui concerne Morgane.

— Je suis d'accord, Morgane nous a causé beaucoup d'ennuis, concéda Camille en fronçant les sourcils, mais je suis certaine qu'elle nous viendra en aide. De toute façon, on ne tombera jamais d'accord, alors autant changer de sujet, OK ?

— OK, répondis-je en me glissant sur une chaise. Ce matin, tu as dormi pendant tout le trajet du retour. Je voulais te laisser un message, mais le temps que je me gare et que Roz te porte à l'intérieur, le soleil se levait déjà. Je devais descendre immédiatement. (Je me tournai vers Roz.) Tu leur as répété ce que je t'avais dit ?

Il me fit un bref signe de la tête en observant ses cartes.

— Oui, m'dame.

— Ne m'appelle pas comme ça, ricanai-je.

Camille nous interrompit.

— Nous sommes allés au bar à notre réveil pour en informer Delilah. Ah, et Chase a appelé. Encore un cadavre. Maintenant qu'elle sait quoi chercher, Sharah a confirmé une attaque de Karsetii.

— Merde. Le nombre de victimes ne cesse d'augmenter.

— Ouais. Un des blessés est mort aujourd'hui. L'autre continue à se battre contre le démon. J'ai dit à Chase qu'on passerait plus tard pour essayer de le déloger sur le plan astral. Je ne sais pas ce qu'on fera de la victime après.

— Hmm... On pourrait l'enfermer avec Delilah, même si je n'aime pas la savoir avec un étranger.

Au moment où les mots s'échappaient de mes lèvres, je sus que ce n'était pas possible.

— Non. Nous n'avons qu'une pièce sécurisée et elle y reste. Seule. (Camille secoua la tête.) On ne peut pas sauver toutes les victimes de cette créature.

— Au moins, on lui fera gagner du temps, remarquai-je. (C'était la seule chose que l'on pouvait faire pour l'instant.) Vous avez trouvé des renseignements sur Harold ?

— Oui. Bien plus que ce que nous aurions voulu, malheureusement, répondit Camille en ouvrant son carnet de notes. Morio et moi avons mené notre petite enquête. La maison d'Harold Young abrite une organisation sociale de son école, mais il ne s'agit pas exactement d'une fraternité. Tous les garçons qui habitent là-bas sont membres d'un groupe très fermé accessible uniquement sur cooptation, dont leurs pères faisaient également partie au même âge. L'oncle d'Harold lui a légué la maison qu'ils partagent.

Voilà qui me parut étrange.

— Son oncle ? Pas son père ?

— Son père a de l'argent aussi, mais c'est son oncle, le propriétaire de la maison.

— Une vieille fortune ?

— Du sang bleu, dit-elle. Passons à la nouvelle que tu vas adorer. Le groupe se fait appeler « les Partisans de Dante ».

— Dante ? Je n'aime pas trop ça. Ne me dis pas qu'ils se servent de *L'Enfer* de Dante comme bible ?

Ça ne m'aurait pas étonnée plus que ça qu'une bande de gamins HSP prennent ce livre en guise de référence.

— Presque, répondit Morio en passant son bras autour des épaules de Camille. (Quand elle s'approcha de lui, il lui caressa doucement les cheveux.) D'après ce qu'on a entendu, ils ne s'appellent pas comme ça pour rien. Ils ont causé beaucoup de problèmes en quelques années.

Leur nom résonnait de manière sinistre à mes oreilles. Je fronçai les sourcils.

— Si je comprends bien, ce sont des marginaux.

— C'est le moins qu'on puisse dire, rétorqua Camille. Delilah est bien meilleure quand il s'agit de partir à la chasse aux renseignements, mais je peux au moins te dire ça : tous les garçons qui font partie de ce groupe sont des génies qui étudient l'informatique et une grande majorité d'entre eux viennent de familles rose-croix.

Les rose-croix étaient un ordre ésotérique dans la même lignée que les francs-maçons. Je me rappelai les runes démoniaques sur le mur.

— Je ne pense pas que ces gamins soient des rose-croix. Les runes étaient démoniaques. Sans parler du sceau de Solomon.

— D'après ce que nous a dit Roz, je pense que tu as raison, dit Camille en feuilletant son carnet de notes. C'est pour ça que j'ai appelé et que j'ai obtenu un rendez-vous dans quarante-cinq minutes pour leur parler. Je me suis fait passer pour une journaliste d'Outremonde qui étudie les méthodes d'éducation humaines. Ils pensent que je veux écrire un article pour un journal local. Ils nous attendent à 21 h 15. Comme je voulais que tu viennes avec nous, je leur ai dit qu'on ne pouvait pas se libérer avant. Morio se fera passer pour mon assistant et tu seras mon cameraman. Évite simplement de te tenir près d'un miroir pour ne pas trahir ton identité.

Morio m'adressa un sourire éclatant. Même si elles ne ressemblaient en rien aux crocs de sa forme démoniaque, ses dents avaient quand même l'air très tranchant. De temps en temps, il laissait apparaître sa nature de *Yokai*.

— D'après ce que j'ai compris en aidant ta sœur à faire des recherches, ces types n'aiment pas beaucoup les autres fraternités, remarqua-t-il en lissant son pull sur ses abdos et en remettant une mèche rebelle derrière son oreille. (Ses yeux brillaient, à mi-chemin entre le brun profond et la topaze. Il semblait plus sauvage que d'habitude.) La plupart ont été rejetés par les maisons grecques, poursuivit-il. Pour le moment, tout ce qu'on a pu trouver, c'est qu'ils étaient des parias. Ils ne sont pas très appréciés par leur entourage. Même les *geeks* les évitent.

— Génial. Ils ont l'air sympathique. Nous savons déjà qu'Harold suivait Sabele. Et hier soir, j'ai entendu deux d'entre eux, Larry et Duane, avouer qu'ils avaient drogué une fille pour la violer. J'avais bien envie de leur arracher la tête, mais étant donné la situation, j'ai préféré les garder en vie un peu plus longtemps.

— Crois-moi, peu importe ce qui arrive, on les fera payer, rétorqua Morio avec un regard meurtrier.

— C'est comme si c'était fait. Donc le plan c'est d'entrer, de faire le tour de la maison et de brosser leur *ego* dans le sens du poil. À leur âge, la testostérone est en ébullition, après tout, finit Camille en souriant.

— Ça devrait marcher, répondis-je en m'élevant jusqu'au plafond. Hé, Morio, tu n'aurais pas de sang au goût d'ananas sur toi par hasard ?

— Non, répondit-il en levant la tête vers moi, mais je t'en ai apporté une bouteille qui devrait avoir le goût de nectar de fraise et une autre de soupe au bœuf. Je te conseille de la réchauffer.

Iris me désigna le réfrigérateur d'un signe de tête.

— Ils sont étiquetés. N'oublie pas de faire la vaisselle après. Je me bats déjà avec Delilah pour qu'elle nettoie sa caisse, alors s'il te plaît, ne laisse pas de casserole pleine de sang dans l'évier.

Je touchai le sol avec un bruit sourd.

— Bien compris, mademoiselle Iris. Je n'ai pas le temps de faire quoi que ce soit pour le moment, je boirai en rentrant. Si je dois jouer le rôle du cameraman, il me faut une caméra.

— Prends le Caméscope, répondit Camille. Ils pensent que je travaille pour un tabloïd. Pas la peine d'avoir un équipement coûteux. Je vais m'habiller. Vanzir, va au quartier général du FH-CSI avec Rozurial et attendez-nous-y. Nous aurons besoin de votre aide et de celle de Flam pour sauter dans le plan astral.

Tandis que Morio la suivait à l'étage, je me tournai vers Roz.

— Viens avec moi derrière la maison. J'aimerais te parler pendant qu'ils se préparent.

À peine la porte refermée, je me tournai vers Roz qui s'était adossé contre le rebord couvert de pots de fleurs et de notre équipement de jardinage. Il portait un marcel et un pantalon en cuir noir qui lui collait au corps de façon stupéfiante. Il avait lâché ses cheveux qui venaient effleurer ses épaules. Après avoir pris appui sur le rebord derrière lui, il écarta les jambes pour que je puisse m'installer au milieu.

— Nous n'avons pas beaucoup de temps, murmurai-je, avec une soudaine envie de lui.

Le baiser m'avait poursuivie dans mes rêves. Tandis que je me pressais contre lui, il passa ses bras autour de moi pour me rapprocher et poser ses lèvres sur les miennes. Je sentis encore des étincelles jaillir entre nous. Son parfum musqué m'intoxiquait.

Il fit jouer ses lèvres contre les miennes, les frôlant légèrement avec ses dents, avec sa langue. Si j'avais été vivante, j'aurais perdu le contrôle pour de bon. Il aurait pu faire ce qu'il voulait de moi sans que je proteste. Dans l'état actuel des choses, j'étais tellement excitée que j'avais envie de hurler.

Je parvins à m'extirper de son étreinte.

— On doit y aller. Mais plus tard…

Les yeux brillants, il m'adressa un sourire aguicheur.

— Plus tard, tu seras allongée sous moi et je glisserai entre tes jambes. Je te donnerai tellement de plaisir que tu ne pourras plus respirer.

Je ris de bon cœur.

— Aucun problème, je n'en ai pas besoin. Mais oui… Je crois que je suis prête, Roz. Je suis prête à te laisser entrer dans ma vie.

— Bien, répondit-il en déposant un baiser sur mon front. Parce que moi, je le suis depuis notre première rencontre.

Sur ces paroles, nous rentrâmes pour récupérer nos manteaux. Tandis que nous quittions la maison, en regardant Iris qui gardait Maggie et attendait que son saoulard de leprechaun daigne l'appeler pour s'excuser, mes pensées s'attardèrent sur un certain incube aux cheveux bouclés. Qu'avait-il à m'apprendre ?

Vanzir et Roz étaient partis avant même qu'on atteigne la voiture de Camille. Je secouai la tête en les regardant disparaître.

— On habite vraiment avec des gens bizarres.

— Oui, répondit Camille en souriant, et mon petit doigt me dit que l'un d'eux ne va pas tarder à se glisser dans ton lit.

Elle laissa Morio s'installer au volant et s'assit sur le siège passager. Quant à moi, je passai à l'arrière avec le Caméscope et deux, trois petites choses.

Pendant que Morio sortait de notre propriété, je répétai en détail ce qui s'était passé la nuit précédente. Camille m'écouta en hochant la tête de temps en temps. Quand je lui parlai des préservatifs usagés et des moutons de poussière, elle laissa échapper un « beurk » écœuré et frissonna.

— Oui, c'était horrible, acquiesçai-je. Même pour moi qui ai l'habitude de voir des choses affreuses.

— Je suis contente de ne pas avoir à en utiliser, rétorqua Camille en regardant Morio.

L'intéressé se contenta de sourire avant de reporter son attention sur la route, mais un regard dans le rétroviseur m'assura qu'il l'arborait toujours.

— Est-ce que l'injection que toi et Delilah avez reçue en Outremonde a une date limite ? Même si je t'imagine très bien avec un bébé démon… ou dragon.

— Les dragons et les Fae ne peuvent pas procréer. Quant à l'injection, son effet continuera tant que nous ne prendrons pas l'antidote, dit-elle. Mais… je ne sais pas. Morio, est-ce que tu peux me mettre enceinte ? En théorie ?

Souriant toujours bêtement, il haussa un sourcil.

— Oui, bien sûr. Et je ne serais pas contre. Mais ce n'est pas vraiment le bon moment.

— Il n'y a pas de bon moment quand on parle d'enfants, marmonna-t-elle.

Morio se gara devant la maison d'Harold. Je désignai la fenêtre du deuxième étage.

— C'est la chambre de Larry.

— Prête ? s'enquit Camille en se tournant vers moi. Oh, et ils savent que nous sommes toutes les deux à moitié Fae. J'ai pensé que ça les intéresserait. Et crois-moi, ça n'a pas loupé.

Elle se glissa hors de son siège. Comme d'habitude, Camille n'avait pas fait les choses à moitié. Elle avait revêtu une jupe d'un prune profond avec un bustier noir et argent qui remontait ses seins à l'excès et des gants et un châle en dentelle.

Quant à Morio, il portait un jean, un marcel et une veste en cuir noirs. Il avait détaché ses cheveux sombres et brillants, légèrement ondulés. Ils formaient vraiment un couple explosif. À dire vrai, Camille s'accordait parfaitement avec tous ses hommes. Ils avaient ce côté flamboyant qui les faisait s'emboîter comme des pièces de puzzle.

Pour ma part, je portais toujours les vêtements que j'avais enfilés à mon réveil : jean indigo moulant et col roulé bleu pâle. Le pull cachait mes cicatrices sans avoir l'air trop chaud. La chaleur et le froid n'avaient aucun effet sur moi, mais ça évitait que les gens se posent trop de questions.

Un boléro et des bottes à talons aiguilles venaient compléter ma tenue. Portant le Caméscope d'une manière que j'espérais professionnelle, je suivis Camille et Morio dans l'escalier qui menait à la porte d'entrée.

Heureusement, j'avais la tête baissée quand la porte s'ouvrit. Sinon, j'aurais certainement tout gâché. Larry se tenait sur le seuil pour nous accueillir. En entendant sa voix, je tâchai de faire comme si de rien n'était et relevai la tête pour le regarder. Mais je me rendis vite compte que ma présence passait inaperçue à côté du décolleté de Camille. Larry avait l'air d'un gamin dans un magasin de bonbons. Ma sœur avait des arguments impressionnants, après tout.

— Je suis Camille, la journaliste. J'ai rendez-vous avec Harold Young.

— Ah oui, bien sûr… Entrez.

Il nous conduisit dans un grand salon, mais la taille importait peu. Un seul coup d'œil à la pièce trahissait le fait qu'une bande d'étudiants vivaient ici. Des cartons de plats à emporter traînaient sur les tables, un baby-foot trônait dans un coin, des posters du magazine *Penthouse* décoraient les murs et des piles de livres et de dossiers recouvraient une longue table, comme celle d'une bibliothèque.

Les rideaux de velours noir encadrant les fenêtres me firent grincer des dents. Ils étaient couverts de poussière et de taches. Au moins, ils n'avaient pas essayé de les passer à la machine à laver…

Larry nous fit signe de nous asseoir sur le canapé.

— Vous pouvez tout mettre par terre, fit-il. Vous voulez une bière ou quelque chose ?

Camille et Morio refusèrent poliment, pendant que je secouais la tête et relevais le Caméscope.

— Je ne dois surtout pas trembler, lui dis-je sur un ton désinvolte.

— Ah, répondit-il en remarquant ma présence pour la première fois.

Il détourna le regard avant de le reposer sur moi. Je me figeai. Quelque chose dans son expression clochait. On aurait dit qu'il me reconnaissait. Mais c'était impossible. J'avais fait de mon mieux pour me cacher.

Sentant un malaise planer dans l'air, Camille tenta de détourner l'attention du garçon.

— Merci de nous accorder du temps. Comme je vous l'ai déjà dit, je m'appelle Camille, et voici Morio. Menolly est notre cameraman. (Elle jeta un coup d'œil alentour.) Est-ce que M. Young va nous rejoindre ? J'ai cru comprendre qu'il était le président des Partisans de Dante.

Finalement, Larry me quitta des yeux pour répondre à Camille.

— Oui. Il sera là dans quelques minutes. Je m'appelle Larry Andrews. Je vais participer à l'interview, si ça ne vous dérange pas. Harold me l'a demandé.

— Aucun problème, répondit doucement Camille.

— Alors comme ça, vous venez d'Outremonde ?

Il ne lui manquait plus que le filet de bave. Je remarquai que Camille, qui d'habitude ne rechignait pas à être admirée, retenait son glamour. Morio n'avait pas l'air très content non plus.

— C'est ça, répondis-je. Camille et moi sommes arrivées sur Terre il y a un an environ pour étudier votre culture, en particulier ce qui concerne l'éducation. C'est comme ça que nous avons eu l'idée de vous contacter pour publier un article dans *Première Ligne*, le journal pour lequel nous travaillons.

Quand Larry me regarda de nouveau, j'eus encore l'impression qu'il me reconnaissait. Mais où aurait-il pu me voir ? Ma cachette avait été parfaite. Peut-être étais-je seulement paranoïaque.

À ce moment-là, je sentis du mouvement à l'entrée du salon où se tenait désormais un jeune homme. De taille moyenne, il devait avoir environ vingt-cinq ans. Ses cheveux courts et sa barbe de trois jours avaient la même couleur que mes tresses. Avec ses lunettes à monture noire, son jean déchiré hors de prix et son tee-shirt « Fuck you », il avait l'air de l'étudiant *geek* de base. Si l'on passait outre au fait qu'il empestait le démon.

Camille sursauta avant de porter une main à son cou. Alors elle se força à sourire et se leva.

— Vous devez être Harold ? Harold Young ?

Après nous avoir observés de la tête aux pieds, il nous adressa un sourire qui n'avait rien d'amical. Puis il s'approcha du canapé en nous tendant la main. Camille eut un instant d'hésitation avant de la serrer.

— Oui, c'est moi. Vous êtes Camille, la journaliste ? demanda-t-il en la reluquant de manière grossière et possessive.

— Euh… oui, répondit Camille en essayant de retirer sa main de la sienne.

Toutefois, elle dut utiliser la force pour cela. Il croisa les bras sur son tee-shirt avec un sourire suffisant tandis qu'elle s'essuyait sur sa jupe. Elle n'avait pas l'air de se rendre compte de ce qu'elle faisait.

Pour empêcher Morio de faire une bêtise, je posai la main sur son épaule. Il prit une grande inspiration. Notre échange ne passa pas inaperçu. Harold observa Morio avant de se tourner vers moi, faisant comme si le *Yokai* n'existait pas.

— Et vous ? Vous êtes aussi une Fae ?

Je hochai la tête.

— Je m'appelle Menolly, dis-je en lui tendant la main pour voir si je pouvais le déchiffrer davantage.

J'espérais également lui rendre la pareille. Aussi, quand il me serra la main, j'y mis toute ma force. Ou presque. Crispé, il tenta de se dégager, mais je le retins plus que nécessaire tout en arborant un grand sourire. Ah ça oui, cette entrevue promettait d'être drôle. Aussi drôle qu'un rendez-vous à OK Corral.

Harold regarda longuement sa main et la mienne. Puis, il nous fit signe de nous rasseoir. Il s'assit prudemment dans un fauteuil que Larry avait débarrassé. Ce dernier s'installa sur l'ottomane près de lui, affichant clairement son niveau dans la hiérarchie. Harold était le gros morceau, pas de doute là-dessus.

Camille sortit alors son carnet de notes et me fit un signe de la tête.

— Si vous n'y voyez pas d'inconvénient, Menolly va filmer l'interview.

— Non, répondit Harold en secouant la tête. Pas de vidéo.

— Très bien, obtempéra Camille en fronçant les sourcils. (Je rangeai la caméra.) Pouvez-vous nous en dire plus sur les Partisans de Dante ? Quand et pourquoi avez-vous formé ce groupe ?

— Je ne l'ai pas formé, rétorqua Harold d'un ton moqueur. Mon père en faisait partie, comme mon oncle. J'y suis entré dès ma première année.

— Et pourquoi ne pas avoir choisi une autre fraternité ?

Quand je vis les yeux de Camille briller, je sus qu'elle se servait de son glamour pour le faire parler. La réaction ne se fit pas attendre. Harold rit à gorge déployée.

— Tout simplement parce que cette université est remplie de moutons décérébrés. Je n'ai pas l'intention de rejoindre leurs putains de clubs. Je suis le président des Partisans de Dante parce que l'université est dirigée par une bande d'idiots. Parce que lorsque le temps sera venu, on espère bien être les seuls survivants dans notre coin du globe.

Le sourire éblouissant qu'il nous adressa était celui d'un prédateur. Harold Young était dangereux. Les dieux seuls savaient dans quelles combines il avait trempé ces dernières années.

Chapitre 17

Camille se tourna vers moi en clignant des yeux. Je secouai la tête. Elle déglutit difficilement.

— Quand le temps sera venu ? C'est-à-dire… ?

— La fin du monde, chérie, répondit-il en se penchant vers elle.

Ce type me mettait mal à l'aise. Il ne connaissait pas la notion d'espace vital. L'imaginer suivre Sabele me donnait la chair de poule. Pourtant, elle avait précisé qu'il ne lui avait jamais fait d'avances. Dans tous les cas, j'étais persuadée qu'il s'agissait bien de notre coupable.

— Je parle de l'apocalypse. De Ragnarok. La fin du voyage. On éteint la lumière. (Il rit d'une voix grave.) Quand ce sera terminé, on sera les pères fondateurs d'un nouvel ordre. Bien sûr, nous devrons recruter quelques femmes. Sinon, ce sera difficile de repeupler la planète.

De nouveau, le ton qu'il utilisa me donna envie de filer sous la douche. Le sourire de Camille était faux, lui aussi, mais j'espérais que notre ami ne s'en apercevrait pas. De toute façon, il était tellement égocentrique qu'il ne remarquait sûrement rien d'autre que son *ego* surdéveloppé.

— Si je comprends bien, vous pensez que la civilisation va s'éteindre ? demandai-je en éprouvant le besoin de l'interrompre.

Je n'aimais pas la façon dont il regardait Camille. Le regard d'Harold se posa sur moi. Il arborait une expression agacée.

— Fais-moi confiance, Poil de carotte. La fin est proche. La terre sera purgée par le feu, pas la glace.

En l'observant de plus près, au-delà de son arrogance, je perçus quelque chose qui me terrifia. Il sentait le démon parce qu'il travaillait main dans la main avec l'un d'eux, voire plusieurs. Il avait le sens de la hiérarchie et cette lumière dans les yeux, synonyme de flammes démoniaques… Était-il de mèche avec l'Ombre Ailée ? Ou était-il un simple idiot qui jouait avec le feu ?

Je me levai.

— Excusez-moi, je dois passer un coup de fil. Si ça ne vous dérange pas, je vais aller dans le hall.

Voyant le regard perdu de Camille, je me contentai de sourire. Morio soupira.

— Tu veux que je vienne avec toi ? demanda-t-il doucement.

— Non, répondis-je en secouant la tête. Reste ici avec Camille et les garçons.

Pas question de laisser ma sœur toute seule avec ces barjots ! Même s'ils étaient humains, Harold et Larry n'avaient pas de bonnes intentions, alors autant éviter de la mettre en danger.

Je me dépêchai de sortir et d'ouvrir mon téléphone. Après deux sonneries, Iris répondit.

— Écoute. Je veux que tu m'appelles dans cinq minutes. Il faut à tout prix partir d'ici avant d'avoir des ennuis. Et crois-moi, c'est pas ça qui va manquer…

— Tu n'imagines même pas, rétorqua Iris en inspirant profondément.

— Qu'est-ce qui se passe ?

— Vanzir vient d'appeler. Il a appris par son réseau qu'un nouveau général va prendre la place de Karvanak. En d'autres termes, un nouvel ennemi dans la nature, dit-elle.

— Merci. On s'en va. Pas la peine de m'appeler. Je vais trouver une excuse.

Après avoir raccroché, j'observai mon téléphone pendant quelques secondes. Ça sentait mauvais. Très mauvais. Karvanak avait déjà été très fort. Il avait presque réussi à nous détruire, sans parler de l'enlèvement de Chase et des tortures qu'il lui avait fait subir. L'Ombre Ailée ne nous enverrait pas quelqu'un de moins puissant. Non, il serait bien pire. On pouvait en être sûrs.

Je me dépêchai de revenir dans le salon, où je trouvai Harold par terre et Morio au-dessus de lui, les mains autour de sa gorge. Camille essayait de les séparer, en vain. Quant à Larry, il avait battu en retraite à l'autre bout de la pièce.

— Qu'est-ce qui se passe ici ?

Camille leva les yeux vers moi.

— Morio a décidé de…

— Ferme-la, Camille ! Je m'en occupe, pousse-toi, cria Morio en lâchant sa victime et en se relevant. (Il donna un coup de pied à Harold et s'essuya les mains.) Debout. Tout de suite.

Je clignai des yeux. Morio ne parlait jamais ainsi à ma sœur. Ses yeux changeaient de couleur. J'avais l'impression qu'il pouvait se transformer d'une minute à l'autre. Et même s'il était de notre côté, ça ne jouerait pas en notre faveur pour le moment.

— Tout le monde se calme ou vous allez avoir affaire à moi ! menaçai-je.

Harold se releva sans quitter Morio du regard. Il fit la grimace en touchant sa gorge. Ses yeux avaient une lueur psychotique familière. Il me rappelait Dredge.

Je m'interposai entre Morio et lui.

— Je ne vous demanderai pas ce qui s'est passé. Ça suffit.

Quand Harold laissa échapper un ricanement, je me tournai brusquement vers lui, canines découvertes. Il sursauta, chancela et fit deux pas en arrière.

— Je savais que ça te calmerait, lançai-je. Venir ici n'était visiblement pas une bonne idée. On oublie cette histoire d'article. On s'en va. Et toi, ajoutai-je en posant mon index sur le torse d'Harold. Je te suggère de bien réfléchir à ce qui se passe dans ta petite tête. Tu milites pour un monde de souffrance alors que tu ne sais même pas ce que c'est.

Sur ce, je fis signe à Morio et Camille de me suivre hors de la pièce. Dès que nous fûmes dehors, je les poussai vers la voiture.

— Montez, leur ordonnai-je. Il faut qu'on parle. Et Delilah a le droit d'être au courant des dernières informations de Vanzir.

— Mauvaises nouvelles ? s'enquit Morio, toujours en colère.

— Ouais. Mauvaises nouvelles. On passera la chercher au bar avant d'aller au FH-CSI.

— Ce n'est pas une bonne idée, remarqua Camille. Si le Karsetii s'en prend toujours à l'une des victimes, il risque de remarquer la présence de Delilah. Rappelle-toi que ces trucs sont tous reliés à leur reine. S'il sent sa présence, il risque de se dédoubler et on devra en combattre deux à la fois.

— Merde. On a besoin d'elle. OK, il faut qu'on se débarrasse rapidement de la reine pour que Delilah puisse se balader librement. On la mettra au courant plus tard alors. Camille, est-ce que tu peux contacter Flam pour lui demander de nous rejoindre ?

— Génial. Comme si on avait besoin de ça ! soupira Camille en écrasant l'accélérateur.

Je me penchai entre les sièges avant.

— En attendant, à quoi vous jouiez tout à l'heure ?

Morio haussa les épaules.

— Il a osé poser les mains sur Camille.

— Et depuis quand est-ce que tu réagis aussi violemment ?

Morio n'avait jamais montré ce côté possessif de sa personnalité auparavant. Pourtant, le regard haineux, il laissa échapper un grognement.

— C'est ma femme, maintenant. Et je refuse qu'on touche ma femme, ou n'importe quelle femme que je connaisse, sans ma permission. Comme Harold ne m'a rien demandé, je l'ai arrêté, expliqua-t-il en haussant de nouveau les épaules, le regard perdu par la fenêtre.

Le sujet était clos. Je me tournai vers Camille.

— Harold a été assez stupide pour s'en prendre à toi devant Morio ?

— Pire que ça. Il a attendu que Morio observe un tableau de plus près pour s'asseoir près de moi et fourrer sa main sous ma jupe. Il a essayé de me doigter ! Même si je savais qu'il était cinglé, je ne m'attendais pas à ça !

— Quoi ? Avec Morio à côté ? Il est complètement idiot ?

Camille leva les yeux au ciel.

— Non seulement Harold Young empeste le démon, mais il est tellement arrogant qu'il ne pense même pas que quelqu'un pourrait essayer de l'arrêter. Quand je lui ai donné une claque, Morio s'est jeté sur lui. J'ai cru qu'il allait le tuer, murmura-t-elle.

— Si Menolly n'était pas entrée à ce moment-là, dit Morio, je l'aurais probablement fait. Ce n'aurait pas été une grande perte. Le monde se porterait beaucoup mieux sans les types dans son genre. (Il se tourna vers elle, l'air calme.) Tu nous appartiens, à Flam, Trillian et moi. Tu n'es pas un jouet que l'on prête à n'importe qui. Personne ne tirera avantage de toi tant que je serai là.

Je me rassis, réfléchissant à cet événement. Harold n'avait aucune limite. Il avait attaqué Camille et si Morio n'avait pas été là, il aurait probablement essayé de la violer avec son pote Larry. Bien sûr, il n'aurait pas réussi… sauf s'ils avaient une arme. En tout cas, ils auraient tenté leur chance.

Harold avait suivi Sabele. Et au fond de mon cœur, j'étais persuadée désormais qu'elle était morte. Larry et son copain Duane avaient mis du Z-fen, une des drogues du violeur les plus fortes, dans le verre d'une fille pour abuser d'elle. Le groupe dans son intégralité semblait corrompu par une énergie démoniaque. Qu'avaient-ils fait d'autre ? Jusqu'où étaient-ils capables d'aller ?

En ouvrant à la volée les portes de la salle de réunion du FH-CSI, je me demandai combien de fois nous étions venus ici, combien de fois nous nous étions réunis pour élaborer une stratégie. Arriverions-nous à tenir ce rythme encore longtemps ?

Comme nous n'avions aucun espoir de détruire l'Ombre Ailée sur son territoire, nous nous battions sur Terre. Nous cherchions les sceaux spirituels pour les cacher. Nous combattions les démons. Nous surveillions les portails. Ça ne s'arrêterait jamais. Tout simplement parce que l'Ombre Ailée continuerait jusqu'à ce qu'il meure. Même avec tous les sceaux spirituels entre nos mains, du moins ceux que nous parvenions à trouver, il n'aurait de cesse de nous poursuivre pour s'en emparer. Et s'il découvrait où ils étaient réellement, Elqavene et la reine Asteria seraient eux aussi en danger.

Chase et Yugi étaient assis à la table. Sharah se tenait derrière eux. Roz et Vanzir, en revanche, nous attendaient debout. Flam se matérialisa hors de la mer ionique au moment où nous entrâmes dans la salle. Nous prîmes place autour de la table.

— Delilah ne vient pas ? demanda Chase.

— Réfléchis, lui répondis-je doucement. Tu tiens vraiment à ce qu'elle soit repérée par un démon ?

Il cligna des yeux.

— Je comprends, murmura-t-il. Pas de problème. Nous avons subi deux autres attaques en attendant votre arrivée. Des gars ont ramené les victimes avec eux. Elles sont toujours en vie dans l'unité médicale. Si on ne fait pas rapidement quelque chose, on ne pourra plus le cacher et la communauté Fae va paniquer.

— Oui, eh bien pour l'instant, tu devras calmer ta libido. On a des problèmes bien plus importants, rétorqua Vanzir.

Il posa ses coudes sur la table, les yeux plissés. Il semblait toujours sur le point de frapper quelqu'un. Malgré la mise en garde de Roz, je me rendis compte que je le trouvais vraiment séduisant. Nous devions toujours nous contrôler. Nous étions des vampires tous les deux. Je me nourrissais de sang et lui, d'énergie spirituelle. Je m'entendais très bien avec Roz. Mais avec Vanzir… j'avais toutes les raisons de penser que notre relation franchirait encore un autre niveau. Ce ne serait pas beau, ni gentillet entre nous… on se comprendrait, tout simplement.

— Raconte à tout le monde ce que tu as dit à Iris, lui demandai-je en me glissant sur un siège entre lui et Roz.

Sous ses airs impassibles, je le sentis légèrement agacé.

Vanzir me regarda longuement avant de soupirer.

— OK. L'Ombre Ailée a trouvé quelqu'un pour remplacer Karvanak. La nouvelle se propage comme une traînée de poudre.

— Trois questions : Qui est-ce ? Est-il déjà arrivé ? A-t-il utilisé le même moyen que toi pour pénétrer sur Terre ? m'enquis-je.

Lorsque nous avions procédé au rituel d'assujettissement, Vanzir nous avait expliqué comment il avait procédé pour venir ici, c'est-à-dire en passant par le plan astral. Peu de démons en étaient capables, parmi eux : succubes, incubes et quelques autres.

— D'abord, ce n'est pas un homme, mais une femme. Elle s'appelle Stacia, c'est une lamie. Elle possède le grade de général, comme Karvanak. Je n'en sais pas plus, mais vu sa nature, elle ne peut que nous donner du fil à retordre.

— Génial, un démon grec ! marmonnai-je.

— Grec, persan, quelle différence ? rétorqua Chase en balançant son stylo sur la table avec son carnet de notes. Comment est-elle arrivée ici ?

Vanzir fronça les sourcils.

— Peut-être que quelqu'un a utilisé un sort de porte démoniaque pour la faire entrer, mais seul un sorcier très puissant en serait capable.

— Puisqu'une porte démoniaque permet en théorie à un HSP de contrôler un démon, se pourrait-il qu'un autre démon l'ait fait ? demandai-je.

— Un démon qui peut utiliser une porte démoniaque ? s'étonna Morio en se redressant. Pas très rassurant. Je ne pensais pas que les démons pouvaient contrôler leurs semblables par la magie.

— Ils en sont incapables pour la plupart, répondit Vanzir, mais certains, en particulier les métis humains, parviennent à se servir de ce genre de magie sans brûler sur place.

— Merde ! Si je comprends bien, il y aurait un sorcier à moitié démon du côté de l'Ombre Ailée ? Super ! m'exclamai-je.

— Ne tire pas de conclusion hâtive, intervint Flam. Il nous faut des preuves solides. Le manque d'informations nous mènerait à notre perte.

— À quoi ressemble cette Stacia ? Sous sa forme humaine aussi bien que naturelle ? demanda Chase en se tortillant sur sa chaise, agitant la main droite avec nervosité.

Karvanak l'avait enlevé et torturé pour que nous lui remettions le quatrième sceau spirituel. Je ne savais pas exactement ce que Chase avait enduré. Il n'aimait pas en parler, ce que je comprenais trop bien. Il m'avait fallu douze ans pour expliquer clairement ce que Dredge m'avait fait subir la nuit de ma transformation.

En tout cas, après cette confrontation, Chase avait perdu un auriculaire et était devenu beaucoup plus nerveux. Avant, Chase se conformait aux instructions, désormais il s'était endurci et était capable de recourir à des pratiques plus extrêmes.

Vanzir haussa un sourcil.

— Elle n'a rien à voir avec un poster de *Penthouse*, c'est certain. Du moins, pas sous sa forme naturelle. Les lamies sont des sortes d'anacondas géants avec un buste et une tête de femme. Sous leur forme humaine, elles ressemblent à des sirènes capables d'ensorceler les hommes avec leurs chants. Tout ce que j'ai trouvé sur elle, c'est que dans les Royaumes Souterrains, on lui a donné un petit surnom : « la broyeuse d'os ».

Camille se massa les tempes.

— De mieux en mieux. Aucune idée de l'endroit où elle se trouve, ou de ce à quoi elle ressemble actuellement ?

— Non, répondit Vanzir en secouant la tête. Les renseignements manquent de ce côté-là. À mon avis, l'Ombre Ailée l'a cachée intentionnellement. Ce qu'elle peut faire, à quoi elle ressemble, où elle est… impossible de le savoir pour l'instant.

—Génial, dit-elle. On ferait mieux de faire passer l'info aux triple Menace et à la communauté surnaturelle. Elle pourrait mettre le bordel plus vite qu'on le pense. On parie qu'elle voyage avec une bande de serpents ?

—Les serpents ne sont pas un problème, remarquai-je. Les démons si.

—Ils le deviennent s'ils sont contrôlés par une garce puissante, contra Camille. Étant donné sa nature, il y a de grandes chances pour qu'elle puisse faire appel à eux. Et quelque chose me dit qu'on aura davantage affaire à des cobras qu'à un nid de vipères.

—Tu marques un point, concédai-je. Encore quelque chose à rajouter à notre liste. D'abord, on doit découvrir ce qu'elle peut faire et où elle se cache ; ensuite, il faudra la traquer pour la mettre hors d'état de nuire. En attendant, il faut tuer le Karsetii ou, du moins, le forcer à hiberner de nouveau avant la pleine lune.

—Oui, dit Camille. Delilah et moi, on sera toutes les deux incapables de vous aider à ce moment-là.

Je réfléchis un instant.

—Tu ne pourrais pas demander à la Mère Lune de diriger la Chasse vers les démons ?

—Je n'y avais jamais pensé, admit Camille d'un air perplexe. (Elle se mordit la lèvre, puis secoua la tête.) Non. Quand je chasse… je n'arrive pas à l'expliquer. C'est comme si je sombrais dans la folie. C'est la Mère Lune qui choisit notre terrain de chasse. Nous n'avons pas d'autre choix que la suivre. On ne peut plus réfléchir, on n'est plus du tout cohérent. Seul le plaisir de la Chasse compte.

—J'aurais essayé, dis-je en haussant les épaules. N'en parlons plus. (Je jouai avec le stylo que Chase avait jeté sur la table.) Dans ce cas-là, il ne nous reste plus qu'à trouver ce fils de pute et à le rayer de notre existence avant que le nombre de victimes atteigne celui d'un film d'horreur pour ados.

— Autre chose qui pourrait nous être utile ? demanda Chase.

— Oui, répondis-je tout sourires. C'est ton jour de chance, Chase. On rentre à peine de notre petite visite à Harold Young. Pour commencer, je soupçonne Harold et ses potes d'avoir tué Sabele. C'est un fou furieux. Crois-moi, je sais reconnaître un prédateur quand j'en vois un.

— Il est aussi lié à un démon, mais je ne suis pas sûre de savoir comment. En tout cas, son énergie empeste, expliqua Camille en fronçant les sourcils.

— Ouais, sans parler des avances qu'il a faites à Camille…

— Qu'est-ce que tu as dit ? s'exclama Flam en tournant la tête vers moi.

Il était calmement assis sur sa chaise, pourtant, je ne voyais qu'un dragon en furie. Je fis de mon mieux pour ne pas éclater de rire alors que Roz se tassait un peu plus sur son siège.

— Pas la peine de hérisser tes écailles, rétorquai-je d'un air amusé. Morio s'en est occupé, il a presque failli le tuer. Il l'aurait sans doute fait si je ne l'en avais pas empêché, mais la question n'est pas là. Ils ne se contentent pas de peloter Camille : hier, j'ai entendu ses copains, Larry et Duane, parler d'une fille qu'ils avaient droguée au Z-fen pour la violer. Ils en étaient vraiment fiers.

— Merde. Merde. Merde, jura Chase. Encore du Z-fen. Cette saloperie est partout. Très bon marché à fabriquer et au bout de quelques doses, on devient un vrai junkie.

Pourquoi ne pas en verser directement dans les réserves d'eau et refiler le contrôle aux dealers?

—On savait déjà que les maquereaux s'en servaient pour contrôler leurs filles, soupirai-je. Maintenant, il faut trouver le lien qui unit les Partisans de Dante et les démons.

—Les Partisans de Dante? demanda Chase. Je ne te suis plus…

Nous le mîmes au courant des dernières nouvelles, puis je lui préparai quelques notes.

—Ce groupe est terrifiant, surtout quand on sait qu'ils sont très intelligents. À mon avis, il y a un test de QI à passer avant d'être admis.

—Je ne veux même pas savoir à quoi ressemble leur rituel de passage, remarqua Camille en frissonnant.

—Nous avons donc trois problèmes à résoudre, intervint Flam à son tour. Un: trouver et tuer le Karsetii. Deux: comprendre ce qui se passe réellement chez Harold…

—Et découvrir si ça un lien avec la disparition de Sabele, l'interrompis-je.

—Bien sûr. Trois: rassembler des informations sur Stacia.

—C'est ça, acquiesçai-je en hochant la tête. Mais n'oublie pas qu'il faut aussi s'occuper du cinquième sceau spirituel. Avec un nouveau général en ville, on ne peut pas se permettre de relâcher notre vigilance. Karvanak n'était déjà pas un cadeau, mais quelque chose me dit que cette lamie sera bien pire. (Je me tournai vers Vanzir pour découvrir qu'il m'observait. Il ne me quitta pas des yeux.) Tu n'as vraiment rien d'autre à nous apprendre sur elle? lui demandai-je.

Il cligna des yeux.

—Comme je te l'ai déjà dit, je n'ai pas réussi à trouver autre chose. Tant de mystère ne présage rien de bon. Karvanak était un hédoniste… Va savoir ce que celle-ci nous réserve.

— OK, répondis-je avec un faible signe de la tête. Puisqu'on est là, autant commencer avec le Karsetii. S'il y a trois victimes actuellement sous attaque, on peut peut-être se servir de leurs liens pour remonter jusqu'à la reine.

— Ça marche, dit Camille en se levant. (Morio et Flam l'imitèrent immédiatement, bientôt suivis de Roz et Vanzir.) Roz, Flam, nous avons besoin de votre aide pour pénétrer dans le plan astral. Chase, tu ferais mieux de rester ici pour une fois.

— Oui, dit-il calmement. De toute façon, je ne saurais pas quoi faire une fois là-bas. Je vais aider Sharah à s'occuper des victimes. (Il s'interrompit.) Bonne chance. Arrêtez cette chose une fois pour toutes. Delilah compte sur nous…

— On sait, répondis-je en me dirigeant vers la porte avec un mauvais pressentiment. (Ce ne serait pas un combat facile et nous ne savions pas encore comment remonter jusqu'à la reine.) Crois-moi, on le sait très bien.

Chapitre 18

Nous étions de retour dans la section médicale du bâtiment. Ces derniers jours, nous avions vu trop de cadavres, trop de victimes. Je n'avais qu'une idée en tête : trouver le Karsetii et l'éliminer pour de bon. Depuis douze ans, je vivais dans un monde de sang et de mort. Quand nous étions arrivées sur Terre, j'espérais avoir hérité d'un boulot peinard sans le moindre stress. Aujourd'hui, je commençais à comprendre que le carnage ne faisait que commencer. La vague qui menaçait de s'abattre sur nous grossissait de plus en plus. Les démons frappaient à notre porte. Nous ne pourrions pas résister à leur assaut bien longtemps.

Les victimes avaient toutes été installées dans la même pièce. Tiggs, un elfe originaire d'Elqavene, avait sombré dans le coma et s'éteignait rapidement. Cinq victimes étaient toujours en vie pour l'instant. J'avais cessé de compter le nombre de morts.

Je marchai lentement entre les lits, pensant à leur décès imminent, à leur énergie vitale dérobée. Leurs âmes se préparaient à rejoindre celles de leurs ancêtres alors qu'elles n'y étaient pas prêtes. Leur heure n'avait pas encore sonné. Ce n'était pas leur choix, ni une mort honorable.

Je me tournai vers les autres.

— Allons botter le cul de cette saleté de monstre ! On décidera du moyen de s'en débarrasser une fois sur place.

Hochant la tête, Flam nous ouvrit les bras. Je m'approchai de lui, imitée par ma sœur. Roz et Vanzir se prirent par la main. Chase et Sharah nous observaient d'un air grave.

— Si on ne revient pas… Et merde ! Si on ne revient pas, allez dire à Tavah de libérer Delilah et de l'envoyer en Outremonde. Racontez-lui tout ce qui s'est passé. Je crois que c'est tout.

— Vous reviendrez, affirma Chase en clignant des yeux. Le démon ne peut pas tous vous tuer.

— Regarde autour de toi, répliqua Camille. Les victimes sont tous des Fae. Ou presque. Le Karsetii s'intéresse particulièrement à nous. Mais avec un peu de chance, cette conversation ne servira à rien. Au moins, nous savons contre quoi nous nous battons. Morio, reste ici pour les protéger. On ne peut pas prendre le risque de tous y aller.

Morio eut l'air de vouloir protester, mais quand Flam acquiesça, il accepta la mission qui lui était confiée et se posta près de Sharah et Chase.

Dans le refuge des bras de Flam, Camille posa une main sur la mienne. Elle prit une grande inspiration avant de fermer les yeux. Je l'imitai, du moins, pour les yeux. Puis, Flam nous entoura de son énorme trench-coat. En quelques secondes, nous fûmes propulsés ailleurs. Je pouvais sentir la morsure glacée des différentes couches de réalité que nous traversions.

Quand nous posâmes le pied sur le plan astral, Flam ouvrit de nouveau les bras pour nous laisser sortir. Vanzir et Rozurial apparurent bientôt à quelques mètres sur notre droite. Cette fois, Roz ne dégaina pas son arme. À la place, il sortit un parchemin de son manteau.

— Qu'est-ce que c'est ? demandai-je d'un air perplexe.

— Un sort de traçabilité. Comme ça, on pourra les suivre jusqu'à la reine.

Il était sur le point d'ajouter quelque chose lorsque Vanzir nous fit signe de regarder sur notre gauche. Il y avait trois formes : les clones du Karsetii. Deux d'entre eux se nourrissaient de deux victimes chacun et un troisième s'occupait de trois à la fois, Tiggs y compris.

— De vrais gloutons, remarquai-je en les observant un instant. Ils n'ont pas encore remarqué notre présence. Ils doivent être trop concentrés sur le drainage d'énergie. Je pense que Roz devrait d'abord jeter son sort de traçabilité. Au moins, s'ils parviennent à s'échapper, on n'aura pas tout perdu. Et puis, plutôt que de les tuer, essayons de les effrayer. Ce sera plus facile de les suivre. Sinon, ils risquent de disparaître d'un coup.

— Bonne idée, approuva Camille en se tournant vers Roz. Vas-y.

Les paroles qu'il prononça ressemblaient à du grec. Au bout d'un moment, il y eut un léger éclair, puis plus rien. Les yeux plissés, il observa les démons.

— Je pense que ça a marché.

— Oui, acquiesça Camille. Je le vois dans leur aura. Bon, comment faire pour les suivre jusque chez eux sans qu'ils s'en aperçoivent ?

— Ta jolie lumière, bien sûr, répondis-je en souriant. Avec un peu de chance, à force de t'en servir, tu finiras par briller comme le soleil.

— Ah oui, ce serait génial, rétorqua-t-elle d'un air sarcastique. OK, tiens-toi derrière quelque chose pour te protéger. J'ai apporté la corne. (Elle plongea la main dans la poche qu'elle avait cousue sur sa jupe et en retira la corne de licorne noire. Le cristal étincela, faisant ressortir les fils d'or et d'argent qui la parcouraient.) Préparez-vous à souffrir, mes mignons.

Je pris soudain conscience que ma sœur commençait à prendre goût à la bataille, peut-être un peu plus que de raison. Mais que pouvais-je dire ? Moi-même, je ne disais jamais non à un petit bain de sang. En fait, en observant les autres se préparer, je compris que nous ne reviendrions jamais en arrière. Nous ne ressemblerions plus jamais à celles que nous étions avant notre arrivée sur Terre. Si la paix revenait, resterait-il une place pour nous ? Ou devrions-nous battre en retraite, trouver de nouveaux combats à livrer là où l'on aurait besoin de nous ?

Secouant la tête pour m'éclaircir les idées, je levai les yeux vers Flam qui avait écarté largement les pans de son trench-coat.

— Viens par là, dit-il d'un air amusé. (Quand je fis un pas en arrière, il se contenta de rire.) Ne prends pas tes désirs pour des réalités, je ne te fais pas des avances. Viens dans mon manteau, je te protégerai de la lumière.

— T'en fais pas, Nana, appuya Camille en ricanant. Mon mari t'offre sa protection. Je te conseille d'accepter.

— T'en fais pas ? Nana ? C'est pour une mauvaise vidéo de la SAC sur YouTube ?

— Ne te moque pas de la Société des Anachronismes Créatifs. Ils ont des vêtements très chouettes, dit-elle en me tirant la langue. Ne te fais pas prier.

— Ouais, ouais, répondis-je en observant le lézard géant avant de secouer la tête.

Je finis par entrer sous la protection du trench-coat immaculé de Flam. Quand il me prit dans ses bras, je me retrouvai complètement isolée du monde, environnée de son odeur musquée.

Je devais admettre qu'il était charmant, mais je ne pourrais jamais supporter sa jalousie et son *ego* surdéveloppé. Camille, elle, se contentait d'en sourire, même si Flam lui laissait passer beaucoup plus de choses qu'à n'importe qui. Je décidai de ne pas le mordre en réponse au « ne prends pas tes désirs pour des réalités ».

— Hé, sales calamars dégénérés ! Ramenez vos fesses ici ! Battez-vous si vous êtes des mollusques !

Dans l'obscurité de ma cachette, je frissonnai en entendant les paroles de Camille. Pourquoi devait-elle attirer leur attention ? Pourquoi ne pouvait-elle pas se contenter de lancer son sort ? Soudain, je sentis une agitation de l'autre côté du manteau, puis il y eut un grand fracas, comme le tonnerre.

Malgré le tissu épais, la lumière manqua de m'aveugler. Sans réfléchir, j'enfouis la tête dans le torse de Flam qui me serra davantage dans ses bras avec un grondement approbateur.

— Voilà qui est mieux, murmura-t-il d'une voix qui me fit comprendre qu'il parlait de Camille.

Lorsque la lumière disparut, il rouvrit son manteau pour me laisser sortir. Je lui adressai un sourire un peu crispé auquel il répondit par un hochement de tête avant de reporter son attention sur Camille.

— Tout va bien, mon amour ?

Les cheveux ondulant dans le vent spirituel que son sort avait produit, elle éclata de rire.

— Plus que bien, répondit-elle. (L'adrénaline courait encore dans ses veines.) Roz, est-ce que le traçage fonctionne ?

Il ferma les yeux et leva les mains.

— Ça fonctionne, affirma-t-il en nous faisant signe. Il faut se dépêcher, on risquerait de les perdre.

Sur ces paroles, il se lança à leur poursuite, aussi rapide que le vent. Flam et Vanzir le suivirent aussitôt tandis que Camille m'attrapait la main pour m'entraîner à travers la brume. Courir sur le plan astral était une nouvelle expérience. Rapides sur le plan physique, nous volions presque ici.

Camille rattrapa rapidement Flam et Vanzir, me lâchant la main pour que je reste avec eux pendant qu'elle reprenait sa course jusqu'à Rozurial. Ma mâchoire faillit se décrocher. Comment faisait-elle pour courir aussi vite ?

Mais bien sûr ! La Chasse ! Camille avait l'habitude de parcourir le ciel au côté de la Mère Lune tous les mois. Même si elle ne pouvait pas venir ici toute seule, elle savait comment traverser les différents royaumes. Durant la pleine lune, sa déesse la transportait sur le plan astral.

Alors que nos deux amis disparaissaient au loin, Flam grimaça.

— On doit à tout prix les rattraper. On ne peut pas les laisser arriver à destination sans renfort.

— Je n'aurai aucun problème à les suivre, remarqua Vanzir, mais je ne suis pas sûr que ce soit votre cas.

— Seulement en volant.

Sans prévenir, Flam se transforma en dragon. Tandis qu'il déployait sa véritable apparence, je reculai pour éviter de recevoir un coup d'aile. Sans prendre le temps de respirer, il se tourna vers moi.

— Montez !

Son corps blanc laiteux ondulait comme celui d'un serpent dans la brise astrale. Je repoussai ma peur dans un recoin de mon esprit. Il était énorme. À force de le fréquenter sous sa forme humaine, j'en oubliais à quel point sa véritable apparence était intimidante.

— Allez viens, chérie, me lança Vanzir d'un air moqueur en m'attrapant par le bras.

Il m'installa devant lui sur la bête et passa ses bras autour de ma taille.

Laissant échapper un ricanement, Flam commença à battre des ailes pour se glisser dans les courants et soudain, nous avancions dans les airs, plus rapides que j'aurais jamais pu l'imaginer. Je n'étais jamais montée sur le dos d'un dragon. Pour tout vous dire, je n'avais jamais voyagé en avion, non plus. En tout cas, Flam était bien plus rapide que ma Jaguar.

En observant la brume tourbillonnante qui recouvrait le plan astral, je me rendis compte de l'absurdité de la situation : un vampire juché sur le dos de son beau-frère, un dragon, appuyée contre un démon qui lui enserrait la taille, à la poursuite d'un mollusque détraqué qui se nourrissait d'énergie. J'éclatai de rire un bref instant avant de me rappeler que Delilah était enfermée dans la pièce sécurisée du *Voyageur* et que le nombre de victimes de Karsetii ne cessait d'augmenter.

Vanzir resserra son étreinte.

— On se ressemble, me murmura-t-il à l'oreille. On se ressemble beaucoup.

Je savais qu'il essayait de me faire réagir, pourtant je ne répondis pas. Comment l'aurais-je pu ? Il avait raison. Je ne pouvais pas nier l'évidence.

Flam plongea, se rapprochant du sol. Désormais, je pouvais voir Camille et Rozurial en contrebas. Ils étaient passés en mode automatique et n'avaient pas remarqué notre présence. Ils ne pensaient qu'à avancer, sans se distancer l'un l'autre pour autant. D'ici, je pouvais voir l'expression légèrement délirante de Camille. Comme la pleine lune n'était que dans deux jours, elle ressentait sûrement déjà son énergie. Poursuivre des proies sur le plan astral ne devait faire qu'amplifier sa passion.

Le contact des mains de Vanzir contre ma taille commença à me brûler à l'intérieur tandis qu'il se plaquait davantage contre moi. Je ne pus m'en empêcher. Je me laissai aller en arrière à sa rencontre. Alors, il posa les lèvres sur mon cou pour me mordiller.

— Ce n'est vraiment pas l'endroit, ni le moment pour faire ça ! m'exclamai-je en essayant de me libérer de la folie qui s'emparait de nous.

— Ne laissez pas l'énergie vous entraîner, dit soudain Flam. Vous ressentez simplement les hormones en effervescence de Camille et Rozurial. Ils courent si vite qu'ils laissent s'échapper des nuées de phéromones derrière eux. En attendant de mettre la main sur le Karsetii, la seule chose à craindre, c'est que l'incube s'approche de ma femme de trop près. Supportez la pression jusqu'au bout.

J'avais la tête qui tournait. Je tentai d'échapper à l'étreinte de Vanzir, mais il me serra davantage pour m'embrasser la nuque, les épaules, les joues. Je me retournai pour le repousser quand le tourbillon de couleurs de ses yeux me prit par surprise. Un hoquet m'échappa. Il posa ses lèvres sur les miennes et me souleva pour me positionner face à lui.

Les jambes collées contre les flancs de Flam pour garder l'équilibre, je sentis Vanzir me pousser en arrière, jusqu'à ce que mon dos touche les écailles du dragon. Vanzir était au-dessus de moi, les hanches entre mes jambes. Ses lèvres semblaient me dévorer de l'intérieur. Je me sentis sombrer. La passion augmentait petit à petit, menaçant de m'emporter. Soudain inquiète, je touchai mes canines du bout de la langue, mais elles ne s'étaient pas allongées.

— Elles resteront comme ça tant que tu l'auras décidé, murmura Vanzir. Quand tu couches avec un démon, un vrai, c'est plus facile de contrôler ta nature. Et je n'essaierai pas non plus de te vider de ton énergie comme je le ferais d'habitude avec quelqu'un qui n'a pas d'héritage démoniaque.

— Essaie un peu de me vider de mon énergie pour voir. Tu serais mort avant même de t'en rendre compte, menaçai-je.

Il me fit taire en m'embrassant. Puis, ses doigts se frayèrent un chemin jusqu'à ma braguette.

Je le désirais. Je voulais qu'il me déshabille et qu'il me prenne sur le dos de Flam… mais nous étions en plein cœur d'une bataille. Nous avions besoin de toute notre énergie.

—Non, il faut se tenir prêt à combattre. On ne peut pas faire ça ici. Pas maintenant. Plus tard. J'ai vraiment envie de toi, avouai-je en posant mes mains sur son torse.

Son pouls n'était pas normal. Quand je levai la tête vers lui, ses lèvres eurent un soubresaut. Il me lécha le nez d'un geste moqueur.

—Je sais, répondit-il d'un air suffisant. Ne me mens plus jamais sur tes sentiments. Nous sommes tous les deux des démons. Laisse les mensonges à ceux qui n'ont pas le pouvoir de s'emparer de ce qu'ils veulent, d'ôter la vie à la racine des choses. Ensemble, nous pouvons prendre du plaisir sans nous inquiéter de la sécurité de l'autre.

Quand il se releva, je m'écartai pour le regarder dans les yeux.

—Je croyais que tu ne t'intéressais pas aux femmes, remarquai-je. Et tu sais que je sors avec Nerissa.

—Je sais aussi que tu fricotes avec Rozurial. Et pour ce qui est des femmes et toi… je suis pareil. Je choisis mes partenaires en fonction de l'attirance que je ressens pour eux, pas de l'équipement qu'ils possèdent, avoua-t-il d'un air sinistre. Je n'avais pas choisi de coucher avec Karvanak. Il est mort maintenant. J'espère qu'il sombrera dans l'oubli. Mais ce n'est pas parce qu'il a abusé de moi que je n'apprécie pas la compagnie d'un joli garçon de temps en temps.

Alors je compris ce qu'il avait voulu dire… Nous nous ressemblions vraiment plus que je le pensais. Nous avions tous les deux été torturés par un sadique. Dans mon cas, Dredge m'avait transformée à jamais, mais ça ne signifiait pas que Vanzir ne possédait pas des cicatrices cachées. Il essayait de passer outre à ses instincts de démon et Karvanak s'en était servi contre lui.

Je lui pris la main.

— Nous sommes pareils. Pourtant… n'oublie jamais que la plupart de nos camarades ont aussi connu l'enfer à un moment de leur vie. Delilah n'a jamais demandé à devenir une fiancée de la mort. Camille a toujours soutenu tout le monde et un de ses amants, Trillian, a disparu. Rozurial a vu Dredge massacrer sa famille sous ses yeux, avant que les dieux détruisent son mariage. Même Chase a été torturé par Karvanak ! Nous n'avons rien de spécial, Vanzir… à part le fait que l'on se comprend mutuellement.

— Hé là-haut ! s'exclama soudain Flam. On dirait que Camille et l'incube ont trouvé quelque chose !

Je me retournai pour me mettre dans le même sens que Flam. Il pencha la tête sur le côté pour nous permettre d'y voir plus clair. Je sentis mon estomac se retourner.

Les clones du Karsetii se dirigeaient vers un portail noir entouré de runes tracées à l'aide de flammes bleues. Je les reconnus immédiatement. Des runes démoniaques. La dernière fois que je les avais vues, c'était sur le mur de Larry.

— Merde ! Un portail ! m'exclamai-je.

N'importe quoi pouvait passer à travers ce truc.

— Ce n'est pas un portail ordinaire, intervint Vanzir en m'agrippant un peu plus fort. (La passion avait totalement disparu de ses gestes. L'heure n'était plus à la distraction.) C'est une porte démoniaque.

— Quoi ? Qui l'a ouverte ?

J'observai les runes onduler dans la brise astrale. En dessous, Camille et Roz s'étaient arrêtés pour observer les clones s'en approcher.

— Je ne sais pas, mais il y a eu un problème, fit Vanzir. Les runes n'ont pas été bien formées. Nous avons affaire à un idiot. Il ne contrôle pas du tout la situation.

— Si je comprends bien, le Karsetii a été invoqué, mais celui qui l'a fait…

— Celui qui l'a fait, m'interrompit Vanzir, n'a aucun pouvoir sur les créatures auxquelles il a fait appel. La porte est toujours active et ouverte.

— Et qui sait ce qui nous attend de l'autre côté…

Flam gronda en se préparant à se poser. Lorsqu'il toucha le sol, je m'élançai avec Vanzir vers Camille et Roz. Flam se retransforma dans un éclair aveuglant. Ses cheveux se tressèrent automatiquement tandis que nous observions les Karsetii fuir vers la porte démoniaque. Ils semblaient effrayés par la moindre source de lumière.

J'étudiai alors les runes de plus près, m'attardant sur la façon dont elles avaient été tracées : une plume trempée dans du sang. C'était la méthode habituelle. Normalement, le sorcier se servait de la peau séchée d'un être vivant, humaine ou Fae, selon ses propres origines.

Vanzir pencha la tête de côté.

— Regardez. La rune sur la gauche. Normalement, on s'en sert pour appeler des créatures du feu, mais elle comporte une légère erreur.

— Qu'est-ce que ça veut dire ? demanda Camille. Je ne suis pas arrivée aussi loin dans mes études de magie démoniaque.

— Le trait courbé, ici, n'est pas dans le bon sens. Sa signification est : « créature des profondeurs », nous apprit Vanzir en secouant la tête. Du travail bâclé. Le coupable n'est pas un sorcier accompli, je peux au moins vous dire ça.

Alors je sus. Je sus qui avait tracé ces runes.

— J'ai déjà aperçu cette erreur auparavant. Sur le poster et sur une cheville. Harold et les Partisans de Dante ! Ce sont eux qui ont invoqué le Karsetii !

— Les Partisans de Dante ? bafouilla Camille. Alors c'est pour ça qu'ils empestaient le démon ! Mais pourquoi est-ce qu'ils feraient une chose pareille ?

— Je ne sais pas, mais il va falloir le découvrir rapidement. Parce que même si on ferme cette porte, il y a de grandes chances pour qu'ils en ouvrent une autre. Et qui sait ce qu'ils vont invoquer la prochaine fois !

Tandis que nous observions la porte démoniaque, un grondement sourd résonna dans la brume. Mon estomac se retourna.

— On a des ennuis, lançai-je. Vous les sentez arriver vous aussi ?

Vanzir et Camille hochèrent la tête alors que nous faisions tous un pas en arrière. Juste à temps. Soudain, un énorme Karsetii, quatre fois plus gros que ceux que nous avions combattus jusque-là, apparut à travers la porte.

— C'est maman, les gars. Elle vient jouer à la balle avec nous.

Camille sortit la corne de la licorne.

— À couvert ! cria-t-elle.

Le Karsetii chargea dans sa direction.

Chapitre 19

— Putain de merde ! jurai-je. Va-t'en ! Tout de suite !
Se retournant, Camille prit ses jambes à son cou pour s'éloigner du démon qui ne la lâchait pas d'une semelle. Il était intéressé par son énergie magique ou par celle de la corne. En tout cas, il essayait de l'atteindre avec ses tentacules. Aucun moment de répit. La créature évoluait dans les airs aussi agilement qu'un mollusque dans l'eau.

Flam s'élança aussitôt vers eux, reprenant sa forme de dragon. Rozurial, quant à lui, s'engagea dans la mêlée avec une longue épée d'argent, suivi de près par Vanzir. Pour ma part, je décidai d'aider Camille. Même si elle était plus rapide sur le plan astral, je restais plus forte qu'elle. Aussi, je m'interposai entre le calamar et elle.

Le démon fonçait droit sur moi. J'attendis. Il pouvait m'envoyer valser sans problème, mais il aurait du mal à pomper mon énergie vitale… parce que devinez quoi ? Je n'en avais aucune.

Quand il arriva à ma hauteur et ralentit légèrement, je pris de l'élan et le frappai de toutes mes forces. Mon pied l'atteignit en plein dans l'œil. Je l'entendis crier. Même si le choc se répercuta dans tout mon être, il fut moins violent que les précédents. Peut-être que le démon était plus vulnérable que ses « enfants ».

Le Karsetii cria. Roulant sur le côté, j'arquai le dos pour me remettre debout. Flam avait pris la relève. Il avait la tête volumineuse du démon dans la bouche et il la secouait comme un chien qui aurait attrapé un rat. À la fois impressionnée et effrayée, je fis un pas en arrière.

Camille eut un soubresaut avant de se tourner vers moi.

— Menolly ! cria-t-elle. Cours le plus loin possible ! Je vais tenter de le faire frire !

Aussitôt, je me mis à courir, si vite que je faillis rentrer dans Roz qui attendait une ouverture pour attaquer. Quant à Vanzir, il se contentait d'observer, les bras croisés.

Lorsque je passai près de lui, il me fit tomber à terre et me recouvrit entièrement de son corps. J'avais la vague impression que son geste n'était pas entièrement altruiste, mais je n'étais pas en position de me plaindre. Du moment que je ne finissais pas brûlée des mains de ma sœur, ça me convenait parfaitement.

— Flam, recule !

Sa voix résonna à travers la brume. Je conclus qu'il lui avait obéi quand elle se mit à psalmodier. Une soudaine vague de chaleur nous balaya. Le Karsetii laissa échapper un hurlement perçant et, depuis ma position au ras du sol, je vis un mollusque enflammé s'élancer vers la porte démoniaque. Il y eut un soubresaut, puis plus rien.

En m'asseyant, j'aperçus Camille, couverte de suie et d'un dépôt visqueux. Elle grimaça. En plus d'avoir été soufflée par l'explosion, elle avait aussi été brûlée. Je m'élançai vers elle. Flam me devança. Elle gémit lorsqu'il la prit dans ses bras.

— Elle est brûlée aux bras et aux jambes. Rien de mortel, mais ça doit faire un mal de chien. Il faut s'en occuper avant que ça s'infecte, remarqua-t-il.

— Ramène-la de l'autre côté. Nous sommes déjà au FH-CSI. Ils pourront la soigner. En attendant, dis-je en me tournant vers Roz, tu vas devoir me prendre avec toi.

— Non, il n'est pas assez doué pour ça. Il peut s'occuper de Vanzir, mais pas de toi en plus. Attendez-moi sagement ici, fit Flam avant de disparaître avec Camille.

Je me laissai tomber par terre. Je n'étais pas fatiguée, mais les situations chaotiques avaient tendance à me vider de mon énergie.

— Je n'aime pas ça. Nous ne savons pas si la créature est morte ou non.

— Elle ne l'est pas, répondit Vanzir. Elle est gravement blessée.

— Génial, ça veut dire qu'on a un démon blessé aux trousses. Ainsi qu'un groupe d'étudiants qui s'amuse à ouvrir des portes démoniaques. Et ma sœur est blessée… encore.

Je relevai la tête vers Roz qui me tendit la main. J'acceptai son aide pour me relever.

— Tu ne peux rien y faire pour l'instant, remarqua-t-il en se rapprochant.

Vanzir nous observait d'un air perplexe.

Je ne savais pas quoi faire. En l'espace d'une journée, j'avais décidé de coucher avec chacun d'entre eux. Et maintenant ? Je ne ressentais aucun regret, ni inquiétude. S'ils n'aimaient pas la situation, tant pis pour eux. Pour l'instant, mon cœur appartenait à Nerissa. Mais comment allais-je gérer tout ça ? Le lit de Camille semblait s'agrandir chaque fois qu'elle prenait un amant alors que moi, je n'étais pas certaine de vouloir que quelqu'un partage le mien. Je n'avais aucun problème à entrer dans le leur du moment qu'ils ne m'obligeaient pas à m'engager auprès d'eux. Et puis, un partenaire à la fois me convenait parfaitement.

Flam choisit ce moment exact pour réapparaître sur le plan astral.

— Viens Menolly, je te ramène de l'autre côté.

Alors que j'avançais vers lui, Vanzir et Roz disparurent. Flam me fit signe de m'arrêter.

— J'aimerais te parler seul à seul un instant.

— Qu'est-ce qu'il y a ?

Son ton sérieux m'inquiétait.

— Coucher avec le démon serait une grave erreur, me prévint-il.

— Lequel ? demandai-je. Je suis un démon. Roz est un démon mineur aussi. Et Vanzir…

— Je parle de Vanzir. Rozurial est un incube et même si je le trouve agaçant au possible, il est d'un grand secours et sait se montrer raisonnable. Alors que Vanzir reste sauvage malgré le lien qui l'unit à tes sœurs et toi. Réfléchis à deux fois avant de t'ouvrir à lui. Tu prends le risque d'être vulnérable.

En le regardant dans les yeux, je me rendis compte que j'y voyais une lueur d'affection. D'habitude, Delilah et moi n'étions que des parasites pour Flam. Oh, il était très gentil, mais si Camille n'avait pas été là, il n'aurait pas pris la peine de nous aider. Nous le savions bien. Pourtant, cette expression… on aurait dit qu'il s'inquiétait réellement.

— Pourquoi est-ce que tu me dis ça ? Pourquoi est-ce que tu t'en préoccupes ?

Il éclata d'un rire rauque.

— Tu es la sœur de ma femme et les dragons accordent beaucoup d'importance à la famille. Je me contente de protéger la mienne. Allez viens. Retournons à l'infirmerie pour voir comment se porte Camille. Je tiens à ce qu'elle reste en bonne santé si elle doit porter mes enfants un jour.

— Quoi ? m'exclamai-je en le dévisageant. Camille ne peut pas tomber enceinte d'un dragon !

— Il y a toujours un moyen, répondit-il en souriant. Crois-moi, il y a bien des façons de contourner le problème.

Mais je ne tiens pas à en parler pour l'instant. Elle a assez de raisons de s'inquiéter comme ça. Je parle d'un futur plus lointain.

Tandis qu'il m'entourait de ses bras, je tentai d'enregistrer l'information. Tout semblait plus clair à présent. Flam avait fait Camille sienne. Même s'il n'était pas son seul mari ou amant, il prenait leur engagement très au sérieux.

Par extension, Delilah et moi étions également liées à Flam, mais je ne pensais pas qu'il le concevait de cette manière. Morio et Trillian voyaient sûrement les choses ainsi, eux aussi, puisqu'ils avaient choisi de nous aider. Me sentant soudain moins seule, je fermai les yeux, me laissant emporter hors du plan astral, pour rejoindre Camille.

Celle-ci était assise sur un lit, grimaçant tandis que Sharah nettoyait ses brûlures. Elles n'étaient plus aussi rouges et commençaient déjà à guérir. Pourtant, ça ne voulait pas dire qu'elles n'étaient pas douloureuses.

— Tu ne garderas pas de cicatrice si on te badigeonne de cette pommade et si tu fais une cure de solution de tegot, lui disait Sharah. (Le tegot était un antibiotique naturel qui agissait aussi bien sur les humains que sur les Fae.) En attendant, je veux que tu te reposes pendant les prochaines vingt-quatre heures. Tu ne dois pas prendre le risque d'aggraver ton état.

— Mais Menolly a besoin de moi…, commença Camille.

— Non, rétorqua Morio d'un ton ferme. Maintenant que l'on s'est débarrassés du Karsetii, Delilah peut aider Menolly. La créature reviendra peut-être, mais ça lui prendra du temps. D'après Roz, elle a besoin de se régénérer.

— Le renard a raison, intervint Flam en se rapprochant d'elle. Repose-toi. Si tu essaies de bouger, je t'attache au lit.

— Comme si elle n'en avait pas l'habitude, plaisanta Morio. Ne t'en fais pas, Camille. Tu sais bien qu'on aidera tous Menolly.

— Non, pas tous. Quelqu'un doit rester auprès d'Iris et Maggie. Et de Camille aussi puisqu'elle ne peut pas se battre. (J'observai les hommes présents dans la pièce.) Morio, reste avec Camille. Flam et Roz peuvent voyager dans le plan astral. J'ai besoin d'eux avec moi. J'ai aussi besoin des connaissances démoniaques de Vanzir. Alors il ne reste que toi sur la touche, pour cette fois.

— Aucun problème, répondit Morio en hochant la tête.

— OK, reprenons depuis le début. Nous savons maintenant qu'Harold Young invoque des démons. Il faut que nous nous introduisions chez lui pour découvrir ce qui se cache là-bas. (Je jetai un coup d'œil à l'horloge. Minuit.) Nous avons le temps. Faisons un crochet par le bar pour récupérer Delilah et allons-y. Harold ne s'attendra pas à nous revoir si tôt. Avec un peu de chance, ses potes seront sortis faire la fête.

— Je vais raccompagner Camille et Morio chez vous, dit Chase. Embrasse Delilah de ma part.

Flam, Vanzir et Roz me suivirent hors de l'infirmerie. Il était grand temps d'obtenir quelques réponses pour reconstruire le puzzle.

Quand je déverrouillai la porte de la pièce sécurisée, Delilah sursauta violemment. Elle était allongée sur le canapé, occupée à engouffrer un paquet de Cheetos et à regarder un DVD de *L'École du Rock* avec Jack Black. Mon Chaton tout craché. Elle s'essuya les mains sur son jean, avant de nous adresser un grand sourire.

— Vous l'avez eue ? Je peux sortir ? me demanda-t-elle en me prenant dans ses bras.

— Eh bien, on ne l'a pas tuée, mais elle ne reviendra pas avant un bon moment. Camille l'a carbonisée. On a du pain sur la planche. Prends ton manteau, on s'en va.

En chemin, je lui racontai tout ce qu'elle avait manqué, ou du moins, ce que je savais.

— En résumé, les Partisans de Dante sont les responsables de ce bordel, conclut-elle.

— Voilà. Et ils ont fait du travail de cochon.

— Comment est-ce qu'on va s'y prendre ? demanda Delilah en observant les hommes. Sans vouloir vous offenser, les gars, Menolly et moi sommes beaucoup plus discrètes que vous. Si vous nous suivez, ça risque de dégénérer rapidement.

Flam gronda, mais ne fit aucun commentaire. Roz soupira alors que Vanzir se contenta de sourire d'un air moqueur.

— Voilà ce qu'on va faire, repris-je en garant la voiture un peu à l'écart de la maison. Delilah et moi allons nous faufiler à l'intérieur. Pendant ce temps, vous trois… Nous aurons peut-être besoin de vous en cas de grabuge, mais Delilah a raison. Nous ne pouvons pas tous entrer avant de savoir à quoi l'on a affaire. Restez aux aguets à l'extérieur de la maison.

Même si je n'aimais pas l'idée de me séparer d'eux, Delilah n'avait pas tort. Nous n'arriverions jamais à entrer avec ces trois-là. Quand ils se disputaient, ils étaient pires que des oies en colère.

— Je n'aime pas ça, fit Roz. Nous nous sommes déjà infiltrés quelque part… rappelle-toi les démons venimeux !

— Excuse-moi, le coupai-je, mais tu ne t'es pas infiltré dans cette maison. À ce qu'on m'a dit, tu as enfoncé la porte et alerté toutes les créatures de votre présence. Pour cette opération, on a besoin de subtilité. Restez en arrière pour monter la garde et réfléchissez avant d'agir. (Je secouai la tête.) Enfin… essayez!

Après avoir quitté la voiture, nous nous dirigeâmes vers la maison sous le couvert des arbres. À ma grande surprise, malgré ses vêtements voyants, Flam réussissait à se fondre dans le décor. Bien sûr, la lune presque pleine nous illuminait de sa clarté.

Tournant autour de la maison, nous cherchions le moyen le plus sûr d'entrer. Au bout d'un moment, Roz désigna le côté gauche du porche arrière. Il y avait une entrée sous les marches. Bingo.

— Bien. Gardez l'œil ouvert et ne vous faites pas remarquer.

J'ouvris la porte en silence. Les murs du cagibi faisaient tout au plus trente centimètres de plus que moi. Je fis signe à Delilah de faire attention à sa tête avant de me glisser à l'intérieur. Elle me suivit immédiatement, refermant la porte derrière elle.

Nous ne pouvions pas voir dans le noir, pourtant nos natures respectives nous permettaient de nous accoutumer à une faible luminosité. Grâce au clair de lune qui s'infiltrait au travers des marches, nous nous rendîmes compte de la présence d'une autre porte qui menait directement sous la maison.

Je tirai sur la poignée. Un verrou la maintenait fermée. J'étais sur le point de le briser lorsque Delilah m'en empêcha. Elle sortit un étui de la taille d'un jeu de cartes de sa poche et entreprit de crocheter la serrure. Une fois la porte ouverte, nous passâmes de l'autre côté.

Le sous-sol poussiéreux n'était pas surprenant. Ce qui l'était davantage, c'était le nombre de traces de pas qui le recouvraient. Une échelle permettait de descendre dans une fosse d'environ trois mètres de profondeur. Elle menait à un tunnel qui paraissait vide.

Deux guirlandes électriques de Noël couraient le long du passage, l'une proche du plafond à deux mètres au-dessus de nos têtes, l'autre au niveau du sol terreux recouvert de planches de bois.

Hésitante, je fis signe à Delilah de ne pas bouger tandis que j'écoutais. Delilah m'imita. Je vis ses oreilles se redresser et ses yeux se fermer. Elle reniflait probablement l'air, elle aussi. Nous formions une bonne équipe toutes les deux… même si Camille et sa capacité à ressentir la magie pouvaient être d'un grand secours.

— Tu entends quelque chose ? murmurai-je.

— Non, rien, répondit Delilah en secouant la tête.

— OK, alors allons-y.

Je fis attention à ne pas mettre le pied hors des planches de bois. Après tout, on ne savait pas ce qui se cachait en dessous. Des limaces mortelles avaient élu domicile dans la région. Sans parler des diverses créatures, pas forcément magiques, qui pouvaient être sources d'ennuis. Les araignées par exemple ou les rats.

En avançant dans le tunnel, je me demandai depuis combien de temps il existait. Harold avait hérité de la maison quatre ou cinq ans auparavant, toutefois, le passage et le bois utilisé paraissaient bien plus vieux. Les murs de terre avaient pris cet aspect compact que seul le temps pouvait conférer.

Comme si elle avait lu dans mes pensées, Delilah murmura :

— Je peux sentir la vieillesse de ces lieux. La vieillesse… et la mort. Beaucoup de morts. (Elle frissonna.) Je n'aime pas ça, Menolly. Cette terre a absorbé la douleur. Camille le sentirait sûrement mieux que moi, mais l'émanation est si forte que j'y arrive aussi.

Les yeux fermés, je tentai de capter quelque chose à mon tour. D'habitude, ça ne servait à rien, mais cette fois, je ressentis la présence d'énergies avec lesquelles j'étais familière. L'odeur du sang répandu, ancien comme récent. Un frisson d'énergie démoniaque. La brise légère indiquait la présence d'une pièce plus vaste où l'air circulait.

— Continuons.

Pendant que nous descendions dans le passage, je tentai d'estimer à quelle profondeur nous nous trouvions. Sûrement quatre à six mètres sous la maison. Pourtant, j'avais l'impression que nous n'avions pas encore touché le fond. Comment les fondations tenaient-elles ?

Nous débouchâmes alors sur une intersection. Le tunnel tournait à gauche puis à droite, s'enroulant comme la coquille d'une conque. Me rappelant la position de la maison, je compris que ça nous mènerait juste sous la route.

— Les égouts ? murmura Delilah.

Bien sûr ! Je lui fis signe de ne pas bouger pendant que je me précipitais dans le tunnel, pour me retrouver face à une porte. Je l'ouvris avec précaution. Comme prévu, une forte odeur d'égout me parvint. En levant la tête, j'aperçus des barres de fer qui fermaient l'accès à une bouche. Ils accédaient à la route par ce passage.

Je me dépêchai de revenir auprès de Delilah pour lui rapporter mes découvertes.

— Mais à quoi est-ce que ça peut bien leur servir ? Pourquoi ne pas utiliser la porte ? demanda-t-elle.

— Peut-être qu'ils n'en ont pas besoin. Peut-être que ce dispositif servait au propriétaire précédent ? Ce serait parfait pour un prédateur. Un tueur en série, par exemple.

Delilah frissonna.

— Je n'aime pas ça. Ce groupe est déjà bien assez mauvais comme ça.

— Rappelle-toi que ces familles intègrent les Partisans de Dante de génération en génération.

Je me demandais jusqu'où cette tradition pouvait bien remonter dans la famille d'Harold Young. Après tout, la maison appartenait à son oncle et il avait bien appris ces rites de la bouche de quelqu'un. Étrangement, jouer à *Donjons et Dragons* ou à *Diablo* ne devait pas lui avoir apporté grand-chose.

Quand nous nous engageâmes à droite, Delilah posa une main sur mon bras.

— Une minute. Mon portable est sur vibreur. On m'appelle. Je n'arrive pas à croire que je capte là-dessous. Ils ont sûrement installé un relais pour être joignables ici. (Elle répondit en murmurant.) Oui, ça va pour l'instant. (Elle décrivit rapidement l'endroit où nous étions. Je compris qu'il s'agissait de Flam ou Roz. Au bout d'un moment, elle raccrocha.) Flam. Il voulait savoir pourquoi nous ne les avions pas encore contactés.

— Oh pour l'amour des dieux, il se prend vraiment pour notre grand frère ! m'exclamai-je en grimaçant.

Delilah rit doucement.

— Pour être franche, ça me plaît assez.

— Ça ne m'étonne pas, rétorquai-je en souriant. Bon, allons voir ce qui se cache plus loin.

Le tunnel s'était transformé en escalier en colimaçon et descendait toujours plus bas. J'aperçus une porte en métal qui débouchait sûrement sur un nouveau tunnel.

À présent, je ne savais plus du tout à quelle distance nous nous trouvions de la surface. Pourtant, l'endroit semblait bien aéré. Je levai la tête vers le plafond à la recherche de ventilateurs. Effectivement, il y en avait un environ tous les trois mètres. Le concepteur de ce repaire souterrain n'avait pas fait les choses à moitié. Et avait été visiblement très riche.

Je m'arrêtai au bas des marches et me pressai contre le mur. Delilah me rejoignit et ensemble, nous attendîmes, l'oreille aux aguets. Au loin, des murmures nous parvinrent. Je n'arrivais pas à déterminer à quelle distance se trouvaient les voix, mais quelque chose me disait que leurs propriétaires prévoyaient un mauvais coup. Il fallait rester prudentes. Malheureusement, même avec l'oreille collée contre la porte, je n'en entendis pas davantage. Après avoir demandé son avis à Delilah, je fis lentement tourner le volant et ouvris la porte en silence.

Un courant d'air soudain s'abattit sur nous. Le tunnel que j'avais imaginé n'existait pas. À la place se trouvait une base souterraine. De faibles lumières, du même genre que les guirlandes de Noël précédentes, couraient le long du mur. Un couloir continuait tout droit, ponctué de portes.

Merde. Aucun doute. Nous avions mis le doigt sur du lourd. Ou quelque chose qui l'avait été. C'était difficile à dire. En tout cas, j'entendais toujours des voix devant nous, légères, mais bien réelles, prouvant que l'endroit n'était pas abandonné. Elles me donnaient la chair de poule.

Delilah posa une main sur mon épaule et me désigna le hall d'un signe de tête. Je haussai les épaules. Maintenant que nous étions ici, autant aller voir ce que mijotaient les Partisans de Dante.

Chapitre 20

Les voix parlaient en latin ou dans une langue archaïque. Le son d'instruments médiévaux se joignait à l'harmonie. La musique qui s'élevait dans le couloir m'attirait. La mélodie résonnait comme des percussions fantomatiques et les psalmodies me donnaient la chair de poule.

Delilah se pencha vers moi, le souffle court.

— Je n'aime pas ça du tout.

— Reste forte, Chaton. Tu ne peux pas te permettre de te transformer ici, murmurai-je. Tu t'échapperais et je n'arriverais plus à te trouver.

Elle semblait sur le point de se métamorphoser et je préférais éviter de me retrouver avec un petit chat pour compagnon d'armes. Elle ne me serait pas d'un grand secours sous cette forme.

— Je sais. C'est à cause de la musique. Je la sens s'infiltrer dans mon corps comme la brume d'une nuit d'automne, expliqua-t-elle en frissonnant.

Quand je lui pris la main, elle eut un léger sourire.

— Continuons un peu pour voir de quoi il s'agit, suggérai-je.

À partir de là, nous n'avions nulle part où nous cacher. Il faudrait s'engager dans le couloir en espérant que personne ne nous voie. Je pointai du doigt la première porte sur la gauche.

— Essayons cette pièce. On pourra s'y cacher si quelqu'un arrive.

J'avais espoir que la pièce serait vide. Sinon, nous allions causer une petite frayeur à quelqu'un. En silence, nous nous précipitâmes vers la porte. Je m'arrêtai un instant pour plaquer l'oreille contre le battant en métal. Rien. Je le poussai. À l'intérieur, l'obscurité était si profonde qu'elle me rendit aveugle, mais, au moins, je ne sentis aucune présence, ni aucune signature calorifique. Mon nez me disait que cette salle n'avait pas été utilisée depuis longtemps : elle était vieille et poussiéreuse.

Je refermai doucement la porte derrière Delilah, puis j'attendis une minute. Deux. Aucun bruit.

— Tu as une lampe de poche ?

Elle ne répondit pas, mais quelques secondes plus tard, un rai de lumière fendit l'obscurité. J'avais oublié qu'elle avait accroché un stylo lumineux à ses clés. Il n'était pas aussi efficace qu'une lampe torche, mais il se révélait utile dans ce genre de situation. Nous jetâmes un coup d'œil autour de nous. Pour l'instant, tout allait bien. Rien ne bougeait.

Alors, Delilah se figea, la lampe pointée sur le mur du fond, révélant des chaînes et un corps qui pendait, retenu par des menottes. À côté de lui, se trouvaient des cendres et des vêtements.

— Oh merde ! Non ! m'exclamai-je en m'approchant avec précaution.

Quand je m'accroupis devant les vêtements, Delilah m'éclaira. Un jean et un joli chemisier rouge. Des vêtements de femme, taille 36. Des cendres s'échappaient des replis du tissu. Je les aurais reconnues entre mille.

— Un vampire. Ils ont enchaîné un vampire ici et ils l'ont transformé en poussière.

Et j'aurais parié mes canines sur son identité. Je portai mon attention sur le second corps. Il s'agissait d'une elfe nue, morte depuis longtemps. Elle commençait à se momifier. Elle était fine, jolie et avait visiblement souffert le martyre. L'expression de son visage le trahissait. Certains de ses doigts avaient été coupés grossièrement et elle avait un trou béant au niveau de la poitrine. Je frissonnai. En observant ses traits de plus près, je sentis mon estomac se nouer.

— Par Bastet ! s'exclama Delilah qui avait sûrement pensé à la même chose que moi. Sabele ?

— On ne peut pas en être sûres, mais…, dis-je en hochant la tête, oui je pense que c'est elle. Et ceci, continuai-je en lui montrant les cendres, c'était Claudette, le vampire que Chase recherche. Les Partisans de Dante viennent juste d'accéder au statut de meurtriers. (J'examinai le corps de Sabele.) Ils ont pris son cœur. Il n'est plus là.

Delilah eut un sursaut de dégoût.

— Bande de cinglés ! Tu ne penses pas qu'ils ont un lien avec les parle-aux-morts ?

— C'est peu probable, répondis-je en secouant la tête. Il y a beaucoup de rituels démoniaques qui nécessitent des parties du corps, surtout le sang et le cœur. C'est mauvais. Très très mauvais. Je crois qu'on ferait mieux de partir tout de suite. Nous avons mis le pied sur un champ de mines. Et d'après les voix qu'on entend, ils ont l'air nombreux. Peut-être qu'il s'agit d'un enregistrement, mais je ne veux pas prendre le risque de les attaquer sans renfort, même avec ma force.

Delilah me suivit jusqu'au seuil où je vérifiai que la voie était libre avant de revenir dans le couloir. J'aurais voulu rapporter les corps avec moi, mais je ne tenais pas à ce que les sectateurs apprennent notre petite excursion. Après avoir pris quelques photos, nous repartîmes en sens inverse. Ni vu ni connu.

Quand nous sortîmes enfin du cagibi sous le porche et le refermâmes à clé, Flam, Roz et Vanzir nous attendaient. Je leur fis signe de rester silencieux jusqu'à la voiture. Mieux valait attendre d'être en sécurité à la maison pour parler. Je voulais que Camille et surtout Chase entendent ce que j'avais à dire. Cette fois-ci, nous avions affaire à des HSP. Même s'il s'agissait de meurtriers liés à des démons, ils restaient des humains et nous avions besoin de l'avis de l'inspecteur.

Sur le chemin du retour, Delilah appela Chase pour lui demander de nous rejoindre à la maison. Apparemment, elle l'avait réveillé. Les deux derniers jours avaient été éprouvants. Même pour moi, les nuits avaient été épuisantes, à force de chasser le Karsetii et de mener notre enquête sur Harold et ses petits copains.

Dans la foulée, Delilah contacta Iris qui, elle aussi, était allée se coucher.

— On arrive dans vingt minutes. Tu peux nous préparer quelque chose à manger ? On est affamés. Et réveille Camille, aussi. On doit lui raconter les derniers rebondissements.

Quand j'appuyai sur l'accélérateur, la Lexus ronronna en prenant de la vitesse. La voiture de ma sœur en avait sous le capot.

— Iris nous prépare un deuxième dîner, nous apprit Delilah en se léchant les babines.

Je ne pus m'empêcher de sourire. Comparés aux humains, les Fae mangeaient comme quatre et ne prenaient jamais de poids. Je ne pouvais plus rien avaler à part du sang depuis ma transformation et, parfois, les petits plats de ma mère me manquaient. Même si elles n'étaient qu'à moitié Fae, le budget nourriture de mes sœurs explosait souvent.

Je soupçonnais aussi Camille de se servir de son glamour pour obtenir des réductions sur un bon steak ou des fruits rouges hors de prix.

À notre arrivée dans la propriété, les cristaux de protection étaient limpides, signe que tout allait bien. Les lumières de la maison me semblèrent très accueillantes après notre petit tour dans le pays imaginaire d'Harold. Iris avait installé des guirlandes de Noël sur le porche, qui se balançaient au vent comme de petites fées. Elle seule pouvait penser à faire des choses pareilles. Leur chaleur était si différente de celles qui se trouvaient dans le tunnel de tout à l'heure…

À peine la porte ouverte, les odeurs de cuisine m'assaillirent. Camille s'était installée dans le rocking-chair, les jambes bandées et relevées. Iris, quant à elle, vêtue uniquement d'une nuisette noire recouverte d'une robe de chambre en lin, s'affairait aux fourneaux. Elle avait détaché ses cheveux qui tombaient jusqu'à ses chevilles et elle rayonnait littéralement. Qu'est-ce que nous avions là ? Si je ne me trompais pas, elle avait l'air d'avoir pris son pied peu de temps auparavant…

Soudain, la porte de sa chambre qui donnait pile sur la cuisine s'ouvrit pour révéler Bruce, le leprechaun. Il était très mignon, je ne pouvais pas le nier : à peine plus grand qu'Iris, des cheveux aussi noirs que l'onyx, les yeux les plus bleus que j'aie jamais vus. Il portait une robe de chambre courte par-dessus un bas de pyjama en satin. Visiblement, Iris et Bruce s'étaient réconciliés. Nous échangeâmes un sourire.

— Qu'est-ce qu'il y a à manger ? demanda Delilah sans se rendre compte de la présence de notre invité.

Roz fit un clin d'œil à Iris.

— Petite coquine, tu oses me tromper ? plaisanta-t-il en saluant Bruce.

Flam, lui, laissa échapper un grondement mécontent.

— Fais attention, Bruce, ou ce type va essayer d'empiéter sur ton territoire, marmonna-t-il à l'attention de Roz. Si tu veux lui donner une bonne leçon, n'hésite pas à m'en parler. Je suis toujours partant.

Malgré son sourire, quelque chose dans les yeux du dragon me disait qu'il ne plaisantait pas.

Quand la sonnette retentit, Delilah se dépêcha d'aller ouvrir. Quelques secondes plus tard, elle revenait avec Chase. Je fis signe à tout le monde de s'asseoir.

— Mettez-vous à l'aise. Si vous avez faim, levez la main pour qu'Iris sache quoi préparer. Nous avons de nouvelles informations et pas des meilleures.

Chacun prit un siège : Flam et Morio près de Camille, Delilah sur les genoux de Chase. Roz et Bruce aidèrent Iris à servir les spaghettis qu'elle avait préparés. Comme d'habitude, je m'élevai jusqu'au plafond. Vanzir et moi étions les deux seuls à ne pas manger. Il s'installa à côté du parc de Maggie qui devait dormir dans la chambre d'Iris.

— Voilà ce qui s'est passé, commençai-je alors que le plat de pâtes et des tranches de pain beurré circulaient autour de la table. (Iris évitait d'utiliser de l'ail.) Delilah et moi avons découvert le corps de Sabele. Et, fis-je en me tournant vers Chase, j'ai découvert ce qui était arrivé à Claudette. Apparemment, le gang d'Harold les a tuées toutes les deux.

— Merde, marmonna Chase en reposant son bout de pain pour attraper son calepin.

— Mange, tu prendras des notes plus tard, dit Iris.

Bruce et elle étaient assis sur des tabourets de bar qui les mettaient à la même hauteur que nous. Chase lui sourit avant de ranger son stylo et de reprendre sa fourchette.

Alors, je continuai à décrire notre avancée dans le labyrinthe.

— Personne n'aurait pu construire un tel endroit durant le peu d'années qu'Harold a vécu là-bas, remarquai-je. Le complexe est bien plus ancien. Nous n'avons pas eu le temps d'explorer davantage, mais je pense qu'il possède une salle dédiée aux rituels pour invoquer les démons. Toutefois, j'aimerais en savoir plus avant d'y retourner.

— On ne peut pas faire grand-chose à part foncer tête baissée dans la bataille, remarqua Camille. Tu peux être certaine qu'on ne trouvera pas l'existence d'une telle chambre au cadastre de la mairie. Mais, je me demande si… Delilah, est-ce que tu pourrais aller chercher ton ordinateur pour faire des recherches sur la maison elle-même ? Comme elle est vieille, peut-être qu'on pourra découvrir qui était le propriétaire avant l'oncle d'Harold et s'il était aussi lié aux Partisans de Dante.

Delilah hocha la tête, la bouche pleine. Elle s'était assise à côté de Chase dès qu'elle avait commencé à manger. Il ne fallait jamais prendre sa nourriture à ma sœur. Si elle proposait de partager, aucun problème, sinon, Camille ne piquait jamais dans son assiette. Chase l'avait appris à ses dépens. J'avais été aux premières loges et vu les griffures qu'elle lui avait assenées avant de pouvoir se contrôler.

— C'est une bonne idée, répondis-je. Chase, tu peux vérifier si d'autres membres des Partisans de Dante ont été arrêtés à part Harold ? Leurs parents aussi. En particulier leurs pères et leurs frères.

— Je peux te préparer ça pour demain soir au plus tard, acquiesça-t-il.

— Génial. Mieux vaut rassembler le plus d'informations possibles à leur sujet. (Je réfléchis un instant.) Vanzir, tu peux nous mettre en contact avec Carter, ton ami démon ? J'aimerais lui demander s'il connaît d'autres démons qui ne sont pas liés à l'Ombre Ailée et qui sont apparus, disons dans les cent dernières années, autour de la maison d'Harold.

— Pas de problème, répondit-il en hochant la tête. Je pense qu'il sera d'accord. Tu veux que j'y aille tout de suite ?

— Non, ça peut attendre demain, dis-je en fronçant les sourcils. Quoi d'autre ? Qu'est-ce que j'aurais pu oublier ?

— Et si on retournait rendre visite à Harish ? Peut-être que si on arrive à déterminer le moment exact où Harold a commencé à harceler Sabele, ça nous aidera ? Et où a-t-il rencontré Claudette ? Les Partisans de Dante n'auraient jamais réussi à infiltrer *L'Horlogerie* comme ça ! remarqua Camille en se redressant. Chase, pendant que tu y es, fais-nous une liste de toutes les femmes de la communauté surnaturelle portées disparues. Ou même des femmes qui habiteraient dans le quartier d'Harold. Vérifie tes archives sur plusieurs années. Les chaînes que vous avez trouvées dans cette salle ne me disent rien qui vaille. (Je claquai des doigts.) La fille ! Celle qui a été droguée par Larry et Duane. Je me demande si on arriverait à la retrouver.

— Sûrement pas, à moins que quelqu'un ait disparu au même moment. En tout cas, ça nous donne une idée de la façon dont ils fonctionnent. En revanche, pour le vampire… Les drogues n'ont aucun effet sur eux. Et ils ne boivent que du sang. Alors, comment ont-ils réussi à attraper Claudette ? demanda Chase.

Il croqua dans son pain, puis essuya une trace de beurre sur son menton.

— Il existe des moyens de nous contrôler, répondis-je. Chaînes en argent, cordes d'ail… c'est tout à fait possible.

Camille soupira.

— Nous avons trop de questions et pas assez de réponses.

Je jetai un coup d'œil à l'horloge. Bientôt 4 heures. Pas assez de temps pour aller chasser et Camille et Delilah semblaient au bout du rouleau.

— On ferait mieux de continuer demain. Delilah, même si on a réussi à blesser le Karsetii, tu devrais passer la nuit dans la pièce sécurisée.

— Non, me coupa-t-elle en avalant ses derniers spaghettis avec un verre de lait. Je ne veux pas être enfermée comme un objet fragile. Nous devons tous prendre des risques à un moment donné. C'est mon tour. Il a été grièvement blessé. Il lui faudra du temps pour se régénérer.

Camille s'éclaircit la voix.

— On ne peut pas l'y obliger.

Moi si, mais je le gardai pour moi.

— OK, la décision t'appartient… mais ne dors pas trop profondément.

— Je resterai avec elle, dit Chase. S'il y a le moindre problème, je viendrai réveiller Camille et… (Il se tourna vers Flam et Morio assis à ses côtés.) Et vous deux, les gars.

— Je me sentirais mieux en te sachant près de quelqu'un qui peut voyager sur le plan astral. Vanzir, tu vas dormir devant sa porte. On va te donner un matelas. Comme ça, Chase pourra te prévenir du danger avant de descendre au premier pour réveiller les autres.

— Pas besoin de matelas, un sac de couchage suffira.

— J'en ai un dans ma chambre, répondit Delilah. Il est bien rembourré.

Une fois les détails réglés, Iris et Bruce qui nous avaient écoutés en silence jusqu'à présent se retirèrent dans leur chambre. Puis Flam souleva Camille pour la porter jusqu'à ses appartements, suivi de près par Morio. Delilah et Chase les imitèrent bientôt, accompagnés de Vanzir.

Il ne resta plus que Rozurial qui observait la pièce se vider. Enfin seuls. J'espérais bien que ça finirait ainsi. Je me tournai vers lui. Alors, sans un mot, il se leva et retira son manteau qu'il posa sur une chaise. Il mit également son chapeau sur la table.

Il n'était pas très grand et il était terriblement séduisant avec ses boucles noires qui lui tombaient dans le dos et sa barbe de trois jours qui contrastaient avec sa peau pâle. Ses muscles saillaient sous son marcel noir et son jean dévoilait des cuisses qui promettaient de se refermer délicieusement sur moi.

Lorsqu'il me tendit les bras, je vins me lover contre lui et il caressa doucement mes lèvres avec les siennes.

— Prends-moi, murmurai-je. (Je voulais oublier le corps sans vie de Sabele et les cendres de Claudette.) Prends-moi, fais-moi voyager hors de moi-même. Hors de mon esprit.

— Avec plaisir, me répondit-il avant de m'emmener vers le salon.

Même si Rozurial connaissait l'existence de mes cicatrices, je me demandais comment il allait réagir. Prendrait-il cet air de sympathie qu'arboraient la plupart des gens en découvrant les symboles que Dredge avaient gravés sur ma peau ? Est-ce qu'il me désirerait toujours ? Je pliai mon jean et le posai sur le bord du canapé. Puis, je me retournai, prête à être rejetée.

À ma grande surprise, il me contemplait avec un regard empli de désir et d'excitation. Il s'humecta lentement les lèvres. Peu importaient mes cicatrices, la lueur dans ses yeux signifiait clairement qu'il allait me toucher. Je voulais sentir ses mains sur moi plus que tout.

Il fit un pas en avant, puis s'arrêta.

— Est-ce qu'il y a des choses que je devrais savoir ? murmura-t-il. Je n'ai jamais couché avec un vampire. Et je n'ai jamais… Je ne veux pas te rappeler de mauvais souvenir. Dis-moi ce que tu n'aimes pas. Et ce que tu veux que je fasse.

Son contrôle m'étonna. L'odeur musquée de ses phéromones me montait à la tête. J'avais envie de le pousser par terre et de lui monter dessus. Je vérifiai l'état de mes canines. Normales. Vanzir avait peut-être raison lorsqu'il disait qu'en couchant avec des démons je pouvais refréner mes instincts vampiriques. J'avais déjà embrassé Roz. Je me souvenais avoir eu envie de boire son sang. Pourtant, quelque chose avait changé. C'était différent.

Je réfléchis à la question qu'il m'avait posée. Avec Nerissa, je n'avais pas à m'inquiéter car elle savait instinctivement quoi faire. Mais je n'avais connu qu'un homme depuis Dredge, lors d'un rituel. Tout ceci était nouveau pour moi. Presque comme ma première fois.

— Laisse-moi contrôler les choses jusqu'à ce que je me sente en confiance, répondis-je finalement. N'essaie surtout pas de retenir mes mains. Je ne supporte pas d'être prisonnière.

— OK, dit Roz en faisant un autre pas en avant. Et pour ce qui est de te toucher ? Des endroits à éviter ?

La tête penchée sur le côté, je déglutis difficilement tandis qu'il me détaillait des pieds à la tête.

— Ne trace pas les mots qu'il a gravés sur ma peau. Ne lui donne pas d'importance.

Je lui montrai le sommet de mon sexe où Dredge avait inscrit son nom à l'aide de son ongle le plus acéré. Je me souvenais de son rire et de ses paroles à ce moment-là : *« Tu es à moi. Tu m'appartiens. »* J'avais alors su que je ne serais jamais libérée de lui. La cicatrice était éternelle. Je ne pouvais pas m'en débarrasser. La chirurgie plastique ne marchait pas sur les vampires. Nerissa m'avait suggéré de me faire tatouer. Je faisais des recherches pour savoir comment les vampires réagissaient aux tatouages.

Le regard de Roz s'attarda quelques instants sur la cicatrice, puis il secoua la tête.

— Il est tombé en poussière, entre les mains de son maître. Tu n'appartiens plus à personne maintenant. Peu importent tes cicatrices ou le monde dans lequel tu évolues. Tu es libre. C'est une des choses que j'aime chez toi, Menolly. Tu es une battante. Tu ne recules jamais devant l'obstacle. Tu fais ce qui doit être fait sans te préoccuper de l'avis des autres.

À ces mots, il retira ses chaussures et son marcel. Des poils sombres et bouclés parsemaient son torse, jusqu'à ses abdominaux. Je ne l'avais jamais vu sans tee-shirt. Je ne connaissais que ses épaules larges et musclées.

Lorsqu'il commença à défaire sa ceinture, il m'empêcha de l'aider en secouant la tête.

— Laisse-moi faire.

Après avoir ouvert la boucle d'argent, il fit glisser la ceinture dans les anneaux de son pantalon. Le frottement du cuir contre le denim me fit frissonner. Il la laissa tomber près de son marcel. Puis, ses doigts se posèrent sur sa braguette. Il l'ouvrit et fit glisser son pantalon à terre avant d'en sortir.

Je me sentis soudain gênée. J'en aurais rougi si j'en avais encore été capable. Je me contentai de lui jeter un coup d'œil à la dérobée. Rozurial se tenait devant moi, musclé à la perfection, sa taille en équilibre parfait avec ses épaules et ses cuisses et, au centre de ce triangle, son pénis était érigé, prêt à l'action.

Hypnotisée, je relevai la tête pour croiser son regard. La passion émanait de lui par vagues aussi douces qu'un verre d'hydromel lors d'une chaude soirée.

— Ce qu'on dit est vrai. Même moi, je le sens. Pas étonnant que les hommes te détestent, remarquai-je. (Je le lisais dans ses yeux. Les femmes se jetaient à ses pieds, les jambes écartées, et elles ne le regrettaient jamais.) Combien de femmes t'ont harcelé après que tu les as laissées ?

— Je ne sais pas, répondit-il en haussant les épaules. Je ne te mentirai pas. Tu sais ce que je suis. En sept siècles, j'ai couché avec des milliers de femmes. Je les ai embrassées, je les ai baisées et les ai quittées alors qu'elles en demandaient davantage. J'adore les femmes, Menolly, murmura-t-il. Tous types de femmes. Grandes, petites, maigres, grosses, jeunes, vieilles… aucune importance. J'ai besoin d'elles. Voilà ce que je suis. Qui je suis. C'est ma nature. Les seules femmes que je ne trouve pas attirantes sont les timides qui attendent qu'un homme remplisse leur vie.

— Je sais. C'est comme ma nature à moi…, remarquai-je en ouvrant la bouche pour permettre à mes canines de s'allonger. (Il observa le processus sans mouvement de recul, ni de peur.) Je bois du sang. Je séduis mes victimes pour qu'elles me servent gentiment de repas. Vanzir avait raison. Les démons ne savent que prendre.

— Non, on peut aussi donner, murmura Roz contre ma peau. Laisse-moi faire ça pour toi. Donne-toi à moi. Voyons où ça peut nous mener.

J'avais à peine hoché la tête qu'il m'attirait dans ses bras et pressait ses lèvres contre les miennes. Je rentrai alors mes canines pour l'embrasser à pleine bouche, le sentant ferme et dur contre moi. Lorsqu'il m'allongea par terre, le monde sembla disparaître autour de nous.

Ses lèvres parcoururent mon corps en une traînée de baisers aussi légers que des papillons. Puis, il se tint au-dessus de moi, de sorte que je le prenne dans ma bouche. Je suçai avec passion la hampe de chair au goût salé qui allait et venait en moi. Ses gémissements me donnaient une impression de pouvoir. Je le léchai avec plus d'ardeur, titillant le bout de son pénis avec ma langue, tandis qu'il essayait de ne pas aller trop vite.

Roz m'embrassa le ventre, la poitrine, les tétons, entre les cuisses. J'avais l'impression de planer. Il était très différent de Nerissa. Pas mieux, ni moins bon. Juste différent.

Rapide comme l'éclair, il se retrouva de nouveau au-dessus de moi, les mains sur mes hanches. Puis, il inversa nos positions. M'asseyant sur lui, je lui pris les mains pour garder l'équilibre.

— Menolly, murmura-t-il. Chevauche-moi. Chevauche-moi de toutes tes forces.

Et c'est ce que je fis. Je m'assis sur lui tandis qu'il s'enfonçait en moi en silence. J'oubliai alors toute notion de contrôle. Contrairement à Nerissa, je ne pouvais pas le blesser. Du moins, pas aussi facilement. Je fermai les yeux, les genoux frottant contre la moquette. Je sentais la vague se former au fond de moi. Peut-être que Rozurial n'avait pas tort quand il disait que nous étions faits l'un pour l'autre.

Je repoussai cette pensée et me laissai submerger par cette sensation de tsunami. Pour une fois, je n'essayai même pas de me débattre.

Chapitre 21

Je me réveillai en sursaut avec la certitude que quelqu'un d'autre se trouvait dans la pièce. Les battements de son cœur faisaient écho au bruit du sang qui coulait dans ses veines. Toutes les odeurs semblaient amplifiées : phéromones, passion, hamburger qu'on avait servi au déjeuner. Une soif ardente me saisit à la gorge. J'avais besoin de sang. J'avais envie de chasser, de…

— Ah tu es réveillée ! s'exclama Camille.

Elle était installée dans un coin, à lire le journal. Elle m'adressa un grand sourire tandis que je secouais la tête pour reprendre mes esprits. Je pris une grande inspiration et la retins pour me calmer.

— Tu as soif ? remarqua-t-elle. Désolée, je ne le savais pas, sinon, je ne serais pas descendue.

— J'aurais dû prendre quelque chose ce matin avant de me coucher, répondis-je avec un sourire contrit. Je suis désolée, moi aussi. Je ne voulais pas te faire peur.

J'avais été tellement occupée avec Rozurial que j'en avais oublié de me nourrir. Pourtant, j'essayais toujours de me le rappeler car si je n'étais pas prudente, je risquais de répéter les mêmes erreurs que des années auparavant.

Un an après avoir été recueillie par l'OIA, il avait été décidé que j'avais assez de contrôle sur moi-même pour pouvoir rentrer chez moi. Même si Père n'était pas très content, il ne m'en avait pas empêchée. Au début, Delilah et lui n'étaient pas très à l'aise, mais Camille m'avait traitée normalement. La transition vers l'état de vampire prend du temps. Oh, le changement initial est relativement rapide, mais apprendre les ficelles prend des années, surtout quand votre sire ne vous y aide pas.

Un soir, Camille était venue voir si j'étais déjà debout. Quand je m'étais réveillée, la faim au ventre, elle se trouvait à côté du lit. Dans ma folie sanguinaire, je ne l'avais pas reconnue.

Je l'avais attrapée par le bras pour la rapprocher de moi, griffant sa peau blanche avec mes ongles. Tandis qu'elle criait, je me nourrissais des gouttes de sang qui perlaient de ses blessures, de sa force vitale si douce et salée à la fois.

— Menolly ! Menolly !

Au bout de deux cris, je réussis à sortir de ma transe et me figeai face au spectacle qui me faisait face : Camille, ensanglantée, l'air épouvanté. Ma sœur m'avait empêchée de massacrer ma famille. Elle avait fait de son mieux pour me donner l'impression de toujours faire partie de la famille. Pourtant, elle était là, dans mes bras, avec de longues griffures et mon menton plein de sang.

Je la relâchai vivement avant de battre en retraite à l'autre bout du lit.

— Tue-moi. Tue-moi avant que je te blesse davantage !

L'odeur du sang continuait à m'appeler, mais je combattis mes pulsions. Comme d'habitude, elle n'écouta pas ma supplique.

— Pas question ! Tu peux apprendre à te contrôler. C'est aussi ma faute…, dit-elle en attrapant une serviette pour bander ses plaies. La prochaine fois, je ne m'approcherai pas d'aussi près. Combien de temps mets-tu à te réveiller complètement ?

— Qu'est-ce que tu veux dire ? demandai-je, perdue.

— Combien de temps mets-tu à te rappeler où tu es ?

J'y réfléchis un instant en la dévisageant. Malgré sa nervosité, elle ne semblait pas dégoûtée. Je lisais dans son regard qu'elle m'aimait toujours.

— Je ne sais pas vraiment… quelques minutes. En tout cas, je ne peux pas me lever tout de suite. Si j'arrive à me mettre debout, c'est que j'ai de nouveau les idées claires.

— Donc, si je me tiens à l'autre bout de la pièce, tu me reconnaîtras, conclut-elle comme si le problème était réglé. J'expliquerai aux autres que c'est un conseil de l'OIA. Nous n'aurons pas à raconter ce petit incident à tout le monde.

Quand j'essayai de protester, elle ne m'écouta pas.

À partir de ce moment-là, plus personne ne s'était approché de mon lit au moment de mon réveil et je n'avais plus blessé d'êtres chers.

Même si Camille arborait toujours les cicatrices que je lui avais faites à l'avant-bras, elle ne s'en était jamais plainte. Elle avait raconté à Père qu'elle s'était griffée avec le grillage qu'il avait érigé pour éviter que les daims entrent dans le jardin. Le lendemain, il avait disparu. Delilah, elle, n'avait pas été dupe, mais Camille l'avait menacée de lui prendre toute son herbe à chat si elle caftait. Aujourd'hui, Père ignorait toujours ce qui s'était réellement passé.

— Comment vont tes brûlures ? demandai-je, en revenant à la réalité.

Elle haussa les épaules.

— Ça guérit. La plupart étaient superficielles. J'ai mal, mais ça ira. Les médicaments que m'a donnés Sharah marchent à merveille. (En parlant, elle releva sa robe pour me montrer ses jambes. Même si elles étaient toujours rose vif, elle semblait se remettre rapidement.) Au fait, Nerissa a appelé, ajouta-t-elle.

Je levai la tête, le cœur battant. Je m'attendais à ressentir de la culpabilité, mais ce ne fut pas le cas. Ce que j'avais fait avec Roz n'entachait pas mes sentiments pour Nerissa. Ça valait pour sa relation avec Vénus, l'enfant de la lune, ou tout autre homme avec qui elle couchait.

— Qu'est-ce qu'elle a dit ?

— Elle voudrait savoir si tu peux aller lui rendre visite dans une semaine. Elle a posé un jour de congé le lendemain pour pouvoir passer toute la nuit avec toi, m'informa Camille, les yeux brillants de malice.

Je souris comme une idiote. Nerissa ne prenait jamais de vacances… alors savoir qu'elle l'avait fait pour moi me rendait toute chose. Décontenancée, je tentai de ne plus y penser, en vain.

— C'est une femme à part, murmurai-je.

— Pour réussir à te supporter ? Je suis d'accord, plaisanta Camille en tapotant le journal qu'elle avait replié. Andy Gambit a recommencé.

— Merde ! Qu'est-ce qu'il a encore écrit ? m'exclamai-je alors que j'enfilais un jean et un chemisier rose à manches longues.

La Rumeur de Seattle était une feuille de chou qui s'intéressait surtout aux Fae et à la communauté surnaturelle. Nous la lisions régulièrement pour cette raison. Andy Gambit était de loin leur pire journaliste. Il adorait nous prendre en photo aux pires moments. Son but dans la vie semblait de devenir le plus grand paparazzo de tous les temps, mais il n'y arriverait jamais.

Camille me regarda longuement.

— Tu veux vraiment savoir ? Ce n'est pas joli à voir. Il s'en prend aux vampires et même aux garous.

— Génial ! Qu'est-ce qu'il a encore pu inventer ?

Connaissant Andy, il fallait s'attendre à tout. Grimaçant de dégoût, Camille me tendit le journal.

— Lis toi-même, et pleure.

Je jetai un coup d'œil aux gros titres : « Les Anges de la Liberté nous informent sur la sordide sexualité des vampires et de la communauté surnaturelle. » *Oh merde.* Je m'installai pour lire tandis que Camille faisait mon lit et ramassait mes vêtements sales.

« Les Anges de la Liberté, principaux garants de notre morale, nous ont révélé les sordides secrets des créatures de la nuit. Voici ce que le docteur Shawn Little, un psychologue qui donne gratuitement de son temps au groupe, a à dire à ceux qui aimeraient entretenir une relation intime avec ces êtres démoniaques : "Avant de laisser une créature du démon vous toucher, gardez à l'esprit qu'avoir une relation avec un vampire relève de la nécrophilie. La loi ne l'interdit pas, mais il faut voir les choses en face : ce n'est rien d'autre que du sexe avec un cadavre réanimé par la magie.

De même, en vous rapprochant d'un garou, vous commettez un acte de zoophilie. C'est pourquoi nous prions les véritables natifs de cette Terre de résister à de telles tentations, afin qu'ils demeurent purs et que ces créatures démoniaques ne souillent pas leur corps."

Récemment, les Anges de la Liberté ont demandé à être reconnus officiellement comme une organisation religieuse à but non lucratif. Ils prévoient la construction d'un temple dans le Nevada qui pourra accueillir dix mille fidèles. L'église portera le nom de "Communauté des Terriens". Sa construction devrait être terminée avant la fin de l'année, malgré la conspiration gouvernementale qui essaie de les empêcher de révéler la vérité. »

— Putain de merde ! jurai-je, sans quitter l'article des yeux. Pourquoi je ne suis pas surprise ? Ils pensent vraiment pouvoir attirer autant de gens pour remplir ce temple ?

— Bien sûr que oui, répondit Camille en secouant la tête. Beaucoup pensent que nous sommes des suppôts de Satan. Ils n'attendent qu'une chose : nous mettre à la porte. Ou allumer un grand bûcher.

— Hmm… Je me demande s'ils vont créer des maisons closes pour ceux qui se prostituent pour leur sang. Je n'ai rien contre la religion, du moment que les fidèles sont sains d'esprit.

Même si les chrétiens d'extrême droite voulaient nous faire brûler en enfer, la plupart des autres religions avaient appris à coexister avec nous.

Pourtant, les vampires étaient beaucoup moins bien lotis que les Fae ou les garous. Ces derniers étaient désormais désignés par le terme « êtres de l'univers » qui englobait plus de monde que « l'humanité ». Le statut des vampires, en revanche, soulevait encore bien des questions, mais du moment que ceux-ci ne causaient aucun problème, on les laissait vivre en paix.

— Au fait, tu t'es bien amusée avec Roz ce matin ? demanda Camille pendant que je jetais le journal sur mon bureau et me dirigeais vers l'escalier.

Je m'arrêtai soudain puis me retournai. Elle souriait d'un air moqueur.

— J'aurais dû m'en douter, marmonnai-je. Oui, on a couché ensemble, oui, c'était génial et non, ce qu'on raconte sur les incubes n'est pas une légende. (Et parce que je ne pouvais pas m'en empêcher et que je savais qu'elle me comprendrait, j'ajoutai :) En tout cas, il a de l'endurance.

Elle rit doucement.

— Alors, qui est-ce que tu préfères ? Nerissa ou lui ?

— C'est comme les pommes et les oranges. Ou devrais-je dire groupe O et groupe A ? Je ne peux pas vraiment les comparer. De toute façon, je ne compte pas en choisir un, ni m'amuser avec les deux en même temps, mademoiselle propriétaire de harem ! (Je m'assis dans l'escalier. Si Camille était au courant, toute la maison devait le savoir aussi.) Roz t'en a parlé ?

— Pas tout de suite, répondit-elle en secouant la tête. Mais dès que je suis entrée dans le salon, j'ai senti l'odeur du sexe. Ses phéromones sont très puissantes. Et quand Flam est arrivé, il a cru que Roz voulait me séduire et que j'essayais de le protéger. Il a fallu beaucoup de temps pour le persuader que Roz ne s'en était pas pris à moi. Pour son propre bien, je l'ai forcé à tout avouer.

Oh par tous les dieux ! Ce lézard démesuré se permettait beaucoup trop de conclusions hâtives. Tout comme Chase d'ailleurs. Mais Flam était beaucoup plus dangereux.

— Super ! Je suppose que tout le monde est au courant maintenant ?

— Euh… oui. La dispute a été assez violente jusqu'à ce que je convainque Roz que s'il ne voulait pas être passé à tabac, il ferait mieux de tout avouer. Je ne m'attendais pas à ce qu'il soit aussi réservé. J'ai été surprise. Malheureusement, tout le monde avait déjà rappliqué dans le salon pour calmer Flam. Il aurait parfois besoin d'une bonne dose de tranquillisant pour éléphant, menaça-t-elle en riant.

— Il ne faisait que s'inquiéter pour toi, murmurai-je.

Pourtant, je savais que ce n'était pas seulement ça. Camille appartenait à Flam. La partager avec Morio et Trillian était la limite de sa générosité. Personne d'autre ne pouvait la toucher.

— OK, tout le monde sait qu'on a couché ensemble, donc personne ne sera surpris si je n'en parle pas, pas vrai ?

Je n'aime pas raconter ma vie amoureuse, à part à Delilah et toi. Et à Iris, bien sûr.

Elle était sur le point de répondre quand nous entendîmes un raffut de tous les diables au rez-de-chaussée. Aussitôt, nous nous dépêchâmes de remonter, non sans vérifier que la voie était libre avant d'ouvrir le passage de la bibliothèque. D'après les bruits qui nous parvenaient, quelque chose se passait dans le salon.

Vanzir, Roz, Delilah et Morio s'activaient à la recherche d'armes. Iris portait Maggie dans ses bras et Flam n'était nulle part en vue. Quand Roz déposa un baiser sur mon front, à mon grand soulagement, personne ne dit un mot. Je lui rendis rapidement son baiser.

— Que se passe-t-il ?

— Un groupe de goules est en train de détruire le cimetière de Wedgewood, m'informa Morio en passant la bandoulière de son sac par-dessus sa tête. Chase vient d'appeler. Il a besoin de notre aide. On se dépêche !

Le cimetière de Wedgewood se trouvait à côté du parc Salish Ranch où nous avions combattu deux trolls de Dubba l'année précédente. Un magnifique arboretum avait frôlé plusieurs fois la destruction.

— Des goules ? (Je pensai immédiatement à Wilbur et Martin.) Tu penses que notre voisin a quelque chose à voir là-dedans ?

— Aucune idée, répondit Delilah, mais on ferait mieux de se dépêcher parce qu'il y a des gens qui pique-niquent dans ce parc ! Et tu peux imaginer les dégâts que ces créatures vont causer. Rien à voir avec des fourmis dans la nourriture. Ça va se transformer en carnage !

Je jetai un coup d'œil dehors. Même si le soleil était couché, il y avait encore assez de lumière pour les promeneurs, les skateboarders ou les adolescents.

— OK, c'est parti ! Où est passé Flam ?

— Chez lui. Il essaie de faire la paix avec les triple Menace. On prend ta voiture et la mienne, dit Camille en attrapant ses clés. Chaton, Roz, allez avec Menolly et racontez-lui ce qui s'est passé aujourd'hui. Vanzir et Morio, avec moi.

— Attends une minute ! Et tes brûlures ?

— Tout va bien. Je n'ai plus très mal, je ne resterai pas ici.

Elle m'adressa un regard qui signifiait clairement que je n'avais pas intérêt à discuter. Aussi, après avoir embrassé Maggie, nous nous mîmes en route.

En chemin, Roz, assis à l'arrière, restait poliment silencieux, à tel point que j'avais envie de le frapper, pendant que Delilah me mettait au courant des dernières nouvelles.

— Vanzir a demandé à Carter de vérifier s'il y avait d'autres activités démoniaques. Il lui a dit de passer avec nous ce soir. On ira après s'être occupés des goules.

Pour être franche, rencontrer l'ami de notre démon domestique ne m'enthousiasmait pas des masses, mais je gardai cette pensée pour moi. Carter ne pouvait pas être pire que Vanzir. Et puis, il allait nous offrir des informations précieuses.

— Et toi ? Est-ce que tu as trouvé quelque chose à propos de la maison d'Harold ?

Elle hocha la tête.

— La maison a plus de cent ans. Elle a d'abord appartenu à un certain docteur Grout, un veuf. Il avait une fille, Lily, qui a épousé Trent Young, un jeune Anglais fortuné. Trent a racheté la maison à son beau-père qui a disparu. Je n'ai rien trouvé d'autre à son sujet. En fait, Trent faisait partie d'un groupe assez terrifiant en Angleterre : le Huitième Cercle.

— Le Huitième Cercle ? Laisse-moi deviner, comme dans les neuf cercles de l'enfer de Dante ?

— Exactement, acquiesça Delilah. C'est un cercle réputé pour tremper dans la sorcellerie. Et plus intéressant encore, juste après s'être installé aux États-Unis, Trent a créé un club privé qu'il a appelé les Partisans de Dante.

— Le même que celui auquel appartient Harold.

— Apparemment.

Dans ce cas-là, les Partisans de Dante étaient bien plus anciens que nous l'avions cru.

— Je suppose que Trent Young est un ancêtre d'Harold ?

— Oui. Trent est l'arrière-grand-père d'Harold. Lily et Trent ont eu deux fils. L'un d'eux, Rutger, a hérité de la maison lorsque le couple a emménagé dans un endroit plus petit à la fin des années 1940. Il avait une vingtaine d'années.

— Quel genre de club était-ce ?

— Une sorte de société secrète. Rutger en est devenu le président juste après avoir épousé une femme du nom d'Amanda. Ensemble, ils ont eu quatre enfants : deux filles et deux garçons, Jackson et Orrin.

— Laisse-moi deviner. L'un des deux est le père d'Harold.

— Exact. Jackson. Quand il est entré au collège, sa grand-mère est morte, rapidement suivie par son grand-père, Rutger. C'est Orrin qui a hérité de la maison. Étonnamment, Rutger a déshérité Jackson et ses sœurs.

— Je me demande bien pourquoi.

— Je ne sais pas, mais il a tout légué à Orrin, à part un compte en banque bien rempli à l'attention d'Harold. Jackson, lui, a de l'argent grâce à l'héritage qu'il a perçu de sa grand-mère maternelle. Orrin vivait dans cette maison avant qu'Harold entre à l'université. Puis, il a déménagé pour laisser la place à Harold qui en a fait ce qu'elle est devenue aujourd'hui.

Delilah m'adressa un sourire satisfait.

— Eh bien, tu as été efficace ! Alors, dis-moi, qu'est-ce que tu as trouvé d'autre sur les Partisans de Dante ?

Je regardai par la fenêtre. Encore dix minutes avant le parc Salish Ranch qui marquait la frontière entre le quartier de Belles-Faire et le centre de Seattle. Le parc jouxtait le cimetière Wedgewood où, apparemment, des goules prenaient du bon temps.

— Ils ont disparu des radars lorsque Orrin occupait la maison. Soit il était très doué pour dissimuler les choses, soit Harold a ravivé un cercle qui avait sombré dans l'oubli. (Elle soupira.) Harold a beaucoup déçu ses parents. À cause de sa personnalité, il n'a pas réussi à intégrer Yale, Princeton, ni aucune université renommée. Il s'est aussi attiré beaucoup d'ennuis.

— Et Chase ? Est-ce qu'il a fait des recherches sur les garçons qui habitent avec lui ?

— Oui, nous étions en train d'en parler, lorsque l'urgence des goules nous a interrompus. Il nous racontera tout ça une fois qu'on se sera occupés des morts-vivants. (Elle m'indiqua le parking qui servait aussi bien pour le cimetière que pour le parc.) Il y a une place libre près du portail.

Je me garai avec facilité tandis que la Lexus de Camille s'arrêtait à notre gauche. Ensemble, nous nous dirigeâmes vers la pelouse. Le labyrinthe de pierres tombales était éclairé par des répliques de lanternes au gaz. En réalité, elles étaient aussi récentes que l'ordinateur de Delilah. Néanmoins, les lampes créaient une atmosphère sereine et paisible dans cet environnement sinistre.

Même si le cimetière était encore ouvert, la majorité des passants semblaient avoir fui, du moins ceux qui respiraient toujours. Les morts, eux, le resteraient… avec un peu de chance. Après tout, si un nécromancien se baladait dans les environs, on devait s'attendre à du grabuge.

Chase se dépêcha de nous rejoindre. Il avait amené du renfort, Fae ou elfes pour la plupart.

— Qu'est-ce que tu as pour nous aujourd'hui ? demandai-je.

— Des goules. Apparemment, un esprit de maison les a reconnues alors qu'il faisait un pique-nique. C'est lui qui a appelé. Il a précisé qu'elles étaient assez nombreuses. (Chase se retourna vers ses hommes.) De quoi ont-ils besoin ? Et quelle est la différence entre un nécrophage et une goule ?

Je fronçai les sourcils, nous avions combattu récemment plus de nécrophages que je voulais me le rappeler, mais les goules… ce n'était pas le même acabit.

— Les nécrophages se nourrissent aussi bien du corps que de l'esprit. Les goules, elles, ne mangent que la chair, mais elles sont malignes et continueront à se battre jusqu'à ce que tu les brûles ou que tu les coupes en petits morceaux. Si tu sectionnes un bras, il continuera à t'attaquer tout seul.

— Génial, répondit Chase d'un air écœuré qui ressemblait à celui de Camille. (Quand je me mis à rire, il fronça les sourcils.) Quoi ?

— Rien. Je crois qu'on commence à déteindre sur toi. Bon, pour tuer une goule, l'argent marche très bien… mais attention, pas une pièce ou une petite cuiller. Je te parle d'un gros morceau. Le métal leur retirera toute l'énergie magique qui a servi à les relever. Pour ce qui est des autres armes… tu peux les écrabouiller à coups de marteau. De masse, aussi. Mais pour vraiment les détruire, tu as besoin d'une lame pour les hacher menu.

— Et la magie ? demanda-t-il, mal à l'aise.

— Le feu, magique ou non, marche. La glace, pas vraiment, sauf si elle les fige. Les autres sorts seront inutiles. Elles ne peuvent pas se noyer et, comme elles ne respirent pas, n'essaie même pas de les étrangler. En revanche, si tu leur coupes la tête, elles ne pourront plus voir ce qu'elles font, alors elles deviendront des cibles faciles jusqu'à ce qu'elles meurent… de nouveau. (Chase me regarda comme si j'étais folle.) Quoi ? C'est toi qui as voulu savoir !

Pourquoi avais-je toujours l'impression qu'il s'attendait que je me transforme en créature à trois têtes ou quelque chose d'aussi monstrueux ?

— Je sais, je sais. (Il secoua la tête.) Je m'émerveille seulement devant ton imagination à trouver des moyens pour tuer les gens. Ou des trucs. Des trucs qui ne devraient pas se balader en liberté. Et toi ? Est-ce que tu peux les vider de leur sang ?

Je grimaçai.

— Tu me prends pour quoi ? Une seringue ? Tu as une idée du goût de ces créatures ?

— Non et je ne compte pas le savoir.

— Eh bien, moi, je vais te le dire : leur sang a un goût de poussière, d'excréments et de vers. Alors non merci. De toute façon, dans la plupart des cas, le sang a pratiquement disparu de leur corps. Il a séché. Après tout, ce ne sont que des tas d'os recouverts de chair en décomposition. Mon estomac ne supportera pas de boire le liquide qu'elle produit. Et toi ? (Je sus que je lui avais cloué le bec lorsqu'il se retourna soudain pour s'approcher de Delilah.) Attrape n'importe quoi qui les abîmera. Les Tasers ne servent à rien. Si tu veux utiliser l'électricité ou la foudre, il faut les faire frire entièrement, lui criai-je.

Tandis que nous remontions le chemin d'un pas vif, nous croisâmes plusieurs adolescents qui ne semblaient pas s'être aperçus de l'agitation ou qui avaient choisi d'y passer outre. Chase chargea un de ses hommes de les escorter hors du cimetière. Le sentier serpentait à travers une haie de saules pleureurs centenaires, lourds de leur dentelle de feuilles tombantes. Je baissai la tête pour éviter une branche lorsqu'un grognement nous parvint.

Je m'arrêtai et fis signe aux autres de m'imiter. Juste devant nous se trouvait un groupe de goules qui comportait au moins vingt membres.

Elles empestaient. Certaines étaient mortes depuis longtemps, d'autres n'avaient pas commencé à se décomposer. Depuis notre position, aucune ne semblait ensorcelée pour durer. Non, il s'agissait de chair à canon, relevée pour la bataille. Ou la dévastation. Les goules comme Martin, qui appartenait à Wilbur, notre voisin, étaient plus résistantes.

Alors que jusqu'à présent elles nous tournaient le dos, les créatures se retournèrent pour nous faire face. Je laissai échapper un grognement. Elles s'en étaient donné à cœur joie. Leur repas, un vieil homme, gisait, éventré sur le sol. J'entendis Camille prendre une grande inspiration et Chaton jurer tout bas. Chase se racla la gorge. Il semblait attendre mes ordres.

— OK, on y va. N'oubliez surtout pas qu'elles continueront à se battre jusqu'à ce que vous les ayez hachées menu. Un bras ou une jambe en moins ne suffit pas. Leurs membres continueront aussi, à moins que quelqu'un retire leur enchantement. Et, sauf si Morio sait comment faire, il va falloir se résoudre à la première solution, les amis.

Je me retournai tout de même vers le démon renard. Un peu d'espoir ne pouvait pas faire de mal. Mais Morio se contenta de rire.

— Malheureusement non. En revanche, j'ai une épée en argent et Camille aussi.

— Alors, c'est parti. Soyez prudents. Elles essaieront de mordre la moindre parcelle de chair à leur portée.

Tandis que je tentais d'estimer leur force, il me vint à l'esprit que, de temps en temps, j'aurais bien voulu me battre contre autre chose qu'un tas de chair en décomposition... ou tout simplement un ennemi qui mettait du déodorant. Puis, mettant cette pensée de côté, je m'engageai dans la bataille. L'heure de l'affrontement avait sonné.

Chapitre 22

Les goules avancèrent en meute alors que je cherchais le meilleur angle d'attaque. Je fis signe à mes compagnons de se déployer. Delilah et Chase se dirigèrent vers la droite, Camille, Morio et Vanzir vers la gauche. Roz et moi nous occupions du centre.

Les goules s'arrêtèrent avant d'imiter notre stratégie, sauf qu'elles étaient beaucoup plus nombreuses que nous. Au moins, nous avions le choix. Je tentai de repérer la plus forte du groupe. Roz et moi étions davantage taillés pour affronter les plus musclées. Heureusement, la chance nous souriait : les grosses brutes semblaient se diriger vers nous.

J'entendis les autres prendre une grande inspiration à l'approche de nos adversaires. Puis, dans cette fraction de seconde qui précède toute bataille, quand chaque camp est prêt et qu'on n'attend plus que le signal pour avancer, je m'élançai, suivie de près par Roz.

Des cris s'élevèrent tandis que les autres nous imitaient, mais je me concentrai sur les deux goules qui accouraient vers moi. Ou du moins, qui essayaient. La chair pendait de leurs os comme de la toile de jute accrochée à un arbre. De la mousse avait poussé sur eux, purulente d'abcès remplis de pus qui leur donnaient un air bosselé.

— Vous auriez bien besoin d'un peu de Clearasil, marmonnai-je en m'attaquant à la plus grosse.

Même avec ses épaules voûtées et sa démarche peu assurée, elle me dépassait.

Je la frappai au ventre dans l'espoir de la plier en deux pour qu'elle me présente sa tête. Avec un peu de force, je pouvais la lui retourner. Ce n'était pas très agréable, mais ça la ralentirait radicalement. Après ça, quelqu'un armé d'un couteau pourrait prendre ma place et la découper en morceaux.

Quand la goule laissa échapper un grognement, ce qui dans son cas était ce qui se rapprochait le plus d'un cri, je sautai en avant et grimaçai en posant les mains sur la chair de son cou. La force de mon attaque la projeta en arrière. Alors, je me tins derrière elle pour l'installer en position assise. La créature essaya de me frapper, de s'échapper, mais j'étais bien plus forte qu'elle.

Je saisis son menton avec ma main gauche et le bas de sa nuque avec la droite. Puis, d'un geste vif, je brisai les os de sa nuque. Quelques secondes plus tard, je me retrouvais avec sa tête entre les mains. Ses yeux me regardaient avec étonnement, mais il n'y avait aucune trace de douleur.

— Quelle horreur, marmonnai-je en jetant la tête le plus loin possible du corps. J'ai besoin d'un couteau !

Aussitôt, Morio accourut dans ma direction et dirigea sa lame vers la goule aveugle qui tentait de se défendre en vain. Je le laissai terminer le boulot pour jauger la situation.

Delilah et Chase travaillaient en équipe pour se débarrasser d'une goule, mais une autre s'en prenait à l'inspecteur. Visiblement, elle avait réussi à le toucher plusieurs fois. Nous devrions nous assurer de bien désinfecter toutes les plaies. Les blessures assenées par les goules et les zombis s'infectaient facilement.

Camille, elle, avait une boule d'énergie entre les mains. Lorsqu'une goule se dirigea vers elle, elle se positionna sur le côté, et, au lieu de la mettre à terre, elle dirigea son attaque vers le groupe pour faire le plus de dégâts possible. Je me retournai rapidement pour me couvrir les yeux. Une explosion retentit et, soudain, une odeur de chair brûlée m'atteignit. J'entendis Camille tousser.

Au même moment, un énorme oiseau s'abattit sur les goules écorchées dans un cri strident. Et merde ! Un vularapture, un vautour mort-vivant ! Voilà qui était beaucoup plus dangereux que les goules et confirmait le fait qu'un puissant nécromancien se promenait dans les parages et pouvait faire beaucoup de dégâts. Heureusement pour nous, les vularaptures n'avaient pas le palais difficile.

Je jetai un coup d'œil à Vanzir qui finissait de se battre avec sa deuxième goule. Méthodique, il attaquait de manière brutale, mais efficace. Il attrapa le cou de la goule d'une main et ses cheveux de l'autre. Puis il tira d'un coup vif, violent. Je compris alors que j'avais sous-estimé sa force car les os cédèrent aussitôt comme de vulgaires brindilles. À moins que la goule ait souffert d'ostéoporose durant sa vie. Cette pensée me réconforta légèrement.

Roz, lui, s'élançait en brandissant une épée impressionnante. Il tranchait, coupait pour se frayer un passage au milieu des goules qui lui faisaient face. Puis, il se retourna pour aider Chase, faisant tomber la créature qui tentait de croquer le coude du policier.

— Merci, mon pote ! lui lança Chase avant de se baisser pour éviter un autre coup.

Delilah leva sa dague. La lame brillait d'un éclat bleuté menaçant. Récemment, ma sœur était entrée en communion avec elle, apprenant ainsi son nom. Elles étaient liées désormais.

— Lysanthra !

La voix de Delilah résonna dans le crépuscule, effrayant un oiseau perché dans un arbre.

Les étoiles commençaient à apparaître dans le ciel qui semblait hésiter entre le bleu et le gris. Pendant un instant, j'eus l'impression d'apercevoir un éclat argenté descendre de l'une d'entre elles, mais c'était impossible. Delilah rit puis enfonça son arme dans la chair de la goule qu'elle combattait auprès de Chase. Alors, tout sembla s'arrêter. La goule murmura des paroles incohérentes avant de s'effondrer.

Hein ? C'était sûrement à cause de l'argent avec lequel était forgée la lame, pensai-je en regardant Roz découper la goule en morceaux pendant que Delilah et Chase passaient à la suivante. Je me retournai pour voir où les autres en étaient.

Le sort de Camille en avait fait tomber trois. Bravo. Ma sœur sentait un peu le chaud elle aussi, mais, au moins, elle tenait toujours debout et elle ne s'était pas brûlée comme la dernière fois. Vanzir s'occupait d'une autre créature. Nous avions réussi à anéantir la moitié de la meute.

Je me jetai sur une goule plus faible que la précédente et donc plus facile à combattre. Je recommençai le coup de la tête. Pourquoi changer une méthode qui gagne ? En quelques secondes, je passai à une troisième pendant que Morio finissait le boulot derrière moi.

Aucun de nous n'avait été grièvement blessé… même si Chase devrait se faire examiner par la suite.

Alors que je me tenais là, à observer le carnage, je me rendis compte qu'une dernière goule se trouvait près des buissons d'azalées, recroquevillée, comme si elle ressentait la peur. Pourtant, ces créatures étaient censées être dénuées de toute émotion. Elle me rendait les choses plus faciles. Je m'approchai pour la renvoyer six pieds sous terre lorsque je m'arrêtai net.

Martin. C'était Martin. Génial ! Est-ce que notre voisin Wilbur se cachait derrière tout ça ? Je grognai tandis que les autres me rejoignaient.

— Qu'est-ce qu'il y a ? Oh merde ! s'exclama Delilah. Ce ne serait pas Martin, par hasard ?

— Si, mais il ne parle pas.

Je secouai la tête, tâchant de décider si je devais lui régler son compte ou le laisser partir.

Il n'essayait pas de nous attaquer et s'il s'était nourri du vieil homme, il n'en restait aucun signe visible. Pas de sang frais sur son visage, ni de tache sur son tee-shirt. En fait, il portait un costume délavé à fines rayures démodé et sa nuque avait été réparée depuis notre dernière rencontre. Wilbur lui avait mis un joli collier en métal avec une attelle pour maintenir sa tête droite. Super, un dandy et un monstre de Frankenstein tout en un !

— Attendez ! Ne lui faites pas de mal ! s'écria une voix lointaine.

Je me retournai vivement. Wilbur accourait vers nous dans la faible lumière du crépuscule. Wilbur le nécromancien.

Chase eut l'air perdu.

— On ne devrait pas s'en occuper aussi ? demanda-t-il en désignant Martin.

— Il s'appelle Martin, il appartient à notre voisin, lui répondis-je avec un regard qui signifiait clairement « je sais, je sais ».

— Oh, ça explique tout dans ce cas-là, marmonna-t-il d'un air exaspéré. (Il se tourna vers ses hommes.) Nettoyez-moi ce foutoir ! Et restez sur vos gardes, ça pourrait encore être vivant.

— Attends, on va peut-être avoir un coup de main. (Quand Wilbur nous rejoignit enfin, je lui montrai Martin d'un geste de la main.) C'est une habitude de l'égarer ?

Son air inquiet se changea en désintérêt le plus total.

— Martin a tendance à s'échapper, c'est vrai. Mais j'essaie de lui épargner les ennuis…, dit-il en regardant autour de lui. Qu'est-ce qui s'est passé ici ? À qui appartiennent toutes ces goules ?

— Nous pensions que tu pourrais nous renseigner, rétorquai-je. Puisque tu es un nécromancien et que tu as ta propre goule, nous espérions que tu pourrais nous dire qui a relevé le reste du gang. Joli travail pour la nuque, au fait.

Wilbur haussa les épaules.

— Je ne pouvais pas le laisser dans cet état, répondit-il en observant les autres goules. (Il secoua la tête.) Je n'ai pas la moindre idée d'où elles peuvent venir. En tout cas, ce nécromancien ne fait pas dans la finesse. Vous avez vérifié s'il y avait des tombes vides dans le cimetière ?

Chase gémit.

— Ne me dites pas qu'il s'agit d'un pilleur de tombes ?

— D'après vous, où est-ce que les nécromanciens dénichent leurs goules et leurs zombis ? (Wilbur semblait s'amuser à présent.) Martin avait légué son corps à la science. Je travaillais dans le laboratoire qui en a hérité. Comme ils avaient décidé de ne pas s'en servir et de l'enterrer, j'ai proposé de m'en charger. Martin était un clochard. Personne ne l'a regretté. Alors, j'ai fait de lui mon animal de compagnie.

— Est-ce que tu reconnais une signature magique dans l'air ? l'interrompit Delilah. Ça nous aiderait beaucoup.

— Et pourquoi devrais-je vous aider ? demanda Wilbur. D'abord vous brisez la nuque de ma goule, après vous agissez comme si j'étais une vermine de la pire espèce… N'essayez même pas de mentir, dit-il à l'attention de Camille qui allait le contredire. Je sais très bien ce que vous pensez de moi, toutes les trois. (Il la regarda encore une fois.) OK, les deux autres en tout cas. Toi, tu es bizarre. Je n'arrive pas à déchiffrer ton énergie, sorcière. Dans tous les cas, donnez-moi une bonne raison de vous aider.

— Parce que je te le demande, rétorqua Vanzir en avançant. Je suis un démon. Je pourrais entrer dans tes rêves et te vider de ta force vitale en un clin d'œil.

— Du calme, marmonna Delilah, ce qui lui valut un regard noir. Désolée, mais tu ferais mieux d'arrêter, Vanzir.

Avant que quelqu'un d'autre décide de rentrer dans ce duel de mâles alpha, je m'interposai.

— Ça suffit. Écoutez tous. Nous nous battons contre des gens dangereux. Premièrement, le Karsetii se balade toujours sur le plan astral pour s'attaquer aux Fae ou n'importe qui sachant utiliser la magie. (J'insistai sur le « n'importe qui ». Wilbur pâlit.) Deuxièmement, on tombe sur des goules qui se promènent dans la nature. Elles ont forcément été créées par quelqu'un qui, selon Wilbur ici présent, s'y est pris comme un manche. Ça veut dire que l'on a affaire à un nécromancien pas très doué ou à un imbécile qui n'a aucune idée de ce qu'il fait. Personnellement, après la découverte des Partisans de Dante, je pencherais pour la deuxième solution.

— Les Partisans de Dante ? demanda Wilbur.

— Une fraternité de crétins qui s'amusent à invoquer des démons et à tuer des femmes Fae ou issues de la communauté surnaturelle. Je me demande s'ils ne seraient pas les responsables de ce carnage aussi, expliquai-je en m'approchant de lui. Tu ne serais pas allé à la fac dans le coin, par hasard ?

Wilbur secoua la tête.

— La fac ? Je n'ai même pas fini le lycée ! J'ai passé quelques années dans la marine en Amérique du Sud. C'est là que j'ai appris la nécromancie. Dans la jungle.

De la magie de mort chamanique. Aucun doute, il était expérimenté. S'il avait tout appris d'une tribu indienne, plutôt que grâce à des méthodes plus conventionnelles, il était sûrement plus proche du monde spirituel et sa magie devenait plus facile à utiliser. Les chamans se révélaient souvent plus puissants que la plupart des sorcières ou des enchanteurs.

Morio siffla entre ses dents.

— De la magie puissante, alors.

Wilbur haussa les épaules.

— La seule qui m'intéresse, avoua-t-il en se tournant de nouveau vers moi. Tu dis qu'un groupe de gamins touche à ce genre de choses ? Je n'aime pas ça…

— Tu ne connaîtrais pas des gens qui pourraient créer des goules, à part pour… le plaisir ?

Je m'appuyai contre une pierre tombale. Camille et Morio s'assirent par terre pendant que Roz et Vanzir restaient à mes côtés. Chase, lui, s'adressa à ses hommes.

— Fouillez le cimetière. Vérifiez s'il y a des signes de tombes pillées. Quant aux restes… emballez-les avec soin avant de les brûler. Pas question d'en parler aux familles. Refermez les tombes et ne dites rien à personne.

Il se tenait près de Rozurial. Delilah s'était accroupie à ses pieds.

— Pourquoi est-ce que quelqu'un décide de relever une bande de goules ? Je suppose qu'elles servent d'armée, de combattants. Elles font d'excellentes machines à tuer.

— Pourquoi as-tu créé la tienne ? demandai-je en dévisageant Wilbur.

C'était le HSP le plus étrange qu'il m'ait été donné de rencontrer.

— Moi ? J'avais besoin d'un assistant. Il comprend les ordres les plus basiques, il est utile et il ne fait pas de commentaires inappropriés, répondit Wilbur d'un air désinvolte. On ne relève pas autant de goules si on n'a pas l'intention de blesser quelqu'un ou de s'entraîner. Ça pourrait être le résultat d'une leçon qui a mal tourné.

Camille plaqua une main sur sa bouche.

— Hé ! En Outremonde, dans les déserts du Sud, il reste bien des traces de magie des batailles entre sorciers ! Ça arrive parfois lorsqu'un grand nombre de sorts volatiles ont été utilisés. Et si les goules avaient été réveillées par les résidus magiques de quelqu'un qui s'entraînait ?

Wilbur fronça les sourcils.

— Je n'en ai jamais entendu parler, mais je rencontre rarement d'autres nécromanciens.

— C'est possible, répondit Morio. Dans certains lieux, la magie fait partie intégrante de la terre. Ça arrive après une pratique excessive ou brutale de la magie à un endroit précis. Mais pourquoi ce cimetière en particulier ? Rappelez-vous, c'est ici que nous avons combattu les trolls de Dubba.

Heureusement, il n'avait pas parlé du portail qui les avait amenés jusqu'ici. Je réfléchis un instant.

— Nous tenons peut-être quelque chose. Qu'est-ce qui rend ce cimetière spécial ? Est-ce qu'il est proche de chez Harold ?

— Il y a quelque chose..., commença Delilah avant de s'interrompre. Retournons aux voitures. Je veux vérifier un truc que j'ai laissé dans mon sac à dos.

Laissant le nettoyage aux soins de l'équipe de Chase, nous nous dirigeâmes vers le parking, suivis de Wilbur et sa goule. Martin n'opposa aucune résistance, ignorant tout le monde à l'exception de son maître qu'il regardait avec des yeux de chien battu.

Une pensée me traversa soudain l'esprit, mais je préférai la mettre de côté. Pas question de m'aventurer sur ce terrain.

De retour aux voitures, Delilah fouilla dans son sac qu'elle avait caché sous un siège et en retira une carte. Elle la déplia sur le capot et l'éclaira avec la lampe torche de Chase. Nous nous regroupâmes autour d'elle.

Delilah nous montra les notes qu'elle avait prises sur le papier.

—Harold vit ici. Et ça… (Elle traça une ligne vers le nord.) C'est le cimetière de Wedgewood. Si on continue, on arrive jusqu'au *Voyageur*. (Elle releva la tête.) Je pense que le cimetière est positionné dans un alignement de sites magiques.

—Ce qui signifie qu'il y a une accumulation d'énergie ici, conclut Camille. Je me demande… (Après un coup d'œil à Wilbur, elle se ravisa.) On verra plus tard.

Les alignements de sites magiques étaient des chaînes d'énergie invisibles qui traversaient la Terre et Outremonde. En général, toute magie pratiquée dans un des lieux qu'elles reliaient voyait sa force décuplée. Soudain, en observant la carte, je sus ce que Camille avait voulu dire. Deux portails non officiels se trouvaient sur la ligne.

Les portails étaient-ils connectés par cette ligne ou était-ce la ligne elle-même qui les avait créés ? Un autre mystère à résoudre une fois que Wilbur nous aurait laissés.

—Ça signifie qu'Harold et sa bande se réunissent peut-être ici pour leur cérémonie. Ou que l'énergie qu'ils génèrent voyage à travers l'alignement pour relever les corps. Hmm… Je ne sais pas quoi penser. Chase, demande à tes hommes de nous donner l'emplacement exact des tombes qui ont été ouvertes le plus vite possible.

Je me tournai vers Wilbur qui semblait légèrement perdu.

—Il semblerait que Martin ait été attiré par l'énergie de l'alignement. Pourtant, ce n'est pas la porte à côté.

— Normal, répondit-il. J'étais en train de le promener lorsqu'il a réussi à se défaire de sa laisse.

Il me montra ladite laisse bleu cobalt. Je me rendis alors compte que le nouveau collier en métal de Martin avait un anneau à l'arrière. L'accroche de la laisse était tordue comme si quelqu'un avait tiré dessus.

— Une laisse ? Tu le promènes comme un chien ?

Voilà une information dont je me serais bien passée. Imaginer cet homme mort vêtu d'un costume démodé attaché comme un caniche à une laisse bleue me donnait envie de rire à gorge déployée. Ou de vomir. Mais pour les vampires, ce n'est pas très recommandé.

Wilbur me dévisagea.

— Tu es forte. Est-ce que tu pourrais la remettre en place pour moi ? demanda-t-il en me tendant la laisse.

J'avais l'impression d'être dans un film des Monty Python. Je m'emparai de l'objet et remis l'anneau en place du mieux que je le pus avant de le lui rendre sans un mot. Puis je me retournai vers les voitures.

— Assez traîné ! Il me semble que nous avons rendez-vous avec… l'ami de Vanzir.

— Oui, répondit l'intéressé en hochant la tête, mais on ferait mieux de passer d'abord au FH-CSI pour faire soigner les blessures de Chase.

Delilah prit le bras de l'inspecteur pour observer les traces de morsure près de son coude. La goule avait réussi à passer à travers le tissu pour l'atteindre. Elle n'était pas parvenue à lui arracher la chair, mais il aurait un bel hématome.

— Oui, c'est déjà rouge… et qui dit rouge, dit infection.

Elle soupira. Chase s'éclaircit la voix.

— Je dois retourner au bureau. J'ai un boulot, vous savez ? Je promets de montrer tout ça à Sharah. De votre côté, faites ce que vous avez à faire, dit-il en embrassant bruyamment Delilah sur la bouche. À plus tard, mon cœur, ajouta-t-il avant de s'éloigner rapidement vers les voitures de patrouille.

Wilbur nous adressa un sourire mal assuré, comme s'il n'en avait pas l'habitude.

— Je dois y aller aussi, nous informa-t-il. Il faut que je ramène Martin à la maison. C'est l'heure de *Seinfeld*.

Ce fut la goutte d'eau qui fit déborder le vase. Je tentai de tousser, mais je ne pus m'empêcher d'éclater de rire.

— Tu plaisantes ? Tu regardes les rediffusions de *Seinfeld* avec ta goule ? Dans quel monde étrange est-ce que tu vis ?

Wilbur m'adressa un regard noir.

— Tu peux parler ! Tu vis avec tes sœurs et un tas de types dans une grande maison. Tu massacres des goules au milieu de la nuit. Tu es propriétaire d'un bar et, pour couronner le tout, tu es un vampire. Tu bois du sang, pour l'amour du ciel ! Tu devrais être la dernière à jeter la pierre aux autres !

Les sourcils froncés, je tâchai de me ressaisir, mais la pensée de Wilbur et Martin regardant ensemble *Seinfeld* était trop singulière.

— Est-ce que tu lui mets aussi une laisse devant la télé ou est-ce que tu l'as bien éduqué ?

— Menolly, s'interposa Rozurial. Cesse d'être méchante. Il nous a aidés après tout.

Je toussai si fort que du sang coula sur mon menton et je me rendis alors compte du spectacle que j'offrais. Je courus derrière Wilbur et Martin qui s'éloignaient en silence pour les rattraper.

— Je suis désolée. Je suis désolée… c'est la tension qui retombe.

Il secoua la tête.

— Toujours des excuses. Ce n'est pas parce qu'on est stressé qu'on peut se comporter aussi méchamment.

Alors comme ça, sous ses apparences d'homme des bois, notre nécromancien était quelqu'un de sensible. Je décidai de mettre ma fierté de côté.

— Je m'excuse. C'était très déplacé de ma part. Martin et toi… (Je me forçai à sourire.) Passez une bonne soirée. Merci encore pour ton aide.

Malgré son air sceptique, il marmonna quelque chose de l'ordre du remerciement avant de s'éloigner, l'air vaguement dégoûté.

— On demandera à Iris de lui préparer une tonne de biscuits, dit Camille en secouant la tête. Menolly, tu dois apprendre à réfléchir avant de parler. Je t'aime, mais tu es la personne la moins diplomate du monde.

— Tu n'as pas tort, dis-je, me sentant soudain coupable.

— On peut y aller ? nous interrompit Vanzir. Carter nous attend et je ne veux pas l'énerver en étant en retard.

— Oui, oui, répondis-je en me dirigeant vers ma voiture. On se passera d'un autre démon en colère à nos trousses.

Tandis que nous sortions du parking, je me dis que je devrais peut-être passer plus de temps avec Sassy Branson. Après tout, elle était la doyenne de la scène vampirique. Si quelqu'un pouvait m'apprendre les bonnes manières, c'était bien elle.

Chapitre 23

Carter habitait dans le sous-sol d'une maison sur Broadway Avenue qui faisait également office de boutique, près du quartier préféré des junkies. Je jetai un coup d'œil par-dessus la rambarde pour observer les marches qui menaient à l'appartement. Si Carter n'avait pas été un démon, j'avais le sentiment que l'escalier aurait été rempli de passants et de drogués. Mais il y avait une énergie palpable par ici, un avertissement : « Restez à l'écart si vous ne voulez pas que je vous mange. »

Vanzir vérifia que la rue était vide. Une prostituée était appuyée contre un mur de l'autre côté de la rue. Elle portait une minirobe couverte de sequins avec des bottes à talons compensés. Elle avait l'air de s'ennuyer dans son costume années 1970.

Je m'interrogeai sur son âge. Elle aurait pu avoir trente ans comme cinquante. Depuis combien de temps faisait-elle ce travail ? Combien de fois avait-elle essayé d'arrêter ? En tout cas, elle ne paraissait pas heureuse. J'aurais pu lui donner la carte du refuge *La Déesse Verte* dont s'occupait Lindsey Cartridge. Son combat principal consistait à sauver les femmes de conjoints violents, mais elle travaillait également de concert avec Réclamation, un groupe qui aidait les femmes à sortir de la prostitution.

Trois gros bolides passèrent près de nous à toute vitesse. Sûrement des jeunes qui ne savaient pas quoi faire de leur temps. Je jetai un œil à ma Jaguar garée juste à côté de chez Carter.

— Tu crois que c'est sûr de laisser nos voitures sans surveillance ? Le voisinage n'a pas l'air très net.

Vanzir hocha la tête.

— Aucun problème. Carter a payé une sorcière pour qu'elle jette un sort devant sa maison, y compris les places de parking. Il éloigne les voleurs et les agresseurs. Dès qu'ils entrent dans le cercle, ils paniquent. Si tu vois quelqu'un commencer à se sentir mal à l'aise dans la rue, tu peux être sûr qu'il n'a pas de bonnes intentions.

— Hmm, fit Delilah. On peut en acheter un pour la maison ? Si nous en avions un qui couvrait toute la propriété…

— Tu paierais un bras et une jambe. Il doit le renforcer tous les mois et crois-moi, la sorcière qui s'en occupe n'est pas donnée, répondit Vanzir. En tout cas, sa magie est très efficace. Elle marche tout le temps, ajouta-t-il en faisant un clin d'œil à Camille.

— On se calme, l'attrape-rêves, rétorqua-t-elle en levant un sourcil. C'était un peu trop agressif à mon goût.

Il la dévisagea un instant avant de rire doucement.

— Tu réagis vite, bravo. (Il montra la porte du doigt.) Allons-y.

Vanzir nous guida jusqu'au pied de l'escalier et frappa quatre fois sur la porte. Au bout d'un moment, on entendit un « clic » et la porte s'ouvrit. Nous le suivîmes à l'intérieur.

Comme je n'étais jamais entrée chez un démon, je ne savais pas à quoi m'attendre. Dans tous les cas, je ne m'imaginais sûrement pas ce qui venait d'apparaître devant mes yeux : une salle spacieuse avec plusieurs portes qui menaient aux autres pièces de l'appartement. Il faisait sombre ; les fenêtres creusées dans le mur étaient voilées. Pas étonnant que je ne les aie pas remarquées en descendant.

Une faible lumière faisait ressortir les tapisseries rouge et or du canapé et des fauteuils. La table basse et le bout de canapé étaient en noyer et les meubles ressemblaient à ceux qu'aurait pu posséder un vampire. Le tout était très ancien. J'avais l'impression que Carter habitait sur Terre depuis très très longtemps, du moins selon les standards humains.

Les murs étaient couverts de tapisseries qui mettaient en scène des guerres et des batailles, à l'exception d'un côté où se trouvait une énorme bibliothèque remplie de livres de toutes tailles et formes. Au moins, on pouvait être sûr d'une chose : notre démon aimait lire.

Un bureau en noyer était placé à côté d'une porte de façon que son utilisateur puisse observer les allées et venues. Un homme d'une trentaine d'années y était assis. Il avait les cheveux ondulés de la même couleur que les miens et ses yeux ressemblaient à ceux de Vanzir : un tourbillon indéfinissable. En revanche, ce démon possédait deux cornes pointues sur le sommet de la tête. Recourbées et brillantes, elles me faisaient penser à celles d'un impala. Malgré quelques mèches rebelles, il paraissait très propre sur lui. En y regardant de plus près, je me rendis compte que ses cheveux étaient remplis de gel. Pas si rebelles que ça.

Alors qu'il se levait pour se placer de l'autre côté du bureau, je me rendis compte qu'il se servait d'une canne pour marcher. Son genou gauche était plâtré.

— Soyez les bienvenus. Je m'appelle Carter, mais je suppose que Vanzir a déjà dû vous le dire. (Il nous désigna le canapé d'un geste gracieux.) Asseyez-vous, je vous en prie.

Carter portait une veste de costume bordeaux par-dessus un pantalon noir impeccable… alors que nous, nous étions pleins de sang, de terre et de restes de goules.

— Vous êtes sûr ? Nous risquerions de salir vos meubles.

Il rit d'une voix agréable.

— Ne vous inquiétez pas pour ça. J'ai une femme de ménage qui s'en occupe. Après tout, beaucoup de mes invités ne connaissent même pas le concept de douche.

Quand nous nous assîmes sur le canapé et les fauteuils installés dans la pièce, Carter claqua des doigts. Aussitôt une jolie jeune femme, mince et délicate, qui semblait avoir du sang chinois dans les veines, apparut. Elle attendit en silence.

— Kim, apporte-nous du thé s'il te plaît. Et, ajouta-t-il en me regardant, un verre de sang chaud. (Il coupa court à mes protestations.) Mon hospitalité ne sera pas remise en question. Du moins, pas tant que je serai encore en vie.

Se glissant dans le fauteuil près du mien, il se laissa aller en arrière et posa sa canne contre l'accoudoir en bois.

— Vanzir m'a fait comprendre que vous vous battiez contre un démon Karsetii, reprit-il d'un air presque enjoué.

Je me tournai vers Camille qui hocha la tête.

— C'est exact. Nous avons réussi à mettre la reine en fuite, mais je ne pense pas qu'elle soit partie pour de bon. En revanche, nous pensons connaître l'identité de celui qui l'a invoquée et nous nous demandions si vous accepteriez de faire des recherches d'activités démoniaques dans un quartier précis de Seattle sur, disons, cent ans ?

Carter me regarda dans les yeux. Malgré son apparence, il paraissait âgé et fatigué.

— Seattle était encore récente quand je me suis installé ici. Je suis arrivé par la côte est et j'ai monté ma propre entreprise d'édition. Je suis à l'origine des premiers journaux de la ville. Puis, j'ai décidé de disparaître et de réinventer mon personnage. Naturellement, la populace m'aurait regardé de travers si elle avait su que j'étais un démon.

— Vous habitez ici depuis très longtemps alors, remarquai-je.

Carter me fascinait. Je savais qu'il était un démon. Pourtant, il ne ressemblait à aucun de ceux que j'avais rencontrés auparavant, Roz et Vanzir compris. Je me demandais à quelle catégorie il appartenait, mais je n'osais pas demander de peur de l'insulter.

— Oui, j'ai assisté à l'évolution et à la croissance de la ville. Je dirigeais mon entreprise dans les bas-fonds de Seattle avant même qu'ils existent. (Carter m'adressa un sourire éclatant. En tout cas, il avait de bonnes dents.) Je suis capable de dissimuler mes cornes lorsque je sens la présence d'un étranger, mais je ne parle pas à grand monde. J'ai l'habitude de la solitude.

— Et comment gagnez-vous votre vie à présent ? s'enquit Morio en le dévisageant.

J'observai le démon renard. Il ne paraissait pas à l'aise. En général, son instinct était toujours bon. Je lui faisais confiance là-dessus.

— J'ai une petite entreprise sur Internet. Je fais des recherches pour des professeurs d'université ou des scientifiques. Mon salaire me sert à payer mes factures et personne ne vient me chercher des noises.

À ce moment-là, la jolie Kim réapparut avec un plateau rempli de tasses, soucoupes et une théière. Elle s'était souvenue d'ajouter un verre de sang. Je l'acceptai à contrecœur. Je n'aimais pas boire devant les gens parce que ç'avait tendance à les dégoûter, mais je ne voulais pas paraître malpolie. Je le reniflai. Il était frais. Je sentis mes canines s'allonger à cause de la faim. Je pris une gorgée et me forçai à rester concentrée.

Pendant que Kim nous servait le thé, j'observai Carter la regarder. Au départ, j'avais cru qu'il s'agissait de sa bonne à tout faire, mais leur relation semblait bien plus intime. Malgré son ton autoritaire, il lui parlait avec affection et bienveillance.

Quand elle termina, il reprit la parole.

—Merci. Tu peux aller au lit, à présent. Dors bien.

Elle acquiesça avant de s'éclipser en silence. Curieuse, je penchai la tête sur le côté.

—Vous vous demandez ce qu'elle fait ici, n'est-ce pas ? fit Carter.

Surprise, je hochai la tête.

—Oui, je me demandais… est-ce qu'elle est humaine ?

—À moitié seulement. Sa mère était un démon, un succube. Comme elle n'avait pas besoin d'un enfant, elle a décidé de la vendre. Kim a vingt-deux ans, donc c'était il y a… oh… vingt et un ans. De nombreux enchérisseurs paraissaient… répugnants. Elle aurait eu une vie misérable auprès d'eux. Alors je l'ai achetée et je l'ai amenée ici.

Tout le monde l'observa en silence. Morio hocha la tête. Camille et Delilah avaient l'air choqué. Roz, lui, se contentait d'écouter.

—Aviez-vous l'intention de la garder avec vous ? demandai-je.

—Non, pas vraiment, répondit-il en secouant la tête. Au départ, je pensais l'abandonner devant une église, mais elle n'aurait jamais pu vivre en paix dans une famille humaine avec son héritage démoniaque. Elle aurait fini dans un hôpital psychiatrique ou en prison. Alors, j'ai engagé une nourrice et je l'ai élevée moi-même. Je la considère comme ma propre fille. Kim est muette. Elle n'a jamais prononcé un mot et nous ne savons pas pourquoi. Le guérisseur que j'ai engagé pour l'examiner pense que ça vient peut-être du métissage dont elle est issue. Heureusement, elle a appris le langage des signes et entend parfaitement. Je ne cesse de l'encourager pour qu'elle entre à l'université, mais elle préfère rester ici pour s'occuper de la maison.

Kim était assez âgée pour devenir sa femme, mais il ne semblait pas la voir de cette manière.

— Sur quoi voulez-vous que je fasse des recherches ? La ville entière ou un endroit en particulier ?

Après avoir fini son thé, Carter se dirigea vers la bibliothèque pour en sortir un gros livre en cuir. Il l'ouvrit et le posa sur la table. Il s'agissait d'un atlas rempli d'hologrammes. Des cartes de la ville… magiques sans nul doute.

Je lui indiquai le croisement près de la maison d'Harold. Il n'avait pas besoin d'en savoir plus pour l'instant. Même s'il semblait de notre côté, mieux valait être prudents.

Carter observa la carte, traçant différents chemins du doigt. Puis, il s'arrêta, regarda une page en particulier en fronçant les sourcils et se dirigea en boitant vers le secrétaire près de son bureau. Il parcourut des dossiers parfaitement alignés et en sortit un qu'il ramena près de nous. Il me le tendit.

— Je pense que les renseignements dont vous avez besoin se trouvent ici, dit-il. J'ai l'impression que vous cherchez un nom en particulier. Il sera sûrement là-dedans.

Tandis que j'ouvrais le dossier sur mes genoux, Delilah et Camille vinrent se placer derrière moi. À l'intérieur se trouvaient des rapports proprement tapés, de vieux articles de journaux, dont certains provenaient du *Seattle Tattler*, et quelques photos libres. Je parcourus les différentes pages.

Deux photos montraient un troll cornu aux yeux rouges qui avançait dans un parc. Une photo floue me rappela les goules que nous avions combattues plus tôt sauf que la scène se passait dans un jardin et… hein ? Qu'avions-nous là ? La maison d'Harold surmontée d'un nuage noir. Ce n'était pas un nuage comme les autres. Il s'agissait d'une brume démoniaque. Malgré l'ancienneté de la photographie, je pouvais encore sentir son aura.

Je la tendis lentement à Camille avant de m'emparer des rapports. Je me rendis rapidement compte qu'ils étaient classés par date, adresse et type. Sept pages comportaient l'adresse d'Harold. Certaines remontaient à 1920. Dans les années 1960, un pic de pouvoir avait été remarqué par… celui qui s'occupait de ce projet. Ce qui me mena à la question suivante :

— Carter, pourquoi avez-vous tout ça ? Tous ces rapports ?

Lorsque ses yeux se posèrent sur moi, ses bonnes manières s'envolèrent. Alors, je me retrouvai face à un tourbillon de couleurs qui m'attirait à lui. Pour la première fois depuis bien longtemps, j'essayai de reprendre mon souffle, de repousser son énergie. Elle m'envahissait comme une vague, m'emportant comme la marée, me forçant à suivre Carter. Je devais aller avec lui. Hésitante, je me levai et fis un pas en avant. Aussitôt, Camille et Morio s'interposèrent entre le démon et moi.

— Arrête ça tout de suite, menaça Camille. Je sens ce que tu es en train de faire. Recommence et tu es mort.

— Ne joue pas avec moi, petite fille, répondit-il sur un ton neutre. Tu n'as pas le pouvoir de m'arrêter.

Toutefois, son emprise sur moi disparut et il redevint le démon poli que nous avions rencontré.

— Qu'est-ce que ça veut dire ? m'exclamai-je. (La dernière personne qui m'avait fait ça était tombée en poussière.) Je déteste qu'on me force la main ! Compris ? Et ne faites pas l'erreur de nous sous-estimer ! Nous sommes plus forts que vous croyez.

Carter leva la main.

— Ça suffit. Je n'avais pas l'intention de vous forcer à faire quoi que ce soit. Je répondais simplement à votre question. J'observe. Je garde des traces. J'évite les radars de l'Ombre Ailée. Vous comprenez ce que je veux dire ?

Pas vraiment. La seule chose que je comprenais, c'était qu'il ne faisait pas partie des marionnettes de l'Ombre Ailée. Il était bien plus vieux que je l'avais imaginé et ses pouvoirs égalaient ceux des vampires les plus forts que j'avais rencontrés. Pourtant, il vivait dans cet appartement lugubre dans les mauvais quartiers de Seattle avec Kim, sa fille adoptive, et une attelle à son genou. Carter avait beaucoup de choses à cacher et il ne les révélerait pas facilement. Toutefois, il avait accepté de nous aider.

Je me saisis des rapports.

— Est-ce qu'on peut en avoir des copies ?

Il se leva et me tendit la main.

— Donnez-les-moi.

Quand je m'exécutai, il se dirigea vers l'imprimante-photocopieuse qui se trouvait sur son bureau. Pendant qu'il faisait des copies des documents, je tentai de comprendre ce qu'il était et ses raisons pour nous aider. Vanzir ne semblait pas disposé à éclairer ma lanterne. Nous pouvions le forcer à nous le dire, mais nous le ferions plus tard seulement si nous en avions besoin. Il ne fallait pas abuser du pouvoir que nous avions sur lui… un pouvoir de vie ou de mort.

Carter revint avec une pile de papier.

— Tenez. Servez-vous-en de la manière que vous voulez. Mais soyez prudents. Le mal possède de nombreuses incarnations. Toutes n'essaieront pas de vous tuer, mais la paranoïa est votre meilleure amie.

Comme s'il avait compris un message caché, Vanzir se leva.

— Je pense que nous avons tout ce dont nous avions besoin.

— Tu en es sûr ? Comment identifier les créatures citées dans les rapports ? demandai-je en les feuilletant de nouveau, incapable de m'imaginer l'aspect de certaines choses citées.

— Savoir que l'activité démoniaque de ce quartier a été la plus importante de Seattle pendant cent ans ne vous suffit pas ? Je vous conseille de faire des recherches sur les personnes disparues au fil des ans et de vérifier le nombre de femmes qui sont parties faire un tour et ne sont jamais revenues. Utilisez votre cerveau, remarqua Carter en se levant. Parfois, nous avons simplement besoin de savoir qu'il se passe quelque chose plutôt que de rentrer dans les détails.

Il nous reconduisit jusqu'à la porte et nous nous retrouvâmes rapidement sur le trottoir, poliment, mais clairement mis dehors.

Je me tournai vers Vanzir. Il releva le menton, comme pour me mettre au défi de poser ma question. Un courant d'air frais passa dans la rue, emportant avec lui des murmures. La nuit avait des yeux et des oreilles.

— Partons d'ici, fis-je soudain. Allons au bar pour discuter de tout ça.

Sans un mot, nous nous séparâmes et partîmes dans nos voitures respectives, mais je ne pouvais m'empêcher de penser à Carter.

Alors que nous nous étions installés dans mon bureau au *Voyageur*, Luke frappa à la porte. Je fis signe à tout le monde de rester silencieux pendant que je l'autorisais à entrer. Les loups-garous possédaient une ouïe extraordinaire. Pas la peine de le mettre au courant des détails de notre conversation. Un torchon jeté sur l'épaule, il semblait sur la sellette. Lui aussi ressentait l'appel de la lune de plus en plus pleine.

— Qu'est-ce qui se passe ?

Luke n'avait pas l'habitude de m'interrompre quand il me savait occupée. Quelque chose d'important avait dû se produire.

— Des ennuis, patronne. (Il désigna l'entrée du bar d'un signe de la tête.) Les Anges de la Liberté ont débarqué et s'en prennent aux fiancées des Fae.

Oh putain. Comme si j'avais besoin de Chiens de Garde harcelant mes clients. Je me tournai vers Camille.

— Appelle Chase et dis-lui de rappliquer *illico*.

En suivant Luke jusqu'au bar, je commençai à entendre les échos d'une dispute. Ils étaient trois. Au premier abord, ils ressemblaient à des motards, mais leurs vestes en cuir venaient du supermarché du coin, leur jean neuf n'avait pas le moindre accroc et leur ombre de barbe devait avoir dix heures, tout au plus. L'odeur de papier et de bureau mal aéré leur collait à la peau comme un nuage de fumée de cigare. Ses hommes n'étaient pas des voyous. Ils voulaient seulement le faire croire. À mon avis, aucun d'eux n'avait jamais pris part à une vraie bagarre. Du moins, pas encore.

Le trio s'en prenait à deux fiancées de Fae qui buvaient un verre à une des premières tables. Effectivement, elles s'étaient habillées pour attirer l'attention, mais ce n'était pas un crime. Du moins, pas dans mon bar. Même si ce genre de filles avait tendance à ne pas beaucoup commander et à ne pas laisser de pourboire, c'était quand même des habituées.

— Il y a un problème, messieurs ? demandai-je en m'interposant. Je n'aimerais pas que quelqu'un se sente menacé à l'intérieur de mon bar.

L'un d'eux, sûrement leur chef, se rapprocha de moi, si bien que je sentis son haleine de bière contre mon visage. Apparemment, il ne savait pas que *Le Voyageur* était tenu par un vampire. Autrement, il n'aurait pas fait une chose aussi stupide.

Luke le repoussa immédiatement avant de croiser les bras. Il frissonna et une odeur de loup parvint à mes narines. Aussi proche de la pleine lune, le stress lui montait à la tête. Et, de toute façon, la plupart des loups-garous s'emportaient facilement. Je me tournai vers lui.

— Luke, tu ferais mieux de rentrer. Je m'en occupe.

— Je ne te laisse pas…

Ses yeux avaient un éclat dangereux. Ils commençaient à changer de couleur.

— Bien sûr que si. Je suis ta patronne et je te donne l'ordre de rentrer chez toi, fis-je en révélant mon glamour.

Luke soutint mon regard un instant avant de baisser les yeux. J'étais au-dessus de lui dans la hiérarchie du bar. J'étais son chef.

— D'accord, mais je n'aime pas ça du tout.

Retournant vers le bar, il y jeta son torchon avant de disparaître à l'arrière. Il partait sûrement par la porte du fond pour éviter de tomber sur un Ange de la Liberté et commencer une bagarre. Je me tournai de nouveau vers les hommes.

— Qu'est-ce que vous voulez ?

— Écoute, ma petite, tu devrais songer à trouver un autre job. Rester auprès de ces abominations ne peut pas être bon pour… (Il s'arrêta pour me détailler de la tête aux pieds.) Attends, tu dis que tu es la proprio ? (En jetant un coup d'œil aux autres, il secoua la tête.) Impossible, on m'a dit qu'il s'agissait d'un…

J'ouvris la bouche pour dévoiler mes canines et lui adressai un grand sourire ironique.

— Un quoi ? Un vampire peut-être ? Dans le mille, coco. Maintenant que les choses sont claires, qu'est-ce que vous foutez dans mon bar et pourquoi vous en prenez-vous à ces femmes ? Ai-je vraiment besoin de vous le demander ?

Monsieur le-dur-à-cuire se redressa et passa ses pouces dans sa ceinture.

— Tu es un vampire ? Tu n'as pas l'air très coriace ! On est là pour remettre les brebis égarées dans le droit chemin. C'est notre ville, notre monde et on compte bien que ça reste comme ça.

— Vous croyez vraiment aux conneries que vous débitez ? s'exclama soudain Camille qui était apparue à la porte de mon bureau.

Je compris que Luke les avait mis au parfum.

— J'en fais mon affaire, rétorquai-je.

Malgré tout, Rozurial et Vanzir vinrent se poster à mes côtés, suivis de Morio, Camille et Delilah qui se placèrent de façon à former un demi-cercle.

— J'ai une idée, dis-je en enfonçant mon doigt dans le torse du chef de façon à le faire reculer contre ses potes. Cassez-vous d'ici avant que je vous mette dehors. Si je vous reprends à traîner dans les parages, je vous fais arrêter. Et si ça ne calme pas vos ardeurs, je viendrai vous rendre visite au milieu de la nuit en plein sommeil pour m'assurer que vous ne réapparaîtrez jamais dans mon bar.

Les yeux écarquillés, les trois hommes reculèrent vivement. Quand le chef reprit la parole, il avait un ton menaçant.

— Tu es vraiment une abomination ! Comme tous ceux de ton espèce ! Et nous détestons ça.

— Et moi, je déteste les récidivistes, contra Chase qui entrait dans le bar flanqué de deux officiers de police. Toby, je t'ai déjà prévenu que tu finirais en prison si tu continuais comme ça.

Je jetai un coup d'œil à Chase.

— Toby ?

— Toby et ses amis travaillent pour les Assurances du Château Blanc. Ils n'ont sûrement pas pensé à ce que donnerait un casier judiciaire sur leur C.V. (Très calme, Chase me fit signe de reculer.) Je prends le relais.

Il savait s'y prendre, pensai-je en observant ses hommes escorter le trio vers la sortie. Arrivé à la porte, Chase se retourna.

— Au fait, Willy a réapparu sain et sauf. Il était allé rendre visite à sa sœur.

Lorsque la porte se referma derrière lui, je rentrai mes canines et reportai mon attention sur les autres.

— Merci pour votre aide. J'ai dû renvoyer Luke chez lui...

— Oui, il était à deux doigts de se transformer, remarqua Delilah. Son aura était si chargée que j'ai failli me métamorphoser moi aussi. Pour tout te dire, j'aimerais beaucoup prendre mon apparence de panthère et chasser ces idiots.

— Des idiots ? Peut-être, répondis-je. Mais n'oublie pas que des membres de ce groupe ont déjà tué. Ils recommenceront.

— Il y a des groupes anti-Fae plus dangereux que les Anges de la Liberté, fit Vanzir. Même s'ils se font moins remarquer, la Ligue pour une Humanité Purifiée fait beaucoup plus de dégâts. Mais personne n'a jamais réussi à le prouver. J'ai quelques amis qui les surveillent de près.

Je me tournai vers Vanzir. Il avait encore réussi à me surprendre.

— Combien d'amis démons as-tu, au juste ?

Il cligna des yeux. Grâce au sort d'assujettissement, il ne pouvait pas refuser de répondre aux questions qu'on lui posait directement.

—Je n'en suis pas sûr… au moins cinquante ou soixante. Personne ne sait combien nous sommes dans ce réseau. Ça nous aide à nous protéger, ajouta-t-il avec un regard noir.

Il était clair qu'il n'avait pas envie de m'en parler.

—Un réseau ? Quel réseau ? s'enquit Camille d'un air perplexe. Je pensais que tu connaissais simplement quelques démons avec lesquels tu sortais parfois.

Vanzir soupira bruyamment.

—OK, OK, je vais tout vous dire, mais si je ne fais pas attention, ça risque de causer ma perte. Je suis tombé sur un réseau de démons qui ont réussi à entrer sur Terre. Ils ont uni leurs forces contre l'Ombre Ailée. La résistance se construit peu à peu, mais ils ne peuvent pas rester dans les Royaumes Souterrains. Le danger est trop élevé.

Nous savions que certains démons n'étaient pas d'accord avec les projets de l'Ombre Ailée. Toutefois, nous ignorions l'existence d'une résistance active. Dans tous les cas, ce n'était pas le meilleur endroit pour en discuter si nous voulions en garder le secret.

Chase choisit ce moment pour réapparaître.

—Ils ne devraient plus vous embêter. S'ils reviennent quand même, appelle-moi. Ces trois-là sont plutôt inoffensifs, mais leurs amis ne le seront sûrement pas. Tiens-toi sur tes gardes, me prévint-il. Il faut que j'aille dormir. Je n'ai pas arrêté, j'ai besoin de repos. Qu'est-ce que vous faites ?

—Je pense qu'on va retourner chez Harold, répondit Camille. J'ai lu les rapports que Carter nous a donnés. Un nombre insensé d'activités démoniaques a été reporté autour de cette maison ces quatre-vingts dernières années. Des portes démoniaques ont également été recensées plusieurs fois.

Je grimaçai.

— Génial !

— Comme tu dis, fit-elle en jouant avec une mèche de ses cheveux. Chase, tu pourrais demander à l'un de tes hommes de faire une liste des femmes qui ont disparu dans ce quartier durant ces cinquante dernières années ou plus ? N'importe quelle personne qu'on aurait vue là-bas pour la dernière fois et qui n'est jamais arrivée à destination.

Chase hocha la tête.

— Ce sera fait, répondit-il. Soyez prudents.

Delilah s'approcha de lui pour lui déposer un baiser sur la joue.

— C'est promis. Rentre chez toi et dors un peu.

Tandis que le policier passait la porte, je me tournai vers les autres.

— Je crois qu'il n'y a plus d'autres solutions. Il faut retourner là-bas et en découvrir davantage.

Il n'y avait rien à ajouter. Je demandai à Chrysandra de s'occuper du bar pour le reste de la nuit, puis, nous nous mîmes en route. Partisans de Dante, nous revoilà !

Chapitre 24

En chemin, je levai la tête pour observer le ciel. La Mère Lune était presque pleine. Nous devions régler nos problèmes ce soir. Sinon, Camille et Delilah ne seraient plus en état de nous aider. Sans parler des pouvoirs décuplés des autres Fae et créatures surnaturelles qui attireraient de nouveau le Karsetii de notre côté de la porte démoniaque. J'en étais persuadée. Je n'avais jamais de prémonitions… mais là, je le savais.

— On va emprunter le même passage, mais cette fois, on y va tous. On ne peut pas prendre de risques. Delilah et moi avons entendu beaucoup de voix différentes là-bas. Nous aurons besoin du maximum de bras disponibles. S'ils nous attrapent, eh bien… ce n'est pas comme si ce n'était jamais arrivé. On fera avec le moment venu.

En empruntant la même route que la nuit dernière, l'inquiétude commençait à me gagner. Combattre des démons était une chose, s'en prendre à des humains, faciles à tuer et à blesser, risquait de nous apporter le courroux de toute la communauté.

Et qu'allions-nous raconter aux parents d'Harold si nous devions l'embarquer ? « Monsieur et madame Young, je sais que ça va vous paraître insensé, mais votre fils est à la tête d'un culte démoniaque qui a enlevé et assassiné des femmes Fae. » Même si nous pouvions le prouver, je doutais de m'en faire des alliés, surtout après ce que nous avions appris à propos de l'histoire de leur famille. L'existence des Partisans de Dante ne remontait pas à hier.

Et notre altercation avec les Anges de la Liberté n'avait rien fait pour améliorer mon humeur. Pour le moment, je ne me sentais pas très tolérante envers le côté maternel de mon arbre généalogique. Les démons, j'en faisais mon affaire. Les goules et les créatures de la nuit n'étaient que des accidents de la nature. Mais les humains étaient trop calculateurs... ils se cachaient facilement derrière une façade.

Une fois garés quelques pâtés de maisons plus loin, nous nous fondîmes dans l'ombre. Les lumières étaient encore allumées. Après tout, il n'était même pas 23 heures, mais nous ne pouvions pas nous permettre d'attendre. Il y avait un énorme van dans la cour avant. Les garçons étaient peut-être sortis, à moins qu'ils soient en train d'invoquer un nouveau démon ou de jouer à un jeu en réseau.

Visiblement, ils ne s'étaient pas rendu compte de notre petite visite car l'entrée n'avait pas été barricadée. Après avoir laissé le temps à Delilah de crocheter la serrure, je pris la tête de notre petit groupe, faisant signe à Roz de rester derrière moi, puis Delilah, Camille, Morio et enfin Vanzir s'engagèrent à leur tour.

Nous descendîmes le long de l'échelle, des tunnels, suivant la même route en silence. Les seuls bruits que nous entendions étaient les murmures lointains et les allées et venues de petites créatures dans le noir : rats, cafards, musaraignes.

Il planait dans l'air quelque chose que seuls ceux qui avaient l'habitude de vivre sous la lune pouvaient sentir. De la camaraderie. Nous étions les partenaires silencieux du monde, nous foulions la Terre, entourés d'un voile de secrets. Ceux qui vivaient en plein jour étaient bruyants et leurs actions bien visibles. Malheureusement, en plus de dissimuler les créatures mystiques, la nuit cachait également les plus infâmes d'entre elles : les tueurs en série, les violeurs et ceux qui aimaient tirer dans le dos des autres.

Nous arrivâmes devant la porte qui menait au complexe souterrain. Je fis signe aux autres de rester silencieux. Pressant l'oreille contre la porte, je tâchai d'écouter ce qui se passait derrière. D'abord, seules les respirations de mes amis me parvinrent, puis, en me concentrant, leurs souffles disparurent. J'entendais toujours les rats et les cafards… aussi, je continuai jusqu'à les oublier à leur tour.

Alors, je réussis à capter ce que je cherchais : de lointaines incantations. Elles étaient plus profondes qu'avant, plus intenses. Je devais demander à Camille si elle sentait une énergie magique s'en échapper. Mais pour ça, nous devions entrer à l'intérieur. J'écoutai de nouveau pour vérifier que personne ne se trouvait directement de l'autre côté.

Puis, entraînant tout le monde en arrière, je leur racontai ce que j'avais entendu dans un murmure.

— Nous allons nous cacher dans la pièce dans laquelle Delilah et moi avons trouvé les corps.

— N'oublie pas que je connais un sort d'invisibilité, intervint Morio. Il ne dissimule ni les odeurs, ni les bruits, mais on peut s'en servir pour jouer les sentinelles dans le hall.

— Bonne idée, répondis-je en lui tapant dans le dos, soulagée.

Au moins, nous avions un semblant de plan. Même si, comme d'habitude, nous foncions tête baissée pour donner une bonne raclée à l'ennemi en espérant ne pas être blessés. Peut-être qu'il existait des tactiques plus réfléchies, mais je doutais que nous changions nos méthodes un jour.

J'ouvris la porte avec précaution et jetai un coup d'œil dans le hall. Personne. Les psalmodies s'élevaient dans l'air tandis que nous avancions en silence jusqu'à notre destination. La salle n'était pas fermée à clé. À l'intérieur, le corps de Sabele n'avait pas bougé. Furieuse, je fis signe aux autres d'entrer à leur tour. Ils s'exécutèrent avant de s'arrêter net devant le spectacle qui s'offrait à eux. Camille s'approcha du corps et fit glisser ses doigts sur la peau parcheminée.

— Qu'est-ce qu'ils lui ont fait ? murmura-t-elle.

— Je te l'ai déjà dit. Ils lui ont arraché le cœur et lui ont coupé des doigts. C'est une bande de sadiques.

Toutes mes inquiétudes concernant les parents d'Harold passèrent aux oubliettes tandis que j'observais Sabele et me demandais depuis quand elle était attachée ici. L'avaient-ils tuée à cet endroit même ou l'avaient-ils déplacée ? Avait-elle été consciente durant l'opération ? L'avaient-ils violée ? S'étaient-ils amusés de sa peur ? Des souvenirs de ma propre nuit d'horreur aux mains de Dredge me revinrent en mémoire comme les images d'un vieux film. Malgré le fait qu'il soit tombé en poussière et que notre lien ait été rompu, je n'oublierais jamais ce qu'il m'avait fait.

Camille caressa le visage de Sabele et repoussa une mèche de cheveux.

— Dors, dors. Dors et rejoins tes ancêtres, mon amie. Dors du sommeil des anciens, rêve les rêves des divinités. Repose en paix.

Un courant d'air traversa la pièce. Je frissonnai. J'avais la certitude que Sabele se trouvait parmi nous et nous écoutait. Était-elle coincée ici ? Son esprit attendait-il que nous le libérions ?

Lorsque Morio caressa le dos de Camille, elle trembla. Il lui embrassa l'épaule, puis l'oreille avant de se tourner vers moi.

— Qui veux-tu envoyer en mission de repérage ? Il faut quelqu'un de silencieux avec le moins d'odeur possible, dit-il en posant son sac à terre.

— Je vais y aller, répondis-je. Ton sort marche sur les vampires ?

— Je ne vois pas pourquoi ça ne marcherait pas. Je peux jeter le sort sur deux personnes. Tu veux emmener quelqu'un ?

Je secouai la tête. J'avais pensé à prendre Delilah avec moi, mais on ne pouvait pas se permettre d'être séparées. Y aller toute seule serait beaucoup plus simple.

— Non, je suis la plus rapide et la plus silencieuse du groupe. Des recommandations ?

Je baissai la tête vers mes chaussures : à talons, mais pratiques pour la bagarre. J'avais collé du caoutchouc dessous pour ne plus faire de bruit. Certaines de mes bottes faisaient un joli son en claquant par terre. Elles me rappelaient que j'étais encore en vie. En revanche, j'avais rapidement compris que face à des démons, mieux valait être la plus silencieuse possible.

— Si tu rentres dans quelqu'un, il te sentira. Si tu fais du bruit, on t'entendra. Si tu attaques qui que ce soit, le sort se dissipera. Il sert seulement aux missions de reconnaissance. Certains sorts d'invisibilité marchent aussi durant la bataille, mais ils sont difficiles à apprendre. Seuls les sorcières et les enchanteurs les plus puissants s'en servent.

— Combien de temps durera-t-il ?

Il haussa les épaules.

— Difficile à dire. Tout dépend du receveur. Tu devrais avoir dix minutes devant toi... peut-être quinze si tu as de la chance. Quand tu seras invisible, tu ne pourras pas te voir toi-même. Donc quand tu en es capable, c'est que le sort ne fonctionne plus.

— OK, je suis prête. Allons voir de quoi il retourne.

Morio écarta les jambes pour s'ancrer fermement sur le sol. Quand il releva la tête, ses yeux sombres prirent une teinte topaze et je pus voir sa nature démoniaque faire surface. Il prit trois grandes inspirations. Une énergie palpable s'éleva autour de lui, se tordant comme un tourbillon de flammes sinueuses. Puis il posa les mains sur mes épaules.

Je ne compris pas les paroles qui s'échappaient de ses lèvres, mais je sentis mon corps changer. J'avais l'impression de traverser un portail, sauf que ce n'était pas mon entourage qui était nébuleux, mais moi-même. J'avais l'impression d'observer le monde à travers un appareil photo. En baissant les yeux, je me rendis compte que je ne distinguais plus mes mains. Ou mes pieds. Ou n'importe quelle partie de mon corps.

— OK, voilà qui n'est pas rassurant, remarquai-je.

Delilah sursauta.

— Surtout pour nous. Tu viens juste de disparaître.

— Bon, j'y vais. Je taperai trois coups sur la porte en revenant. J'espère simplement ne pas réapparaître avant. La dernière chose dont nous avons besoin, c'est d'être séparés…

J'écoutai de nouveau à la porte. Rien à part les psalmodies. Je me demandai vaguement s'il ne s'agissait pas d'un enregistrement qu'ils passaient en boucle.

Me glissant à l'extérieur, je refermai la porte derrière moi. Personne dans le hall. Le long du mur, évitant les portes qui pourraient s'ouvrir d'un coup, je me dépêchai de descendre le couloir. Je me déplaçais plus vite que les autres, à l'exception peut-être de Vanzir et Roz. Je suivis les voix et la musique qui résonnaient au loin.

En arrivant au bout du couloir, j'aperçus un escalier qui descendait. À côté, il y avait une énorme vitre qui prenait presque tout le mur. Quand je m'en approchai, je sursautai violemment.

Les marches menaient à un amphithéâtre. Les murs étaient noirs avec un liseré doré. Des étagères supportaient des centaines de candélabres en cuivre sur lesquels brillaient trois bougies ivoire. Une peau avait été fixée au mur. Une peau humaine, souillée de runes sanglantes. La clé pour ouvrir une porte démoniaque.

Un gros bloc de marbre noir trônait au centre de la pièce, illuminé de chaque côté par un chandelier rouge sang de deux mètres de haut. Des hommes se tenaient en cercle autour de l'autel. Ils portaient une robe grise avec une large ceinture rouge, noir et or. L'un d'eux brandissait une longue épée à dents de scie.

Toutefois, ce qui attira mon regard fut la forme enchaînée à l'autel. Nue, à l'exception d'une écharpe sur le ventre, une elfe était attachée aux poignets et aux chevilles. Ses longs cheveux blancs tombaient en cascade sur le marbre. Les psalmodies dissimulaient ses cris de détresse. Je reportai mon attention sur l'homme à l'épée. Un trou noir était en train de se former derrière lui. Une porte démoniaque ! Merde... Ils en ouvraient une nouvelle !

Je me retournai pour appeler du renfort. Malheureusement, j'avais été tellement absorbée par mon observation que je ne m'étais pas rendu compte que quelqu'un s'était approché. J'entrai en collision avec un personnage en robe. Morio avait raison. Malgré mon invisibilité, je prenais toujours de la place. L'homme que j'avais renversé était bien réel, comme le fait que je m'étais pris les pieds dans son vêtement et était tombée sur lui en grognant.

Il ne manquait plus que ça ! Quand je tentai de me relever, il réussit à m'attraper par les cheveux. Il tira d'un coup vif. Je répliquai aussitôt en lui assenant une bonne claque. Dès que ma main toucha sa joue, je sentis l'air trembler et commençai à réapparaître. Et merde! Je l'avais attaqué. Il pouvait me voir.

—Qu'est-ce que…? (La voix me semblait vaguement familière. Je lui retirai sa capuche: Duane. Génial. Encore un dont j'aurais pu me passer.) Qui es-tu?

Alors qu'il tentait de se débattre, je lui donnai un coup de poing dans la mâchoire. J'entendis ses os craquer avant qu'il perde connaissance. En relevant la tête, je me rendis compte qu'il n'était pas seul. Un autre homme s'éloignait de moi en courant et en criant. Au départ, je crus qu'il se contentait de s'enfuir, mais soudain, une alarme retentit dans le hall et je compris ce qu'il était en train de faire. Il ne s'agissait pas d'une simple alarme incendie. Des lumières clignotaient au plafond. C'était une alerte générale. Oh putain.

Me relevant d'un bond, je m'élançai dans sa direction, mais il s'enferma dans une pièce attenante. Je décidai alors de le laisser tranquille pour le moment et d'aller chercher les autres. Nous avions perdu notre effet de surprise. Tant pis. Nous ne pouvions pas abandonner cette fille, ni laisser la porte démoniaque ouverte.

La porte s'ouvrit pour révéler Camille et Morio, rapidement suivis des autres.

—On s'en va? demanda-t-elle.

Je secouai la tête.

—Non, ils retiennent une fille prisonnière. Elle est encore en vie, mais pas pour longtemps, si vous voulez mon avis. Elle va servir de repas au démon qu'ils invoquent.

—Alors assez bavardé, intervint Roz.

Ensemble, nous nous dirigeâmes de nouveau vers l'amphithéâtre. Alors que nous nous approchions du corps de Duane, des cris retentirent et l'escalier se remplit d'hommes qui avaient laissé leurs robes derrière eux. Certains paraissaient trop âgés pour aller à l'université. Les rangs des

Partisans de Dante comportaient donc d'anciens élèves en pleine forme !

— Merde, s'exclama Camille. Déployons-nous !

Je pensais que nous passerions sans problème au travers du groupe, mais, à ma grande surprise, je me retrouvai aux prises avec l'un des Partisans. Il me fallut un instant pour comprendre qu'il s'agissait d'un vampire. C'est pas vrai ! Ils n'étaient pas tous humains !

De taille moyenne, beaucoup trop musclé, il avait un éclat rouge dans le regard. Je laissai mes canines s'allonger et feulai d'un air menaçant en lui tournant autour.

— Un problème, Len ? demanda une voix.

— C'est un vampire aussi ! cria-t-il.

Génial. Maintenant tout le monde savait ce que j'étais. J'allais le frapper avec mon coup de pied retourné habituel lorsque quelque chose clocha. Il avait anticipé mon geste et avait reculé. Déséquilibrée, je tombai en avant. Il se jeta aussitôt sur moi. Ensemble, nous roulâmes par terre en nous maudissant mutuellement.

Les bruits des métaux s'entrechoquant, des feux d'artifice et des cris pénétrèrent mon esprit embué de colère. J'essayai de me concentrer, de jauger la dangerosité de mon adversaire.

Si j'arrivais à le repousser, c'est qu'il n'était pas plus fort que moi. En fait, il utilisait toute sa force pour m'empêcher de l'approcher, mais il n'arrivait pas à me faire perdre l'équilibre. J'avais le dessus. Les blessures qu'il affichait au niveau du cou montraient qu'il s'était laissé mordre volontairement ou qu'il avait été attaqué. Dans ce cas-là, était-il faible ? Les marques étaient encore fraîches alors que les vampires guérissaient en quelques heures.

— Sale garce, qui êtes-vous ?

La question me parvint depuis la gauche. Elle était sûrement adressée à Camille ou Delilah… à moins que l'un de nos ennemis aime appeler les hommes ainsi.

— Ton pire cauchemar, grogna Camille d'une voix tonitruante.

Pas très original. Il y eut une grosse explosion, puis de la fumée emplit le hall. Je priai pour que ma sœur ne se soit pas encore brûlée.

Tandis que mon adversaire reculait, surpris, je profitai de l'occasion pour m'occuper de lui de la même façon que les goules. Ça ne le tuerait pas mais…

— Hé Roz ! Un pieu ! J'ai besoin d'un pieu !

Avant que Lenny ait eu le temps de réagir, Roz se trouvait à mon côté avec un pieu à la main. Je jetai un coup d'œil alentour à la recherche de Camille, espérant qu'elle n'avait pas été prise dans le retour de flammes. Là-bas, dans le coin. Elle assenait un coup de genou entre les jambes d'un type. Il tomba en grognant. Elle était drôlement douée. J'aperçus Delilah passer en courant à la poursuite d'un autre homme avec Lysanthra, sa dague. Il criait et se couvrait la tête.

Deux d'entre eux étaient étendus par terre. Le sang qui souillait leurs tee-shirts attestait du fait qu'ils ne prendraient plus jamais part aux petites fêtes de la fraternité. Vanzir avait coincé mon pote Larry contre un mur. Il leva une main et, en un clin d'œil, Larry s'effondra. Qu'avait-il donc bien pu lui faire ? Morio, en revanche, avait pris sa forme démoniaque et faisait face à cinq hommes qui semblaient morts de peur. Si je me fiais à la puanteur que je sentais dans l'air, l'un d'eux avait même pissé dans son froc.

— Attachez-les ! N'oubliez pas de les bâillonner et de leur bander les yeux…, commençai-je en pensant les livrer à Chase.

Tout à coup, le silence tomba et mes mots sombrèrent dans l'abysse. Je parlais, pourtant, je ne pouvais pas entendre ce que je racontais. Perdue, je me retournai pour observer l'expression atterrée de mes compagnons.

Alors, un mouvement dans l'escalier attira mon attention. En fait, tout le monde regardait dans cette direction. Une silhouette émergeait de l'ombre. Il portait une robe comme les autres, mais il y avait quelque chose de menaçant dans son aura, un glamour sombre qu'il était le seul à posséder. Même Len le vampire en était dénué.

Un geste de sa main suffit à faire tomber tous les Partisans de Dante à terre, tête contre le sol. Hein ? Ils semblaient le considérer comme un dieu.

Oh merde. S'agissait-il du démon qu'ils avaient essayé d'invoquer ? Non, même si l'énergie démoniaque s'accrochait à lui comme un cow-boy à un taureau, elle ne provenait pas directement de lui.

Quand il s'approcha davantage, nous formâmes une ligne de défense. Camille se tourna vers moi pour me dire quelque chose, mais aucun mot ne me parvint. Les sons se perdaient dans le couloir.

Alors, l'homme baissa son capuchon pour révéler la copie crachée d'Harold en plus vieux. Son père ? Non, trop jeune. Son oncle, alors ? La flamme qui brillait dans ses yeux montrait qu'il était loin d'être stupide ou inoffensif. La mort entourait son aura comme la cape qu'il portait autour de ses épaules. Un nécromancien. Leur mage de la mort. Un expert peu consciencieux. Il se laissait contrôler par l'énergie plutôt que l'inverse.

Je me rendis compte que Camille me montrait quelque chose. Je suivis son geste. Autour de son cou se trouvait un pendentif, une pierre bleue montée sur un support en argent, un cabochon d'aigue-marine rond et facetté. L'énergie qui s'en échappait me donna envie de tomber à genoux. Soudain, je compris le message que tentait de me faire passer ma sœur. Delilah aussi, visiblement. Il portait un sceau spirituel. Notre ennemi avait le cinquième sceau spirituel entre les mains et il comptait s'en servir contre nous.

Chapitre 25

Je reculai. Savait-il vraiment ce qu'il portait autour du cou ? Était-il de mèche avec l'Ombre Ailée ? Il avança, son regard allant et venant entre Camille et Morio. Il avait sûrement senti la magie de la mort qu'ils utilisaient. Oh merde, s'il les considérait comme des menaces, il les attaquerait en premier. Je m'élançai vers eux pour m'interposer entre Camille et le nécromancien, mais il me paralysa d'un geste de la main. Je ne pouvais plus courir.

Je tombai violemment à genoux. Si j'avais été en vie, je me serais sûrement brisé les os. Dans mon état actuel, la moindre fracture serait guérie dès le lendemain. Alors que j'essayais de me relever, je me rendis compte qu'une force magique m'en empêchait. Malgré mon insistance, je n'arrivais pas à m'en défaire.

En relevant la tête, je vis que Camille et Delilah étaient prisonnières du même sort. Quant à Rozurial, il se débattait et tentait d'avancer malgré tout. Vanzir avait disparu. Avait-il été tué ? Morio, lui, avait repris forme humaine et, comme Roz, luttait pour bouger.

L'homme qui nous avait emprisonnés se dirigeait tout droit vers Camille. Merde et re-merde ! Je pouvais lire la peur dans ses yeux. Morio réussit à s'approcher quelque peu, mais d'un geste de la main, le nécromancien le mit à genoux, lui aussi. Heureusement, Roz était toujours là et faisait un pas à la fois.

L'homme avança à travers l'aura magique sans ciller. Il attrapa Camille par le poignet et la gifla de toutes ses forces. Hoquetant de surprise, elle laissa sa tête tomber en avant. Alors, il la prit dans ses bras et la balança par-dessus son épaule. Puis, il retourna vers l'escalier.

Face à cette scène, ma colère et ma soif décuplèrent. Je sentis mes canines s'allonger. C'était un homme mort. Et j'allais faire en sorte qu'il parte dans la douleur.

Roz se rapprochait lentement mais sûrement des marches. Delilah et Morio, eux, se débattaient toujours. Tous les Partisans de Dante étaient figés, eux aussi.

Quelques instants plus tard, le sort sembla se dissiper. Du moins, pour Roz, Delilah, Morio et moi. Les Partisans restèrent à terre. Alors que je me relevais, j'entendis Camille crier.

Aussitôt, Morio sauta sur ses pieds et reprit sa forme démoniaque, aussi belle que terrifiante. Du haut de ses deux mètres cinquante, il courut vers l'escalier au même moment où Roz arrêtait d'avancer au ralenti. Ils se rentrèrent dedans, mais Morio réussit à attraper l'incube avant que celui-ci tombe la tête la première.

Delilah et moi les suivîmes de près. À peine entrée dans l'amphithéâtre, je m'arrêtai net. La porte démoniaque brillait frénétiquement d'une énergie noir corbeau. Un tourbillon d'étoiles tournoyait à l'intérieur de l'abîme d'encre. L'une d'elles grossissait, se rapprochait.

— Putain ! Quelque chose se prépare à sortir !

Je jetai un coup d'œil autour de moi, tâchant de trouver Camille. Là-bas. Sur l'autel, à côté de l'elfe ! Le nécromancien l'avait menottée. Elle gémissait tandis que de la fumée s'échappait de sa peau. Ah ça oui, c'était un homme mort.

Morio et Roz dévalèrent l'escalier pendant que je prenais un raccourci, en glissant sur la rampe. Je me réceptionnai devant l'autel.

— Laisse-la partir. *Illico.*

Je me relevai sans quitter le nécromancien des yeux. Il éclata de rire.

— Laquelle ? La fille ou l'elfe ? Tu ne peux en libérer qu'une à la fois. Pendant ce temps, l'Ombre Ailée se nourrira de l'autre et le sacrifice aura réussi.

L'Ombre Ailée ? Non, il ne pouvait pas passer cette porte ! Pas le Seigneur des Royaumes Souterrains !

— Tu es complètement fou ! Il va tous nous tuer !

Envahie par une panique aveugle, je me rendis compte que j'étais en train de crier. Face au seigneur démon en personne, nous étions impuissants. Il mènerait son armée à travers la porte et mettrait le monde à feu et à sang.

Morio ne s'embarrassa pas de parole inutile. En un clin d'œil, il se tenait près du nécromancien et lui assenait un coup dans la nuque qui aurait tué n'importe quel HSP. Mais dans son cas, il n'y eut aucune réaction. L'homme recula et regarda Morio d'un air assassin.

— Tu n'as rien à faire ici, rétorqua-t-il en levant la main et en psalmodiant.

Vanzir choisit ce moment pour réapparaître derrière les étagères et le tacler.

Sans attendre une minute de plus, je me saisis des menottes en fer qui retenaient ma sœur prisonnière. Je pouvais les tordre. Mes mains en pâtiraient, mais comme j'étais un vampire, elles guériraient. Camille, en revanche, garderait des cicatrices si elle restait dans cette position trop longtemps. Alors que l'acier ne posait aucun problème pour nous, le fer, lui, se révélait être une vraie torture.

Même si elle se retenait de pleurer, les marques que traçait le métal sur sa peau étaient bien visibles. Je réussis à tordre les menottes et à la libérer.

Vanzir se battait avec le nécromancien. Quand il lui donna un coup de poing dans le nez, l'homme s'écroula. Je lui adressai un grand sourire.

— Je t'aime! criai-je à l'attention du démon en remettant Camille debout.

— Je retiens! me répondit-il.

À l'instant où je m'apprêtais à libérer l'elfe, un fracas en provenance de la porte démoniaque m'arrêta. Même si je n'avais aucune envie de la regarder, il le fallait. Je devais savoir si l'Ombre Ailée arrivait. Dans ce cas-là, nous devions prier pour obtenir du renfort, sans quoi le monde était fichu.

Malgré la douleur, Camille sauta sur ses pieds. Vanzir arracha le collier du nécromancien pour le lui lancer. Elle le cacha alors dans son soutien-gorge, avant de brandir la corne de licorne noire. Delilah prit sa forme de panthère noire. Le seigneur de l'automne se battait-il à nos côtés?

— Appelle Flam! criai-je à Camille.

Hochant la tête, elle ferma les yeux. Le lien magique qui l'unissait à Flam et Morio lui permettait de les joindre quand elle avait besoin d'eux.

Je fis craquer mes doigts. Les bruits qui nous parvenaient depuis le hall indiquaient que les Partisans avaient finalement été libérés du sort qui les retenait prisonniers. Certains observaient la scène à travers la vitre, d'autres s'enfuyaient. Dans tous les cas, ils allaient avoir un choc. S'il s'agissait vraiment de l'Ombre Ailée, ils lui serviraient d'apéritif.

Me préparant à l'inévitable, je me demandai si c'était la fin. Delilah se frotta contre ma jambe pendant que Camille passait un bras autour de ma taille.

— Pouvons-nous le vaincre? Si c'est vraiment lui? murmurai-je.

Elle secoua la tête.

— Non. Pas tout seuls. Il nous faut de l'aide… et les dieux de notre côté. Hé, fit-elle en déglutissant difficilement. (Elle me força à relever la tête pour me regarder dans les yeux.) Nous nous sommes bien débrouillés. Nous avons tenu bon jusqu'à maintenant. Père est fier de nous. Si nous devons tomber, autant le faire aux mains du grand méchant loup, non ?

Alors, un énorme craquement retentit et la porte s'ouvrit en grand. Les yeux fixés sur l'abysse, nous ne pouvions rien faire d'autre qu'attendre.

Le trou noir craqua comme un œuf, puis, dans un éclat de lumière aveuglant, le Karsetii apparut. Il était énorme et complètement remis de notre dernière rencontre. L'énergie qui l'entourait trahissait sa faim.

Aucune importance.

Peu importe qu'il soit énorme, guéri et affamé… Ce n'était pas l'Ombre Ailée. Nous étions sauvés.

Soudain, un bruit derrière nous me fit sursauter. Merde. Le nécromancien s'était relevé. Vanzir se jeta de nouveau sur lui, mais cette fois, il s'y était préparé.

— Grande et puissante Ombre Ailée, accepte mon offrande ! Je vous apporte ce sacrifice, l'âme étincelante d'une elfe, cria-t-il en brandissant son épée.

— Non !

Je l'attrapai par la taille et le jetai vers le Karsetii. La créature créa un clone d'elle-même qui tenta aussitôt de s'accrocher au crâne du nécromancien, mais celui-ci disparut.

Surprise, je me retournai. Où avait-il bien pu passer ? Il n'était nulle part en vue. Alors, je me rappelai que nous avions un démon affamé et en pleine forme en face de nous et reportai mon attention sur des problèmes plus pressants.

Nous ferions mieux de nous en débarrasser pour de bon avant de finir sur son menu.

Le Karsetii nous observait. Il semblait réfléchir à la ligne de conduite à adopter. Tout à coup, un sifflement suivi de nuages brumeux envahirent l'amphithéâtre, laissant apparaître Flam qui sortait à peine de la mer ionique. Quand il aperçut l'état de Camille, il fronça les sourcils.

— Qui t'a fait ça ? demanda-t-il d'une voix sombre.

Roz libérait l'elfe qui s'était évanouie. Nous ne pouvions rien faire de plus pour elle pour l'instant.

— Un nécromancien, répondit-il. Sûrement un Partisan de Dante. Le Karsetii est de retour. Il va falloir le tuer pour de bon, cette fois.

— Où est-il ? Ce sorcier ?

Flam n'allait en faire qu'une bouchée. Camille posa une main apaisante sur son bras.

— Occupons-nous du démon en premier, s'il te plaît. Il risque de s'en prendre à Delilah.

Jetant un coup d'œil au Karsetii, il prit la main de ma sœur pour y déposer un baiser.

— Comme tu voudras, mon amour. (Puis, en se tournant vers nous :) Je peux transporter trois d'entre vous sur le plan astral. Roz, est-ce que Vanzir et toi pouvez vous occuper de Delilah ?

Avant qu'ils aient pu répondre, le Karsetii disparut soudain à travers une porte qui menait dans les profondeurs du labyrinthe.

— Et merde ! Où est-ce qu'il va maintenant ? m'exclamai-je en le suivant à toute vitesse. Dépêchez-vous ! Nous devons le garder à portée pour l'empêcher de créer davantage de clones !

Les autres me suivirent immédiatement dans les couloirs sinueux qui nous menaient toujours plus bas.

Je distinguais à peine le bout de la queue pointue du Karsetii qui fendait l'air comme un mollusque l'eau. Sur le chemin, j'aperçus plusieurs portes qui semblaient ouvrir sur divers laboratoires. J'avais l'impression de jouer dans un film de science-fiction de série B des années 1950 : *Robot Monster, L'Île du docteur Moreau*, *Beginning of the End, Them !*... Tous les vieux films que j'avais appris à aimer.

Je courais si vite que je me fis surprendre par un virage. En me prenant le mur, je me rendis compte qu'ils n'étaient plus en terre, mais en briques et en pierre. Je secouai la tête et repris ma route.

Devant moi, à environ six mètres, le passage s'ouvrait sur l'extérieur. La tête baissée, je fonçai et me retrouvai dans une chambre souterraine qui semblait avoir été creusée dans la pierre.

Elle était si vaste que j'en voyais à peine le bout. Des piliers avaient été laissés à des endroits stratégiques pour supporter le poids de la voûte. Grâce aux lampes accrochées au plafond, un peu comme dans les grottes ouvertes au public, j'aperçus un trou béant en son centre, duquel s'échappaient des volutes de brume.

Tout autour se trouvaient des tables prêtes à l'emploi, remplies de becs Bunsen, de béchers et de différentes jarres.

Je clignai des yeux, perplexe. Il s'agissait réellement du repaire d'un savant fou. Plusieurs corps étaient attachés sur une grande table en métal près du plan de travail principal. La couleur bleutée de leur peau attestait de leur mort... à moins qu'il s'agisse de pictes maquillés, mais j'en doutais. L'un d'eux était couvert d'électrodes. Il était le seul à paraître à peu près normal. Les autres avaient subi des transformations. Un cadavre était couvert d'une substance bleue et gluante.

— Des limaces viro-mortis ! Les plus agressives ! Soyez prudents, criai-je aux autres.

Ces limaces se nourrissaient de chair humaine. Delilah laissa échapper un cri de dégoût avant de ralentir.

— Où est passé ce satané démon ? Et le sorcier ? demanda Flam en faisant les cent pas à la recherche de sa proie.

Il retourna toutes les tables, envoyant les becs Bunsen, les bouteilles et les jarres par terre. Des fumées s'élevèrent des débris à cause des produits chimiques qu'ils contenaient.

— Espérons qu'il n'y aura aucune réaction explosive, remarquai-je.

Son regard assassin me fit ravaler mon sarcasme. Le nécromancien aurait mieux fait de prier pour que je l'attrape en premier. Même si je comptais le faire souffrir, le châtiment de Flam serait bien pire.

— Là-bas, il y a une autre porte ! cria Camille.

Delilah et moi accourûmes vers elle, suivies des garçons.

La chambre dans laquelle nous entrâmes était aussi grande que la précédente, mais ne comportait pas de laboratoire et il n'y avait aucun signe de vie. Soudain, je sursautai en sentant quelque chose sur mon épaule. Je me retournai vivement. Seule Delilah se trouvait derrière moi et elle était trop loin pour me toucher.

— Quelque chose m'a effleurée !

— Une ombre ? Un fantôme ? demanda Delilah en regardant nerveusement autour d'elle. Je ne sens pas la présence du Karsetii. Sauf s'il a décidé de ne pas m'attaquer. Peut-être que vous avez réussi à rompre le lien qui nous unissait.

— Je ne sais pas. (Je sursautai de nouveau et me rapprochai d'elle.) Nous ne sommes pas seuls. Camille, tu ressens une présence ?

Entourée de ses deux hommes, elle ferma les yeux.

— Un démon. Le Karsetii est près de nous.

— Il y a autre chose, intervint Flam. Je sens une créature des enfers. Un mort-vivant… et il n'a pas l'air content.

Génial. Comme si un démon suceur d'âme qui se baladait sur le plan astral et un nécromancien assez puissant pour nous paralyser ne suffisaient pas ! Une nouveauté fraîchement arrivée des enfers. Superbe. Charmant.

— On ferait mieux de tout brûler, qu'on en finisse, marmonnai-je en sentant encore quelque chose me frôler. Ça commence à bien faire ! m'exclamai-je en envoyant mon poing dans la direction de mon agresseur. Montre-toi ! Si c'est la bagarre que tu cherches, sors de là et bats-toi !

Toutefois, ce ne fut pas un démon qui apparut devant nous. Non, il s'agissait d'au moins trente femmes, des Fae pour la plupart, quelques humaines. L'air tourmenté, elles étaient toutes nues avec un trou à la place du cœur.

— Ça alors ! fit Camille. Ce sont les victimes de cette bande de pervers ! Visiblement, les Partisans de Dante n'ont pas chômé durant toutes ces années.

Elle se mordit les lèvres en observant la foule d'esprits qui nous entourait.

— Et maintenant ? demanda Delilah visiblement attristée. Est-ce qu'on peut faire quelque chose pour elles ?

— Tuer leurs meurtriers, rétorquai-je.

— Ça les libérera peut-être, acquiesça Morio, mais il faut d'abord mettre la main sur le nécromancien et le démon.

— OK, répondis-je. Allons trouver le Karsetii et envoyons-le en enfer pour de bon.

Vanzir désigna une tache noire contre le mur du fond.

— J'ai trouvé le nécromancien. Il utilise un sort de camouflage.

Morio plissa les yeux.

— Tu as raison !

Le bras levé, il émit un glapissement et des paroles que je ne comprenais pas. Puis une flamme verte s'échappa de ses doigts. Aussitôt, le feu enveloppa la sphère noire qui se dissimulait devant le granit. Quand il se dissipa, le nécromancien apparut. Il était accroupi contre le mur, essayant de se faire le plus petit possible lorsqu'il comprit que nous le regardions directement. Alors, il se redressa et fouilla ses poches.

— Je ne sais pas où se cache le démon, mais mon repas, lui, est sous mes yeux, fit Flam en nous dépassant.

Avant que le sorcier ait eu le temps de s'écarter ou même de crier, le dragon lui avait ouvert le torse avec ses griffes, l'éviscérant d'un geste. Propre et efficace. Les mains sur le ventre, tentant vainement de retenir ses intestins, le mage releva la tête vers l'homme en blanc qui lui faisait face. Puis il s'effondra par terre avec un léger grognement.

Flam le retourna d'un coup de pied. Le nécromancien n'eut aucune réaction. D'où je me trouvais, je pouvais sentir le sang frais. Mes canines s'allongèrent.

— Passons au démon, lança Flam en revenant jusqu'à nous sans se préoccuper de sa victime. Je sens sa présence dans la pièce, mais sur le plan astral. Il nous attend. (Il tendit les bras.) Je prends les filles avec moi. Rozurial, tu peux t'occuper de Morio avec Vanzir ?

Ils hochèrent la tête pendant que Delilah, Camille et moi nous réfugiions dans les bras de Flam. Je fermai de nouveau les yeux : d'une part, parce que le transport avait tendance à me rendre malade, d'autre part, pour me concentrer sur autre chose que l'odeur du sang qui suscitait une tout autre réaction. Le mal au cœur et la soif n'allaient pas très bien ensemble.

Tandis que nous nous rapprochions du plan astral, je sentis l'énergie du démon s'intensifier. Flam avait raison : le

Karsetii nous attendait. Il devait être vraiment intelligent. Ou malin, du moins. Je me demandais si la reine était une épouvantable bête des profondeurs ou si elle était capable de sentiments. À présent, je sentais en elle une malveillance propre aux êtres doués de raison.

Nous devions nous tenir prêts. À l'instant où nous poserions le pied sur le plan astral, elle se jetterait sur nous. Et s'il s'agissait de la même que nous avions combattue plus tôt, elle serait encore plus forte et plus grosse.

Contact réussi. Je sentis le sol sous mes pieds avant de voir quoi que ce soit. Puis Flam ouvrit les bras et nous nous retrouvâmes au milieu de la brume. Je sautai sur le côté. Delilah m'imita.

Vanzir et Roz apparurent à notre droite avec Morio au milieu, l'air déstabilisé. Comme il était un démon lié à la terre, voyager dans les autres royaumes lui était difficile.

Nous nous déployâmes sans un mot. Camille brandit la corne de la licorne noire. Je me demandai soudain combien de temps elle pourrait s'en servir avant de devoir la recharger. Comme si elle avait lu dans mon esprit, elle se tourna vers moi.

— C'est la dernière fois. Après cette attaque, elle me sera inutile jusqu'à la prochaine lune.

— Attends le bon moment, alors, murmurai-je en cherchant le démon des yeux.

Où était-il ? Je sentais sa présence. Son énergie était tout autour de nous. L'air astral crépitait d'énergie. Je me rapprochai de Roz qui se tenait à ma droite. Delilah et Vanzir se postèrent à gauche d'un air hésitant. Camille, Morio et Flam, eux, avancèrent droit devant. Ensemble, nous formâmes un triangle, gardant un œil dans toutes les directions.

— Il ne faut pas le laisser s'enfuir, cette fois. Il est devenu beaucoup plus fort. Son pouvoir ne cesse de grandir, fit Morio d'une voix basse typique de sa forme démoniaque.

— Ne perdez surtout pas Camille de vue, remarqua Vanzir. Le démon va sûrement sentir le sceau spirituel et essaiera de s'en emparer. C'est comme si une voix criait « Viens m'attraper, viens m'attraper ». Nous aurions dû laisser la sorcière sur le plan physique.

— Pas tant que je serai là, rétorqua Flam.

Tout à coup, Camille hoqueta de surprise. Au milieu de la brume, un filet étincelant de lumière orange était apparu. On aurait dit un voile qui entourait la forme noire du Karsetii qui fonçait vers nous, tête la première.

— Le voilà !

— Tout le monde est prêt ? demandai-je, impatiente de lui rentrer dedans.

Delilah dégaina sa dague en argent tandis que Morio brandissait son épée. Des cordons d'énergie se formèrent entre les mains de Vanzir. Flam recula pour reprendre sa forme de dragon. Quant à Roz, il sortit une paire de poings américains en argent.

— Très bien, murmurai-je. Qu'on en finisse !

Nous nous élançâmes alors vers le Karsetii qui accourait dans notre direction.

Chapitre 26

Le Karsetii hoqueta, ou du moins, il en eut l'air, et deux clones apparurent. Merde. Comment allions-nous les éviter pour atteindre la créature principale ?

— Ne vous préoccupez pas d'eux, fit Vanzir. Ils sont beaucoup moins dangereux que la reine !

— La lumière a marché la dernière fois. Je propose de tout miser sur la lumière et le feu, dit Camille en brandissant sa corne.

— OK, mais essayons d'abord de l'affaiblir. Après tu pourras le carboniser comme bon te semble. (Je lui fis signe de reculer.) Mets-toi à couvert pour qu'on puisse l'attaquer.

Roz leva la main.

— Tout le monde recule. J'ai apporté des munitions.

— Hein ? m'exclamai-je intelligemment en penchant la tête sur le côté.

Ouvrant son manteau avec un sourire appuyé, il en sortit plusieurs boules rougeâtres. Je les avais déjà vues quelque part, mais…

— Des bombes incendiaires ! cria Camille en les couvant du regard.

Son visage s'illuminait chaque fois que Roz sortait des explosifs. À tel point que je commençais à croire que ma sœur avait des tendances pyromanes. Dans tous les cas, ce n'était pas le moment de m'en préoccuper.

— Exactement, acquiesça-t-il d'un air enjoué. Des bombes incendiaires.

Aussitôt, il en lança une sur le démon. Il y eut un éclair et je me rappelai soudain où je les avais déjà vues. Il s'en était servi pour tuer un vampire nouveau-né lorsque nous nous battions contre mon sire. Ah ça oui, cet homme avait plus d'un tour dans sa manche. Ou en l'occurrence, dans ses poches.

La bombe incendiaire explosa en une boule de feu qui vola vers le Karsetii en une traînée d'étincelles. Je reculai juste à temps pour éviter de me faire brûler par l'une d'elles. Le démon cria et tenta de s'enfuir, mais la bombe le toucha en son flanc. De la fumée et une odeur de chair brûlée s'échappèrent de sa blessure.

Alors, les clones se jetèrent sur Roz à travers la brume. Il lança une autre bombe au moment où le Karsetii se tournait vers moi. C'était impressionnant à voir : un mollusque noir fendant l'air avec une tête qui ressemblait à un cerveau géant. Ma façon préférée de passer mes nuits, bien sûr !

Comme la créature avait été capable de comprendre ma stratégie auparavant, je choisis d'éviter son attaque et de sauter à son approche. J'atterris sur son dos. Merde ! Je n'aurais pas dû faire ça ! Une série de chocs électriques me parcourut et je n'arrivai pas à la lâcher. Elle était en train de me griller, électrocution par défaut.

Je tentai d'appeler à l'aide, mais je tremblais tellement qu'aucun mot ne sortit de ma bouche. Heureusement, Vanzir apparut de l'autre côté et m'attrapa pour me sortir de là. La créature continua sa route tandis que nous roulions à terre et que je me retrouvais sous lui. Son regard s'illumina.

— En temps normal, je n'aurais rien contre cette position, murmura-t-il, mais nous avons des monstres à tuer. Il va falloir que je prenne un ticket.

Le repoussant, je me remis debout. Ma tête tournait encore à cause du jus que j'avais pris. Vanzir me lança un baiser avant de prendre le Karsetii en chasse. Il avait à peine fait trois mètres que la créature se retourna dans notre direction.

Merde, il ne plaisantait pas!

—Attention! criai-je en m'écartant.

Il y eut un vacarme assourdissant et la terre trembla sous mes pieds. Quand je regardai derrière moi, je me rendis compte que Flam, sous sa forme de dragon, avait frappé le Karsetii alors qu'il passait près de lui. La créature se trouvait à présent à une vingtaine de mètres de nous, mais malgré son vol plané, elle ne semblait pas blessée. Elle avait repris sa course, tentacules en avant, prêts à s'accrocher à la gorge de Flam.

Dans un mouvement plus rapide et gracieux que je l'aurais cru possible, Flam s'envola pour lui échapper. Le dragon semblait dans son élément, pensai-je, en observant ses ailes battre silencieusement les courants astraux. La brume le suivait, produisant une nuée de fumée derrière lui. Je m'arrêtai, estomaquée par la beauté de la bête.

Vanzir sauta. Des tentacules tourbillonnants s'échappaient de ses mains en direction du Karsetii. Ils ressemblaient à des vers pâles déterrés d'un jardin cauchemardesque. Quand ils entrèrent en contact avec le cerveau démesuré, ils s'enfoncèrent si profondément que je pus voir le bout de l'un d'eux ressortir de l'autre côté dans la brise astrale. On aurait dit une lamproie dont les dents s'accrochaient à ses victimes.

L'attaque de Vanzir ressemblait à une danse effrénée. J'entendis Delilah vomir. L'air horrifié, elle regardait Vanzir et le démon tour à tour. Quand je réussis à attirer son attention, je secouai la tête. Nous ne pouvions pas nous permettre de faire nos chochottes. Le Karsetii lui avait fait exactement la même chose. Elle devrait être reconnaissante de ne pas en être morte.

Tandis que Vanzir se nourrissait de l'énergie de la créature, Morio s'engagea dans la bataille sous sa forme humaine. Il enfonça son épée en argent derrière la tête du Karsetii qui se débattit. Ce geste sembla sortir Delilah de sa torpeur car elle l'imita avec sa propre dague. Quant à moi, comme je ne pouvais pas me servir de l'argent, je lui assenai un bon coup de pied sous l'œil.

Furieuse, la créature réussit à attraper Morio avec un tentacule, mais au lieu de l'attirer à elle, elle le fit voler au travers de la pièce près de Camille. Alors que celle-ci l'aidait à se relever, la voix de Flam retentit :

— Poussez-vous !

Nous nous éloignâmes aussitôt et Vanzir retira ses vrilles, comme un cordon électrique qui s'enroule dans l'aspirateur.

Ouvrant la bouche, Flam laissa échapper une énorme boule de feu qui fendit le ciel pour s'écraser sur le Karsetii. Le démon cria de douleur et rappela ses clones pour récupérer de l'énergie.

— Il se régénère ! criai-je.

Roz lança une autre bombe incendiaire qui réussit à l'atteindre tandis qu'il s'élançait dans sa direction. Il l'avait touché à l'œil. Son grognement résonna à nos oreilles. Il nous chargea comme un taureau enragé.

Delilah s'élança aussitôt à sa suite. La tête du Karsetii semblait palpiter. L'idée d'utiliser de la musique pour le calmer me vint à l'esprit, mais je repoussai l'idée en bloc. Je doutais que *La Berceuse* de Brahms puisse résoudre quoi que ce soit.

Je décidai de suivre Delilah à la trace. Même si elle se battait bien, elle n'avait aucune chance contre cette créature.

Toutefois, elle réussit à me surprendre. Grâce à l'élan qu'elle avait pris, elle sauta, se retourna en l'air et atterrit assez près pour porter son coup.

— Lysanthra ! cria-t-elle.

En guise de réponse, sa lame bourdonna et se mit à scintiller. Je m'arrêtai. Peut-être n'avais-je rien imaginé. Peut-être que cette lame possédait une forme de magie inconnue. Camille n'avait jamais réussi à réveiller la sienne, mais, visiblement, celle de Delilah était devenue une amie fidèle.

L'argent prit une teinte rougeâtre, tandis que de la vapeur s'en échappait. Hein ? Voilà qui était étrange. Lorsque Delilah la plongea dans le flanc du démon, la vapeur devint consistante et prit la forme incontestable d'un esprit ailé. Rien à voir avec les esprits de la nature : ses dents longues et brumeuses s'attaquèrent sans merci au démon.

— Putain de merde, s'exclama Camille. (Après avoir aidé Morio à se remettre debout, ils avaient tous deux assisté à la scène.) Qu'est-ce que c'est ?

— Je n'en sais pas plus que toi, répondis-je en secouant la tête pour sortir de ma torpeur.

Le démon criait à présent si fort qu'il me faisait mal aux oreilles, mais il s'élançait toujours en direction de Roz qui courait le plus vite possible, comme s'il avait un père en colère aux trousses. De mon côté, je pris mon élan et frappai la créature à l'endroit où Delilah l'avait déjà blessée. Même si l'esprit avait disparu, la plaie ne s'était pas refermée. Au contraire, elle semblait s'étendre. Le coup de dague avait porté ses fruits.

Rozurial se retourna soudain et hurla :

— Reculez !

Je me jetai sur le côté. Pas la peine de me le répéter deux fois, surtout quand il se baladait avec des bombes incendiaires. À peine m'étais-je accroupie, la tête baissée, qu'une explosion secoua les alentours et m'envoya voler deux mètres plus loin.

Relevant la tête, j'aperçus le Karsetii changer de trajectoire. À présent, il se dirigeait droit sur moi avec un regard de prédateur blessé. La plupart de ses tentacules avaient été coupés ou brûlés. Les jouets de Roz marchaient du tonnerre.

Je me relevai pour m'échapper. Pas question de rester sur le passage d'un démon enragé. Et puis, peut-être pouvais-je lui porter un coup, moi aussi. Dans tous les cas, il était grand temps que Camille se serve de sa corne. J'espérais qu'elle était prête. J'étais sur le point de lui suggérer gentiment de se bouger le cul lorsque je trébuchai sur quelque chose qui sortait du sol.

Le plan astral contenait des pierres et des arbres difformes que les nouveaux venus confondaient trop souvent avec ceux du plan physique. Il ne fallait jamais oublier qu'ici, il s'agissait d'êtres animés ou, du moins, d'êtres capables de sentiments. La chose qui m'avait fait tomber avait déjà disparu dans la brume.

Oh merde. Je jetai un coup d'œil par-dessus mon épaule. Le Karsetii gagnait du terrain. Il paraissait beaucoup plus fort maintenant qu'il était blessé… ou du moins plus agressif. Je me relevai d'un bond et pris mes jambes à mon cou, mais ses deux tentacules restants furent plus rapides. Ils m'attrapèrent et me soulevèrent. Un troisième semblait me renifler, bien trop près de ma tête à mon goût.

Puis, comme si je ne l'intéressais pas, le tentacule retomba et on me rejeta. Sans comprendre ce qui m'arrivait, je me retrouvai libérée… et fis un vol plané. Le monde tournait autour de moi. La chute allait faire mal. Très mal. Heureusement que j'étais un vampire. Un os cassé se réparerait, une artère sectionnée ne serait pas un gros problème... Du moment que je ne tombais pas sur la tête ou sur un pieu, ça devrait aller.

Quand le sol se rapprocha, je me retrouvai à plat ventre dans la brume. Dieux merci. Il n'y avait rien sous moi, aucune branche d'arbre, ni pierre, ni brindille. Toutefois, le choc me secoua tellement que j'eus du mal à bouger. Grimaçant, je me relevai en position assise. Rien de cassé. Rien de grave. Même pas le souffle coupé, puisque je ne respirais pas. Le coup m'avait un peu assommée, mais à peine redressée, j'étais déjà prête à foncer dans la mêlée.

Je me retournai pour voir où se trouvait le démon. Là-bas : en direction de Camille et Morio. Roz lui courait après, une bombe incendiaire à la main, suivi de Delilah et de Vanzir qui arrivaient de l'autre côté. Soudain, un bruit d'ailes qui battaient l'air retentit. Je relevai la tête pour apercevoir Flam.

Il cracha un jet de flammes sur le dos de la créature avant de virer à droite. Le Karsetii ralentit. Pas beaucoup, juste assez pour indiquer qu'il avait été blessé. Roz balança sa bombe sur la plaie que lui avait infligée Delilah plus tôt et qui continuait à s'étendre. Alors je compris le pouvoir de sa dague : ouvrir des plaies qui ne se refermaient pas. Le Karsetii ne pourrait pas en guérir aussitôt, même s'il réussissait à puiser de l'énergie dans l'un de nous. Nous pouvions le tuer.

Après avoir sorti la corne de son étui, Camille me fit des signes frénétiques. Je m'arrêtai pour chercher un endroit où me cacher. Roz et Delilah se séparèrent de chaque côté. Vanzir rejoignit Morio près de Camille. Je l'entendis psalmodier, mais je ne tendis pas l'oreille. Je devais trouver une cachette. La lumière ou le feu, c'était du pareil au même. Je ne voulais pas me trouver près de la corne lorsqu'elle laisserait échapper son pouvoir.

Tout à coup, je sentis des serres se refermer sur ma taille. Flam me souleva et m'emporta en l'air avec lui. En sécurité entre ses pattes avant, j'observai le sol couvert de brume, tandis que nous fuyions Camille et sa corne de la mort.

Au bout d'un moment, Flam redescendit et me posa délicatement avant d'atterrir. En un clin d'œil, il reprit forme humaine et ouvrit son manteau. Je me réfugiai à l'intérieur sans y réfléchir à deux fois. Ça commençait à devenir une habitude, mon beau-frère qui me sauvait des pouvoirs court-circuités de ma sœur.

Tout sourires, je me serrai contre lui. Comme toujours, ses vêtements étaient immaculés, mais il empestait la testostérone et la sueur de dragon. Alors qu'il refermait les pans de son trench-coat sur moi, un éclat illumina le ciel. Je pouvais l'apercevoir à travers le tissu. Il y eut un cri.

— Elle a réussi, murmura Flam. Ma femme a tué le démon.

Puis, je le sentis se crisper. Oh merde, avait-elle été victime d'un retour de flammes ? Un de ses sorts magnifiés par le pouvoir de la corne aurait pu la tuer sans problème.

Dès que les choses furent retournées à la normale, Flam ouvrit son manteau pour me laisser sortir. Nous partîmes aussitôt en courant jusqu'à ce que, en un clin d'œil, mon compagnon se retransforme en dragon. Il m'attrapa de nouveau grâce à ses pattes et ses ailes fendirent l'air pour nous ramener vers Camille et le démon.

Inquiète, j'observai le sol disparaître en dessous de nous. Comment allait-elle ? Le démon était-il mort ?

Alors que nous nous approchions de la scène de la bataille, une odeur nauséabonde nous parvint. De la chair brûlée. Merde. Faites que ce soit celle du démon ! Flam descendit jusqu'au sol et me libéra avant de reprendre forme humaine. Ensemble, nous nous enfonçâmes dans les nuages gris pour constater les dégâts. Arrivant de la ligne de touche, Roz et Delilah nous rejoignirent.

J'entendis quelqu'un tousser. Une femme.

— Camille ? Ça va ? demanda Delilah en se frayant un chemin dans la fumée. Camille ?

— Par là ! On est là ! répondit une voix familière qui me rassura.

— Ça commence à bien faire ! s'exclama Flam.

Il fit un pas en arrière et se retransforma en dragon. Battant des ailes rapidement, il réussit à dissiper la fumée. Maintenant que la voie était claire, le chaos qu'avait semé Camille apparut devant nos yeux.

Assise par terre, l'air épuisé, elle était couverte de suie, de cendres et d'une substance gluante noire… sûrement des morceaux de notre démon. Morio et Vanzir, accroupis à ses côtés, étaient dans le même état. Aucun signe du démon… du moins pas assez gros pour s'en inquiéter. Des bouts du Karsetii étaient répandus partout, immobiles, enfin morts.

Camille leva la tête vers moi.

— On a réussi. On l'a tué.

— Tu as toujours le sceau spirituel sur toi, pas vrai ? demandai-je.

Elle porta la main à son décolleté et hocha la tête.

— Oui, il est en sécurité.

— Alors notre boulot ici est terminé. Il ne nous reste plus qu'à rentrer et à nettoyer le sol avec les Partisans de Dante. Et à détruire la porte démoniaque avant qu'autre chose la traverse. (Je jetai un coup d'œil autour de moi.) On ferait mieux d'y aller. Est-ce que l'un de vous ressent encore l'énergie de la reine ?

Vanzir s'agenouilla pour ramasser un bout du démon dégoulinant. J'essayai de ne pas grimacer. Ç'avait l'air répugnant. Les yeux fermés, il le renifla. Au bout d'un moment, il le rejeta par terre et s'essuya les doigts.

— Non, elle est morte pour de bon.

— Avec un peu de chance, il n'y en aura pas d'autre avant deux mille ans, remarquai-je. Retournons chez Harold et empêchons une telle chose de se reproduire. Même si leur nécromancien est mort, ils trouveront un moyen de garder la porte ouverte.

— Ou alors, ils en trouveront un autre. Comment peut-on refermer une porte démoniaque ? demanda Camille en se tournant vers Morio.

Il fronça les sourcils.

— Si nous avions un nécromancien qualifié de notre côté, il s'en chargerait sans aucun problème. Grâce à la magie noire que nous avons apprise, nous arriverons sûrement à réduire son pouvoir, mais pour la détruire entièrement, il nous faut quelqu'un capable d'en créer une.

— Qu'est-ce que ça veut dire ? Qu'ils pourraient la rouvrir après votre passage ?

Déjà que je ne connaissais rien à la magie normale, alors la magie noire...

Morio soupira.

— Pas tout à fait. Quand un magicien crée une porte démoniaque, il ne se contente pas de jeter un sort. Il creuse un passage jusqu'aux Royaumes Souterrains. Du moins, il est censé le faire. Dans le cas présent, ce charlatan a créé un passage vers le plan astral au lieu des Royaumes Souterrains. C'est pour ça qu'ils ont attiré un démon astral. Mais une fois la porte ouverte, elle est très difficile à refermer. On ne peut pas se contenter d'inverser le sort. Il faut boucher les fissures qui ont été ouvertes. Camille et moi ne possédons pas la force nécessaire pour refermer une porte créée par un nécromancien.

— Et merde ! Qu'est-ce qu'on peut faire, alors ? fit Delilah en se relevant.

Elle aida Camille à faire de même. Flam et Rozurial semblaient réfléchir intensément, alors que Vanzir paraissait tout simplement énervé.

— Je sais ! répondis-je en souriant. Il va nous falloir user de persuasion et marchander, mais je sais vers qui nous pouvons nous tourner !

— Qui ? s'enquit Flam. Je vous préviens, Camille n'a plus le droit de marchander !

— Tu as trop peur qu'elle répète le marché qu'elle t'a accordé, hein ? le taquinai-je en riant. (Face à son air renfrogné, je secouai la tête.) Ne fais pas cette tête ! Je pensais à Wilbur. Vous savez, Wilbur et sa goule Martin ? Notre nouveau voisin ? Je vous parie tout ce que vous voulez qu'il est assez puissant pour résoudre notre petit problème.

— Bien sûr ! s'exclama Camille. S'il est capable de créer une goule du niveau de Martin, il sait sûrement ouvrir, et fermer, une porte démoniaque !

— Comment est-ce qu'on va s'y prendre ? demanda Rozurial. Est-ce qu'on va le chercher ou…

Je secouai la tête.

— Non, il faut d'abord empêcher les Partisans d'invoquer une autre créature. Ensuite, on ira supplier Wilbur. S'il veut de l'argent en échange, on trouvera un moyen de le payer. S'il préfère un ou deux cadavres pour se créer des amies goules, on lui en procurera.

— Je crois qu'on a un plan, dit Delilah.

Je hochai la tête.

— Oui. On va mettre les Partisans de Dante au tapis pour de bon. Après, je suggère de raser leur maison et de remplir leurs tunnels de béton.

— Je peux faire bien mieux, répondit Vanzir, tout sourires.

Tandis que nous quittions le plan astral pour retourner dans la maison de l'enfer, il n'en révéla pas davantage.

Chapitre 27

À notre départ, le chaos régnait déjà dans l'amphithéâtre, mais durant notre petit voyage sur le plan astral, les choses avaient encore empiré. L'elfe, que nous avions laissée sans connaissance, était de nouveau attachée et entourée d'un groupe de jeunes hommes en jean et baskets. Ils avaient l'air beaucoup moins impressionnants sans leurs robes. Harold se tenait devant l'autel, la porte démoniaque étincelant derrière lui. Il psalmodiait en latin.

— Vous essayez d'invoquer un autre grand méchant loup ? demanda Camille en faisant un pas en avant. N'y pensez même pas !

Harold la regarda de haut en bas.

— Vous avez notre pierre de l'âme. Rendez-la-nous tout de suite. Sinon, on va devoir utiliser la force. Elle appartient au haut prêtre de notre ordre. Il vous détruira dès qu'il reviendra.

— Ton haut prêtre est étendu dans un laboratoire souterrain, vidé comme un poisson, rétorqua Flam. Je te conseille de ne pas attendre de renforts.

— C'est pas grave, je vais prendre la relève, fit Harold sans ciller.

Le souffle coupé, je n'arrivais pas à croire qu'il ait encore le toupet de parler.

— Réveille-toi, mon pote ! Ton oncle a été tué et tu t'en moques complètement ! On a détruit le démon que vous aviez invoqué. Rassure-moi, tu adores être débile ou est-ce que tu étais tout simplement absent le jour de la distribution de cerveaux ?

— Ta gueule, le vampire, lança-t-il en ricanant, ou je ramasse un cure-dent pour te réduire en poussière.

En un instant, je l'avais repoussé loin de l'autel et de l'elfe. Il vola jusqu'au deuxième niveau de l'amphithéâtre.

— Fils de pute ! Tu as tué tellement de femmes que seuls les dieux peuvent en connaître le nombre exact et tu te permets de nous dire ce qu'on a à faire ?

Alors que je m'approchais de lui, il fit un saut périlleux arrière pour m'éviter et se réceptionna sur ses jambes à la Bruce Lee.

— Allez viens, ma belle ! On a peut-être un look de premier de la classe, mais on sait se battre. Alors casse-toi ou attaque-moi une fois pour toutes !

Son ton condescendant m'énervait autant que son regard confiant. Ce type allait recevoir une bonne leçon. En un clin d'œil, je me retrouvai devant lui sans qu'il se rende compte que j'avais bougé. Visiblement, il n'avait pas souvent eu affaire à des vampires. Avant qu'il ait eu le temps de faire quoi que ce soit, je l'attrapai par les cheveux et tirai si fort que je manquai de lui briser la nuque.

— Tu as senti, mon chéri ? Tu as senti ma force ? Tu n'as aucune idée de la facilité avec laquelle je pourrais briser ta sale petite nuque !

Me penchant en avant, je laissai mes canines s'allonger. La haine que je ressentais à son égard pour avoir tué Sabele, Claudette et toutes les autres femmes bouillait dans mes veines.

— Tu es le genre de pervers que je mange au dîner. Compris ? Les types comme toi, je les vide de leur sang et jette leurs restes aux rats. Maintenant, donne-moi une bonne raison pour que je ne fasse pas la même chose avec toi. Une seule.

Il se débattit, mais s'arrêta aussitôt lorsque je posai mon index sur son cou. La pression devait être vraiment douloureuse. Et si je la faisais empirer ? J'appuyai plus fort. Une seconde seulement, juste assez pour le faire gémir. Si je continuais, il allait s'évanouir.

Je jetai un coup d'œil aux autres membres du groupe. Ils étaient treize en tout et attendaient les instructions d'Harold. Parmi eux se trouvait Duane. Il semblait avoir le nez cassé. Merde ! J'étais persuadée de lui avoir pété la mâchoire !

Quand il fit un pas dans ma direction, je secouai la tête.

— Un pas de plus et ton pote est mort. Je ne plaisante pas. Dégage parce que tu es le suivant sur ma liste.

Flam, Morio, Vanzir et Delilah s'approchèrent des autres. Camille libéra de nouveau l'elfe avec l'aide de Rozurial qui s'occupa des menottes de fer pour elle. Puis, ma sœur prit la fille dans ses bras, elle ne devait pas peser grand-chose, et la porta sur le côté pour l'allonger par terre. Elle jeta un regard noir à Flam jusqu'à ce qu'il condescende à couvrir la pauvre femme avec son manteau, avant de reprendre sa place près des idiots que nous avions parqués.

En sentant le pouls d'Harold s'affaiblir, je relâchai la pression.

— Maintenant, tu vas tout nous raconter : combien de femmes vous avez tuées, une liste de vos membres, tout un tas de choses excitantes. Sinon, on vous tue. Jusqu'au dernier. L'un après l'autre de la manière la plus douloureuse que l'on trouvera.

— Tu… tu n'oserais pas…, commença-t-il.

Je soulevai mon tee-shirt pour le forcer à regarder mes cicatrices.

— Mauvaise réponse ! Regarde-moi bien ! Avant de me transformer en vampire, on m'a fait subir des tortures auxquelles tu n'aurais même pas pensé. Je n'ai rien à perdre. Je sais rendre la monnaie de la pièce. Compris ?

Me penchant en avant, je libérai mon glamour de vampire et de Fae. Aussitôt, Harold se fit malléable entre mes bras. Je le relâchai à contrecœur. Je voulais lui faire mal.

— À genoux ! ordonnai-je.

Si je ne pouvais pas jouer au bourreau tout de suite, j'allais le mettre plus bas que terre. Il s'exécuta en gémissant. Ses camarades nous observèrent, les yeux écarquillés. Ils tentèrent de battre en retraite, mais Delilah et les garçons les en empêchèrent.

— Tu as tué Sabele, pas vrai ? Tu l'as suivie, tu l'as kidnappée et après, tu l'as sacrifiée aux démons ? (Je voulais l'entendre de sa bouche.) Et Claudette, le vampire ?

Il prit une grande inspiration. Je dus le secouer pour obtenir une réponse.

— Oui ! C'est vrai ! Sabele ne m'aurait même pas donné l'heure si je la lui avais demandée ! Elle ne me regardait pas ! Alors, j'ai décidé d'en faire un sacrifice. Je l'ai attrapée quand elle est sortie se promener. Elle nous a suppliés de l'épargner, ajouta-t-il avec un sourire satisfait. Elle nous a suppliés à genoux, complètement nue.

— Et Claudette ?

— Au départ, nous pensions qu'il s'agissait d'une Fae. Nous l'avons invitée ici. Elle comptait se nourrir de nous. Alors, on l'a capturée à l'aide d'un cercle d'ail et d'argent. Nous n'avions pas d'autre choix. Nous devions la tuer.

Je fermai les yeux. Harold s'intéressait vraiment à Sabele. Et même si elle avait accepté ses avances, il aurait probablement fini par la tuer. Dans le cas de Claudette, le chasseur était devenu la proie. Dommage qu'elle n'ait pas réussi son coup.

— Depuis combien de temps invoquez-vous des démons ?

Harold cligna des yeux et son sourire disparut.

— Nous n'avions jamais réussi à attirer leur attention jusqu'à ce que mon oncle commence à étudier la nécromancie auprès d'un enchanteur l'année dernière. C'est la première fois qu'une porte démoniaque s'ouvre réellement. Jusqu'à présent, les cœurs de nos victimes servaient uniquement de sacrifices.

— Qui a créé cet ordre ? demandai-je même si je connaissais déjà la réponse.

— Mon arrière-grand-père, répondit Harold en gémissant. Il faisait partie d'un groupe similaire en Angleterre. Il l'a amélioré, l'a rendu plus puissant. Quand il a découvert la pierre de l'âme, les gens ont commencé à le suivre. Il l'a léguée à mon grand-père qui l'a donnée à mon oncle à son tour. Mais à l'époque, l'organisation n'était que l'ombre de ce que j'en ai fait aujourd'hui.

— Pourquoi ton père a-t-il été mis de côté ?

Je penchai ma tête sur le côté pour observer son pouls battre dans son cou. J'avais soif. Vraiment très soif.

Harold déglutit difficilement.

— Mon grand-père pensait que mon père était trop faible, qu'il n'était pas assez fort pour prendre les rênes.

— Où est-ce que ton arrière-grand-père a trouvé le sceau… la pierre de l'âme ?

Il secoua la tête.

— Je ne sais pas. Mais mon oncle a vite compris qu'elle était plus puissante qu'on le pensait. Je ne sais pas comment. Et il y a un an, nous avons découvert l'existence de l'Ombre Ailée.

Je me raidis. Nous les avions entendus l'invoquer. Je fis redoubler mon glamour. C'était le moment ou jamais d'en apprendre davantage.

— Qui vous a parlé de l'Ombre Ailée ? Dis-moi tout.

— On est tombés sur une bande de démons bourrés dans un club du centre-ville. Ils nous ont parlé de l'invasion qui se préparait. Jusqu'à présent, mon grand-père sacrifiait des jeunes femmes en l'honneur du diable, mais on a pensé qu'il serait plus intelligent de les offrir à l'Ombre Ailée en échange de nos vies lorsqu'il prendrait le contrôle de la Terre. Il aurait peut-être même condescendu à nous faire une place dans sa Cour. Après, il semblait logique de tuer des Fae et des elfes plutôt que des humaines. Alors mon oncle a appris à créer une porte démoniaque et nous nous sommes servis de la pierre de l'âme pour invoquer l'Ombre Ailée…

— Oui, ton oncle ! rétorquai-je en fronçant les sourcils. Ton oncle était un imbécile. Vous n'avez jamais invoqué l'Ombre Ailée, bande d'idiots ! Vous avez appelé un démon astral ! C'est la seule raison pour laquelle vous êtes encore en vie. L'Ombre Ailée vous aurait réduits en miettes. Ton oncle était un nécromancien négligent. Qui lui a enseigné la magie ?

Il s'humecta les lèvres.

— Rialto, un enchanteur italien. Il lui a offert sa fille en échange.

Fermant les yeux, je tentai de repousser la vague meurtrière qui venait de m'envahir.

— Il l'a payé avec sa propre fille ?

Harold hocha la tête.

— Elle a douze ans. Elle est assez vieille.

Assez vieille ? Je me forçai à prendre une grande inspiration, puis à compter jusqu'à vingt avant de reprendre la parole.

— Une dernière question. Rialto, vit-il à Seattle ?

Le souffle court, il acquiesça et me donna son adresse. Alors, je ne pus me retenir plus longtemps. Je me penchai en avant et enfonçai mes canines dans son cou. Rien n'aurait pu m'en empêcher. Camille et Delilah le savaient parfaitement. Nos amis aussi.

Je déchirai sa chair. Je voulais le faire souffrir le plus possible. Je me contentai de lécher le sang qui s'écoulait de sa plaie sans lui offrir le plaisir de la communion. Il cria et mourut sous mes canines. Quand je reculai et observai les autres avec un malin plaisir, j'eus la satisfaction de les voir reculer.

Delilah était sur le point de dire quelque chose lorsque Roz l'en empêcha en posant une main sur son bras. Elle hocha la tête en soupirant.

Je n'essuyai pas le sang sur mon menton, ni sur mon tee-shirt. Je voulais qu'ils me craignent. Je voulais qu'ils fassent dans leur froc en sachant qu'ils étaient les prochains sur ma liste. Ce fut le cas de l'un d'entre eux: Duane. La puanteur de l'urine attira mon attention.

Ni une, ni deux, je m'approchai de lui pour lui assener une claque magistrale, lui cassant le nez pour de bon. Il gémit et se mit à pleurer, mais ce n'était pas encore assez. Je lui donnai un coup entre les jambes. Il tomba à terre. Avec la force que j'avais utilisée, il ne serait plus jamais capable d'avoir des enfants. Il ne serait même plus capable d'essayer.

Avec un léger sourire, je me tournai vers Camille.

— Si tu ne veux pas que je me charge d'eux, dépêche-toi d'appeler Chase. Je serais ravie de faire le sale boulot, pour une fois, mais il a le droit à sa part, lui aussi.

Camille secoua la tête.

— Ils en savent trop. Ils connaissent l'existence de l'Ombre Ailée. On ne peut pas prendre le risque de les laisser parler. Pour être franche, je ne sais pas quoi faire d'eux.

— Alors, on n'a plus qu'à jouer aux juges, au jury et aux bourreaux. Ce sont tous des meurtriers. Certains sont aussi des violeurs et des sadiques. Ils auraient regardé l'elfe se faire tuer sans bouger le petit doigt. Je ne sais pas quelle est la meilleure solution. En tout cas, si tu veux en être débarrassée, je m'en occupe sans problème, répondis-je. Et sans le moindre remords, par-dessus le marché.

Delilah nous interrompit.

— On pourrait les livrer à Tanaquar. Après tout, ils ont essayé d'invoquer l'Ombre Ailée et nous avons découvert qu'ils possédaient un sceau spirituel. Ce sont des prisonniers de guerre. Même si le seigneur démon ne connaît pas leur existence, ils ont essayé de s'enrôler dans son armée.

Je lui adressai un sourire éclatant.

— Tu es la plus intelligente d'entre nous, Chaton. Qu'est-ce qu'on fait pour la maison ?

— Comme je l'ai déjà dit, je m'en occupe, fit Vanzir. Une fois que la porte démoniaque sera refermée, je demanderai à des amis de venir m'aider. La maison sera détruite par un feu si puissant qu'il ne restera aucune preuve de ce qui s'est passé, pas même des corps. Personne ne saura que ces types sont encore vivants.

Camille hocha la tête.

— Très bien. Flam peut me ramener à la maison. On va aller chercher Wilbur pendant que vous ferez traverser le portail à nos amis. J'en avertirai l'OIA grâce au miroir des murmures.

— C'est un bon plan. Vas-y, acquiesçai-je, contente que ce soit enfin fini.

Je préférais de loin combattre un Karsetii que des humains. C'était plus simple de faire face à des démons qui avaient la tête de l'emploi.

Une fois Camille et Flam partis, j'envoyai Roz et Delilah à l'étage vérifier que personne ne s'y cachait et verrouiller la porte principale. Pour prévenir toute mutinerie, nous avions drogué nos prisonniers avec des somnifères trouvés dans leurs chambres. Personnellement, j'espérais que c'était la dernière nuit de sommeil paisible dont ils feraient l'expérience. Delilah n'avait pas l'air frais quand elle revint de sa petite exploration. Elle balança une grosse boîte de Z-fen et des cassettes vidéo à mes pieds.

— Chase voudra sûrement les voir. Au moins, il ne posera aucune question sur le sort que nous avons réservé à ces types, murmura-t-elle.

Elle était sur le point de se transformer, mais je sentais davantage son aura de panthère que celle de chat.

— Les filles ? demandai-je doucement.

Elle hocha la tête.

— Oui, ils ont filmé tous les rituels. C'est affreux. Vanzir a raison. Il faut réduire cet endroit en cendres. Il y a beaucoup trop de fantômes entre ces murs, Menolly. Beaucoup trop de douleur. Tous les esprits que nous avons découverts en bas, pouvons-nous les libérer ? Ou continueront-ils à hanter les lieux ?

— Je ne peux pas te répondre. Comment un tel massacre a-t-il pu passer inaperçu pendant si longtemps ? Je n'arrive pas à croire qu'aucun d'entre eux n'ait fait un faux pas.

Delilah soupira.

— Ils se sont protégés mutuellement. Comme à la guerre. C'est plus facile de garder un secret quand tes potes le partagent. Tout le monde a quelque chose à perdre et personne ne veut finir en prison ou pire, sur la chaise électrique. (Elle s'essuya les yeux.) Ils croyaient vraiment que l'Ombre Ailée les protégerait. Les gens arrivent à s'inventer de jolis bobards. Parfois, j'ai envie de prendre ma forme de chat et de ne plus jamais revenir. Ce serait tellement plus facile…

Je la pris dans mes bras.

— Bien sûr que ce serait plus facile, mais nous avons besoin de toi. Et puis, tu raterais les émissions de Jerry Springer ! Regarde les choses sous cet angle : cette bande de salopards ne pourra plus jamais tuer qui que ce soit. Nous n'avons pas pu empêcher les meurtres qu'ils avaient déjà commis, mais il n'y en aura pas d'autres. Nous avons aussi sauvé la vie d'une elfe !

Delilah jeta un coup d'œil à la fille, qui avait repris conscience. Morio s'occupait d'elle, tandis que Roz cherchait des antidouleurs dans ses poches à la Mary Poppins. Elle se remettrait facilement de ses blessures. Nous la ramènerions en Outremonde en même temps que nos prisonniers.

— Tu as raison. Nous ne pouvons pas gagner chaque fois. Et puis, nous avons mis la main sur le cinquième sceau spirituel !

Avec un soupir, elle partit rejoindre Morio. Quant à moi, je m'assis sur l'autel en attendant le retour de Camille et Flam. Roz s'approcha de moi et passa un bras autour de ma taille. Je posai la tête sur son épaule. Quand il déposa un baiser sur mon front, je ne le repoussai pas. J'avais besoin du réconfort qu'il pouvait offrir.

Même si je ne le montrais pas, j'étais dans le même état d'esprit que Delilah. Mais je devais jouer le rôle de la petite sœur dure à cuire sur laquelle elle se reposait quand elle se sentait vulnérable. Ce n'était pas le moment de lui révéler mes faiblesses.

— Si je comprends bien, tu vas partir à la recherche de ce Rialto dès qu'on sortira d'ici ? murmura Roz à mon oreille sans saisir l'occasion pour me mordiller.

Je hochai la tête.

— Compte là-dessus ! Je prie pour que la fille soit encore en vie. Je demanderai à Nerissa de la placer en famille d'accueil très loin d'ici. Dans tous les cas, Rialto est un homme mort.

— Laisse-moi t'accompagner. Je veux donner une bonne leçon à ce pervers, moi aussi, dit-il. Vanzir a promis de s'occuper de la maison avec ses amis, sans toucher au voisinage. J'ai pensé que tu aimerais le savoir. (Il secoua la tête.) Je déteste ça. Je suis un incube. J'aime le sexe. Mais je n'ai jamais violé une femme. Et je ne le ferai jamais.

— Je le sais, murmurai-je. Ce que nous avons découvert ici, c'est bien plus grave que ça, cette histoire de sacrifice aux démons… Où sont-ils allés chercher ça ? Dans de mauvais films d'horreur ?

— Pas seulement dans les films, rétorqua Roz. Toutes les cultures parlent de sacrifices vivants. N'oublie pas qu'on confond souvent les monstres avec les dieux.

— Et c'est pour ça que je les déteste tous ! La vie est bien plus calme sans eux.

— Je suis bien d'accord, répondit-il.

Connaissant son passé, je savais qu'il ne disait pas ça pour me faire plaisir. Zeus et Hera avaient transformé Roz et son ex-femme pour toujours et les avaient laissé se démerder tout seuls.

Soudain, Camille et Flam sortirent de la mer ionique. Camille paraissait endormie, tout comme l'homme que tenait Flam dans ses bras. Malgré son air perdu, je reconnus Wilbur.

Il leur fallut dix minutes pour se remettre du voyage. Nous expliquâmes la situation à Wilbur en lui montrant la porte démoniaque. Pas la peine de le mettre au courant pour l'Ombre Ailée. Nous parlâmes simplement de notre altercation avec le Karsetii.

Il examina le portail et grimaça à la vue des étoiles parsemant le voile d'encre.

— C'est la même personne qui a créé les goules. Du travail bâclé. La porte n'a aucune destination précise.

Je n'avais pas la moindre idée de ce dont il parlait, mais il paraissait sûr de lui.

— Est-ce que tu peux la détruire ?

Wilbur hocha la tête.

— Ce ne devrait pas être trop difficile. La signature magique est déformée. Son créateur a trempé dans des combines pas très nettes… (Il tourna la tête pour me regarder, les sourcils froncés.) Ça devait être un grand malade.

— Aucune importance. Il est mort. Et on aimerait que sa création disparaisse avec lui. Tu relèves des goules, tu te sers de la magie de la mort et pourtant tu trouves ça écœurant ? Ça ne colle pas avec ton image…

Wilbur émit un rire franc.

— La magie de la mort doit être utilisée à bon escient. Ne me juge pas sans savoir comment je m'en sers. Tu es un vampire, après tout. Tu ne devrais pas être en train de vider quelqu'un de son sang ?

— Bien vu, répondis-je en souriant. Tu m'as bien eue. OK, de quoi as-tu besoin ? Et est-ce que tu peux oublier tout ce que tu as vu ce soir ?

Il me dévisagea un instant, l'air perplexe.

— J'aimerais connaître mes voisins davantage, murmura-t-il en se penchant vers moi. Je n'ai jamais couché avec un vampire, mais on m'a dit que c'était une expérience unique.

Je reculai vivement. Il voulait que je lui offre mon corps en échange de son petit service ?

— Je ne suis pas une pute, rétorquai-je.

Même si Camille avait couché avec Flam pour obtenir des informations, c'était différent. Elle l'avait toujours désiré.

De mon côté, je n'avais jamais été diplomate et nous n'avions pas le temps de jouer. Il le ferait qu'il le veuille ou non.

— Écoute, commençai-je en me penchant de nouveau sur lui. Ferme cette porte. Fais-le pour l'honneur de ta profession, pour réparer le chaos causé par un collègue négligent. Si tu refuses, je te briserai la nuque. Je te promets qu'on trouvera le malade qui lui a servi de mentor et qu'on s'occupera de son cas.

Avec un léger sourire, Wilbur se gratta le menton.

— Je vous avais mal jugées. Très bien. Je vais le faire. La situation me paraît vraiment intéressante, dit-il en jetant un coup d'œil alentour.

J'observai la porte démoniaque avant de reporter mon attention sur lui. Il faudrait trouver un moyen de lui effacer la mémoire une fois cette histoire terminée, mais je ne comptais pas le lui dire.

— Prêt ?

Il hocha la tête.

— J'ai besoin d'intimité. Et celui-là là-bas, le bridé, dit-il en désignant Morio.

— Il est japonais, pas bridé, imbécile ! C'est aussi un *Yokai Kitsune* qui pourrait ne faire qu'une bouchée de toi s'il prenait sa forme démoniaque. Alors un peu de respect. Tu ne sais pas du tout à qui tu t'adresses.

Wilbur haussa les épaules.

— Si tu le dis. J'ai besoin de son aide. Il en sait suffisamment sur la nécromancie pour m'apporter son soutien.

Nous transportâmes les Partisans de Dante dans le hall tandis que Morio restait en arrière. Une fois à l'écart, Camille se rapprocha de moi pour me murmurer à l'oreille.

— Tu crois vraiment qu'on peut lui faire confiance pour ne pas en parler ?

Je fronçai les sourcils.

— Je n'aime pas cette méthode, mais il serait peut-être plus sûr de demander à Vanzir d'infiltrer ses rêves pour effacer sa mémoire. C'est un sorcier…

— Sorcier, mortel, ça n'a aucune importance. Du moment qu'il rêve, je peux me glisser dans son esprit, intervint Vanzir. Je ne pensais pas devoir me servir de mes talents de cette manière, mais je suppose que nous n'avons pas le choix.

Quand un éclat de désir passa dans ses yeux, je me rappelai ce qu'il nous avait dit. Il avait essayé d'arrêter de voler la mémoire et l'énergie vitale des gens avant que Karvanak, le Ràksasa, le force à se nourrir de nouveau. À présent, nous faisions la même chose. Je grognai de frustration.

— Je n'aurais jamais osé te demander ça si…

— Si la situation ne le demandait pas, je sais. Aucun problème. Il faudra simplement lui faire perdre connaissance. (Il baissa les yeux vers moi et me caressa légèrement le menton.) Je le ferai pour toi. Je le ferai pour mettre des bâtons dans les roues de l'Ombre Ailée.

Je hochai la tête, mordillant un de ses doigts qui s'étaient aventurés près de mes lèvres.

— Merci. Nous avons tous été obligés de faire des choses que nous ne voulions pas.

— Regardez, nous coupa Camille en désignant la vitre qui donnait sur l'amphithéâtre.

Wilbur et Morio n'avaient pas chômé. Tout à coup, la toile d'encre explosa dans un éclat blanchâtre, si violemment que nous nous retrouvâmes tous à terre. Tandis que je m'accroupissais, je jetai de nouveau un coup d'œil à travers la fenêtre. Tout semblait être rentré dans l'ordre. Wilbur et Morio se tenaient là. La porte démoniaque avait disparu.

— Encore deux ou trois trucs à faire et on a fini, murmurai-je. Je vais chercher Wilbur.

Vanzir hocha la tête.

— Je t'attends.

Ça ne me prit pas longtemps. Un simple coup sur la tête me suffit à l'endormir. Vanzir passa une quinzaine de minutes sur le plan astral avant de nous assurer que notre voisin ne se souviendrait de rien après l'apparition de Camille et Flam sur son palier.

Nous trouvâmes les clés du van garé devant la maison et y entassâmes les Partisans de Dante sous le couvert de l'obscurité. Puis, je retournai rapidement dans le tunnel pour récupérer le corps de Sabele et les vêtements de Claudette. Le soleil se lèverait dans deux heures. J'étais aussi épuisée que les autres.

Chez nous, Yssak et des gardes Des'Estar nous attendaient. Ils s'emparèrent de nos prisonniers et suivirent Camille et Morio jusqu'au portail de Grand-mère Coyote qui les ramena à Y'Elestrial. Camille et Morio les suivirent pour rendre visite à la reine Asteria à Elqavene et lui remettre le cinquième sceau spirituel. Ils emmenèrent avec eux le corps de Sabele et l'elfe blessée.

Puis Vanzir et Roz repartirent avec le van.

— On s'occupe de la maison, me promit-il. Tu as ma parole.

Fatiguée, je hochai la tête.

— Merci. Merci à vous deux pour votre aide.

Après avoir ramené Wilbur chez lui, Flam vérifia que tout était en ordre et se dirigea vers la chambre de Camille. Quant à Delilah et moi, nous nous installâmes devant la télévision, un paquet de chips sur ses genoux, Maggie sur les miens.

— Je ne sais pas quoi dire à Chase, avoua-t-elle.

— Pas question de lui parler des prisonniers que nous avons ramenés en Outremonde. Il est de notre côté, mais ce qu'il ne sait pas ne peut pas lui faire de mal. (Je fronçai les sourcils.) Donne-lui les cassettes vidéo. Au moins, il ne mettra pas en doute nos décisions.

Delilah y réfléchit un instant.

— Nous avons quatre sceaux spirituels en notre possession. L'Ombre Ailée n'en a qu'un. Si nous réussissons à trouver les quatre autres, nous pourrons peut-être repousser son attaque et gagner la guerre. Mais avec ce nouveau général, les choses vont commencer à se compliquer.

Elle avala une poignée de chips et se laissa aller contre le canapé.

— Je sais, répondis-je. Je sais. (Je jetai un coup d'œil à travers la fenêtre.) Les premières lueurs sont en train d'apparaître. Avec un peu de chance, rien d'horrible ne se passera aujourd'hui.

Delilah secoua la tête.

— Non, juste un énorme incendie qui brûlera jusqu'aux os de ses victimes.

Alors, elle prit Maggie dans ses bras pour la serrer contre elle, tandis qu'elle regardait distraitement la télévision. Quant à moi, je me forçai à aller au lit, priant pour un sommeil sans rêve… avant que je me souvienne que j'avais tourné le dos aux dieux. Ils ne m'écouteraient plus jamais.

Chapitre 28

Trois nuits plus tard, le lendemain de la pleine lune, nous nous mîmes sur notre trente et un pour assister au mariage de Tim et Jason au Woodbriar Park.

La maison de la fraternité était de l'histoire ancienne. Elle avait entièrement brûlé. Il ne restait même pas une poutre intacte. Tous les accès au labyrinthe souterrain avaient été soigneusement fermés afin que les policiers ne s'aperçoivent pas de son existence. Et même si les gens se posaient des questions – pourquoi n'y avait-il pas de restes humains ? –, en l'absence de réponse, l'affaire serait vite classée.

Chase avait visionné les cassettes vidéo. Il savait contre quoi nous nous étions battus et n'avait posé aucune question. Quant à Vanzir, il avait tenu parole. Personne ne découvrirait ce qui s'était réellement passé.

Tandis que nous nous dirigions vers les chaises parfaitement alignées sur la pelouse tondue, je pris Camille par le bras. Elle avait revêtu une robe à fleurs couleur prune qui retenait à peine ses seins, mais elle ne ferait pas désordre dans un mariage estival durant lequel on assisterait à un spectacle de drag-queens, le cadeau de mariage des anciens collègues de Tim. Elle portait un châle noir et argent autour de ses épaules et des chaussures à talons aiguilles avec des rubans lacés sur ses chevilles.

— De quoi j'ai l'air ? demandai-je, nerveuse.

C'était la première fois que j'osais mettre une tenue qui dévoilait mes cicatrices. Je ne me sentais pas à l'aise.

— Je te l'ai déjà dit cinq fois. Tu es magnifique. Qu'en pense Nerissa ?

Nerissa essayait sans cesse de me faire comprendre que je n'avais rien à cacher. Pour lui faire plaisir, j'avais choisi une robe qui m'arrivait aux genoux. Et même avec un boléro et des bottes, c'était déjà un grand pas en avant.

— Nerissa pense qu'elle est très jolie, répondit la puma-garou en apparaissant soudain devant moi. (Quand elle m'embrassa langoureusement, je me laissai aller dans l'étreinte chaude et réconfortante qu'elle m'offrait.) Camille, Delilah, vous êtes magnifiques, vous aussi. Si vous voulez bien m'excuser, je vous emprunte Menolly un instant. (Elle m'emmena un peu plus loin.) Tu m'as manqué, avoua-t-elle.

— Toi aussi, répondis-je. (Au bout d'un moment, j'ajoutai :) J'ai couché avec Roz.

Après tout, nous nous étions promis de ne rien nous cacher.

— Je sais, fit-elle. Il me l'a dit. Il voulait que je sache qu'il n'essayait pas d'envahir mon territoire. C'était bien ?

Je lui adressai un sourire éclatant.

— Très. Tu devrais l'essayer. Il est amusant…, mais ce n'est pas la même chose qu'avec toi, terminai-je d'un ton hésitant.

Les yeux de Nerissa s'illuminèrent.

— Il n'est pas mon genre, du tout. Trop voyant. Toi, en revanche, tu l'es. (Puis, sans reprendre sa respiration, elle continua :) J'ai vraiment besoin de toi, Menolly. Je veux te faire l'amour toute la nuit. Est-ce que je peux rester avec toi ce soir ? J'ai acheté de nouveaux jouets que tu vas adorer.

— Évidemment, rétorquai-je en sentant des frissons d'excitation me remonter le long du dos. Toute la nuit. Juste toi et moi.

La pensée de sa peau dorée sous mes doigts me rendait toute chose. J'avais envie de la déshabiller sur-le-champ, de plonger ma langue entre ses cuisses que je connaissais si bien. Lorsque je baissai les yeux vers sa poitrine à peine dissimulée sous le tissu estival, mes doigts me démangèrent. Je voulais la caresser.

— J'ai hâte d'y être, murmurai-je. Je suis heureuse pour Jason et Tim, mais tu n'imagines même pas l'effet que tu as sur moi.

— Très bien, répondit-elle tout sourires. Maintenant, on est quittes. Il suffit que je te regarde pour avoir envie de t'arracher tes vêtements. Allez, viens, allons nous asseoir avant le début de la cérémonie.

— Je pense à changer de coupe de cheveux… du moins pour les grandes occasions, annonçai-je tout en cherchant les autres.

Je ne précisai pas que cette pensée me rendait nerveuse. J'avais commencé à tresser mes cheveux le jour où j'avais quitté le centre de thérapie de l'OIA pour rentrer à la maison, un an après ma transformation. Je n'y avais jamais rien changé depuis.

— J'adorerais te voir avec les cheveux lâchés, avoua Nerissa. Une crinière cuivrée… elle doit être magnifique.

Nous nous assîmes enfin près de Delilah et Chase. Ma sœur nous adressa un grand sourire. Elle portait un débardeur en soie rose par-dessus un pantalon en lin rose pâle et elle avait troqué ses bottes habituelles contre des ballerines ivoire. Chase me fit signe de la main, mais il n'avait pas encore l'air remis de nos aventures. Il était habillé en Armani de la tête aux pieds. Camille, Flam et Morio étaient installés devant nous, près d'Iris.

Le reste des chaises était occupé par des HSP, même si j'avais aperçu Sassy et Erin de l'autre côté. Soudain, une vague de remords me submergea. J'aurais dû être assise avec elles. Pourtant, plus vite Erin apprendrait à se passer de moi, plus vite elle volerait de ses propres ailes. Apprendre la vie au côté d'un autre vampire était une chose. Rester trop longtemps auprès de son sire n'était pas toujours très sain.

Un brouhaha parcourut l'audience tandis que Jason se plaçait devant l'autel. Il avait revêtu un très beau costume avec un veston rose. Il était stupéfiant. À sa droite se tenait un autre homme, à la peau aussi sombre que la sienne, mais avec quelques années en moins. Il devait s'agir de son frère.

Madame le pasteur prit place sur l'estrade. Alors, la voix de Jim Croce entonna *Time in a Bottle* et Tim apparut au bout de l'allée. Il portait un costume noir et une chemise aussi bleue que ses yeux. Derrière lui, avançaient trois demoiselles d'honneur. Hommes ou femmes, j'avais du mal à faire la différence. Dans tous les cas, elles avaient opté pour la sobriété avec des robes argentées et des bouquets de roses rouges et d'œillets blancs.

Alors que Tim rejoignait Jason devant l'autel, je réfléchis à l'amour. Je pensais aux différentes possibilités de couples dans le monde et à quel point il était rare et précieux de rencontrer une personne avec laquelle on pouvait tout partager. Jusqu'à maintenant, je n'avais jamais eu cette chance. Mais aujourd'hui, Nerissa était à mon côté et notre relation me suffisait amplement.

Je reportai mon attention sur la cérémonie. Le pasteur avait commencé à parler.

—… l'amour. Tout tourne autour de l'amour. Nous nous rencontrons, nous formons une famille, nous choisissons un compagnon pour passer notre vie avec lui. L'amour prend des formes variées et a de nombreux visages, mais il est bien réel… vous vous en rendrez compte lorsqu'il touchera votre cœur et que vous l'accueillerez, rempli d'espoir. L'amour est plus fort que la haine. Plus fort que la colère. Plus fort que les divisions artificielles qui nous séparent… mais l'amour doit être nourri et entretenu…

Je ne pus m'empêcher de retourner dans mes pensées. Harish avait aimé Sabele. Pourtant, on la lui avait enlevée. Je lui avais pris la main lorsque je lui avais annoncé que nous avions retrouvé son corps. Rozurial avait aimé, lui aussi, et avait regardé cet amour s'éloigner brutalement de lui. Mère avait traversé les mondes par amour. Celui de Camille englobait trois hommes à la fois. Delilah était prise entre plusieurs amants.

L'amour était-il éternel ? Peut-être. Il pouvait être tué, il pouvait être déchiré. Mais on continuerait toujours à aimer. Malgré toutes les créatures maléfiques qui erraient dans les mondes, cette vérité ne serait jamais contredite.

Lorsque Jason embrassa Tim, nous nous levâmes pour les applaudir. Je sentis des larmes de sang me monter aux yeux. Je les essuyai grâce au mouchoir rouge que Sassy m'avait prêté et me tournai vers Nerissa. Elle se baissa pour m'embrasser.

— Un baiser pour l'amour, murmura-t-elle. Allons féliciter les mariés !

Chapitre 29

La nuit suivante était Litha, l'équinoxe d'été. Notre présence était requise en tant qu'émissaires d'Outremonde et parentes de Morgane.

Nous avions revêtu nos tenues habituelles pour ce genre d'occasion. Le tatouage de Camille sur son épaule gauche et qui la désignait comme la fille de la Mère Lune brillait dans le clair de lune. Elle portait une longue robe bustier dont la jupe était une explosion de tulle étincelant.

Delilah, elle, avait revêtu sa plus belle tunique par-dessus des leggings et accroché Lysanthra à sa jambe. La faux noire sur son front semblait refléter des flammes orange.

Quant à moi, j'avais opté pour une longue robe écarlate et, pour la première fois depuis des années, j'avais lâché mes cheveux sur mes épaules. Je ne savais pas encore s'ils allaient rester comme ça. Dans tous les cas, il s'agissait de ma coiffure pour la soirée.

Le rassemblement des Fae terriens et outremondiens avait lieu dans une réserve d'une centaine d'hectares achetée par les reines Fae au nord-est de Seattle. Elle était remplie de sapins et de cèdres, de chênes et d'érables, de buissons de myrtilles et de ronces. Située près des cascades, elle était facile à trouver, mais assez éloignée pour ne pas être envahie par les villes alentour.

Je savais que les reines Fae s'étaient mises à acheter des petites parcelles de terrain autour de la réserve principale.

Titania était en train de déménager. Bientôt, Flam serait libéré de sa présence. Il était si content qu'il avait accepté d'assister au rassemblement avec Camille et Morio.

Alors que les pumas-garous avaient choisi de rester chez eux, Chase, lui, avait décidé d'accompagner Delilah. Personnellement, je trouvais ça bizarre. Ne se rendait-il pas compte du danger qu'encourait un humain entouré d'autant de Fae ? Bien sûr, quelques ambassadeurs terriens avaient été invités, les représentants des gouvernements qui traitaient avec les visiteurs d'Outremonde. À présent, ils partageaient également leur monde avec les Fae terriens. L'équilibre avait encore changé.

Des sorcières et des païens HSP avaient signé des pétitions pour y assister. Quelques-uns, triés sur le volet, y avaient été autorisés, mais la plupart des gens réunis ce soir seraient de sang Fae ou encore des dryades, des floraèdes, des esprits ou des sylphides. Les naïades et les ondines avaient pris place dans le lac avec les selkies.

Ici, les arbres s'étaient réveillés, pensai-je en me promenant un peu. Les arbres, la terre, le lac… ils semblaient tous conscients de ce qui les entourait. Dans les moindres recoins, des esprits de la nature nous observaient, pleins de vie, sauvages, joyeux et sombres à la fois. Le solstice d'été était la nuit la plus courte de l'année et nous nous tenions au bord d'une nouvelle ère.

Ce soir, les reines Fae s'assiéraient officiellement sur leurs trônes. Je jetai un coup d'œil à l'estrade où aurait lieu le couronnement. La reine Asteria était déjà là. À côté d'elle se tenait notre père qui assistait à la cérémonie en tant qu'ambassadeur d'Y'Elestrial ; Feddrah-Dahns représentait la horde de licornes de Dahns et bien d'autres personnalités prestigieuses les accompagnaient.

Soudain, un son de trompettes retentit. Je rejoignis Delilah et Camille qui parlaient à voix basse avec notre père. Il m'embrassa rapidement sur la joue.

Nous n'avions pas eu beaucoup de temps pour discuter depuis son arrivée et pour la première fois, je commençais à croire qu'il pensait vraiment ce qu'il m'avait dit. Il avait accepté ma personnalité vampirique et tout ce que ça impliquait. Il était encore bel homme. En repensant au mariage de Tim et Jason, j'aurais voulu qu'il trouve de nouveau l'amour, lui aussi. La mort de notre mère l'avait beaucoup atteint.

— Menolly, je suis content que tu sois là. Morgane voudrait te parler avant le couronnement. En fait, elle voudrait vous parler à vous toutes, nous informa-t-il en faisant un pas en arrière.

Peu importe de quoi il s'agissait. Il était clair que ça ne lui plaisait pas, mais il ne fit aucune remarque.

Morgane apparut alors dans un nuage de lavande et d'argent, de noir et d'indigo. En tant que reine du crépuscule, elle régnait sur l'espace qui séparait le jour de la nuit. Sa Cour résiderait dans une demi-obscurité pour toujours.

— Bien, vous êtes enfin arrivées ! dit-elle en nous détaillant des pieds à la tête. Nous avons à parler avant le couronnement.

Mordred, son neveu, nous rejoignit, l'air mécontent. Même s'il était clair qu'il ne nous aimait pas, il inclina la tête poliment et laissa échapper un soupir.

— Ont-elles pris leur décision, ma tante ? demanda-t-il.

— À quel propos ? dit Camille.

Morgane nous observa gravement.

— Comme moi, vous évoluez entre les mondes. Il y en a trois à présent : le monde des mortels, le monde d'Y'Eirialiastar et le monde des Fae terriens.

Cela faisait longtemps que je n'avais plus entendu le terme Sidhe qui désignait Outremonde. J'en restai bouche bée. Morgane sembla s'en apercevoir car elle me sourit.

—Le terme humain ne rend pas hommage à la beauté de ce monde.

—Je n'irais pas aussi loin, répondis-je.

Ancêtre ou non, je ne lui faisais pas confiance. Ça n'avait jamais été le cas, et ça ne le serait jamais.

Elle soupira doucement.

—Vous devrez faire un choix ce soir.

—Un choix ? De quoi parlez-vous ? demanda Camille.

Avec un sourire rusé, Morgane fit un pas en arrière. Elle n'était pas de notre côté. Elle ne se préoccupait que de son confort personnel.

—Je vous propose de siéger à ma Cour. Vous êtes ma chair et mon sang. Peu importent les siècles qui séparent nos naissances ou l'endroit où nous avons vu le jour. Nous appartenons à la même famille. Aussi, je vous offre le titre de princesses au sein de ma Cour.

Elle leva la tête vers Mordred.

—Mordred est mon premier héritier, mais s'il n'a pas d'enfant, vous seriez les prochaines en lice pour monter sur le trône de la reine du crépuscule. Camille en premier, puis Delilah… (Elle se tourna vers moi.) Je ne peux pas t'offrir davantage qu'une place à la Cour puisque tu ne pourras jamais porter d'enfants.

Alors que Camille et Delilah hoquetaient de surprise, je me contentai de dévisager Morgane. Je sentais le coup fourré.

—Et que devons-nous faire pour accéder à cet honneur ?

Morgane me fit un clin d'œil.

—C'est très simple, les filles. Vous n'avez qu'à renoncer à Y'Eirialiastar et à prêter serment à la Terre. Abandonnez toutes vos obligations outremondiennes, à part, bien sûr, celles qui vous unissent aux dieux, et prenez vos fonctions au sein de ma Cour. (Elle se pencha vers nous.) Vous continueriez à combattre les démons, mais en mon nom. En notre nom à tous, celui des Fae terriens.

Je secouai immédiatement la tête.

— Il n'en est pas question, répondis-je. Merci, mais ça ira. Je suis quelqu'un de loyal. Je n'abandonnerai jamais ma terre natale, ni la Cour et la Couronne qui règnent de nouveau sur la cité.

Camille m'adressa un regard rempli d'inquiétude. Quand elle se tourna vers Morgane, je sus qu'elle cherchait une façon de faire passer les choses en douceur.

— Ce serait un grand honneur, reine du crépuscule, mais nous n'avons d'autre choix que celui de refuser. Accepteriez-vous au sein de votre Cour des personnes capables de briser leurs serments de loyauté sans raison valable ? Pourriez-vous réellement nous faire confiance ?

Sous le regard assassin de Mordred, je perçus un certain soulagement. Il souhaitait rester le seul héritier du trône.

Delilah secoua la tête à son tour.

— Non, nous ne pouvons pas accepter votre proposition. Nous sommes ici pour vous faire honneur et pour célébrer la naissance d'une nouvelle ère.

Morgane nous observa gravement avant de se détourner.

— N'oubliez jamais la main que je viens de vous tendre. L'offre tiendra encore quelque temps, mais si vous l'acceptez plus tard, les conditions ne seront pas les mêmes. Réfléchissez encore avant de refuser. Vous avez jusqu'au lever du soleil.

Alors qu'elle s'éloignait, suivie de Mordred, nous échangeâmes des regards inquiets.

— Elle sème les ennuis partout où elle passe, marmonnai-je. Il faudra la surveiller de près.

— À mon avis, la communauté surnaturelle terrienne va commencer à se diviser. Les Fae vont se joindre aux trois reines et les garous et les vampires vont se retrouver seuls, remarqua Delilah avec un soupir. Pour l'instant, on ne peut rien faire d'autre qu'espérer que Morgane ne mette pas la main sur un sceau spirituel, parce que tout le monde sait qu'elle ne s'en servirait pas à bon escient.

— En fin de compte, je commence à penser comme vous…, fit Camille d'une voix triste.

— Le couronnement va bientôt commencer. On va regarder ?

Delilah haussa les épaules.

— Tant qu'on est là… Rejoignons Père et la reine Asteria. Je me sentirai plus en sécurité.

Je passai un bras autour de sa taille.

— Qu'est-ce que c'est ? demandai-je en sentant une bouteille dans la poche de sa tunique.

Tout sourires, elle secoua la tête.

— Rien qui te concerne.

Je m'arrêtai et la laissai avancer avant d'ouvrir silencieusement la bouteille que j'avais prise dans sa poche. Je dus me retenir de crier. Du nectar de vie : l'élixir qui pouvait allonger la vie d'un mortel ! Si Chase en buvait, il pourrait vivre aussi longtemps qu'un Fae au sang pur.

À cause de notre sang mêlé, on nous proposerait d'en boire à un moment ou à un autre, mais seulement si la Cour et la Couronne nous accordaient ce privilège. Delilah l'avait sûrement dérobé. Personne ne serait assez fou pour le lui donner. Alors que j'hésitais à en parler, Camille déroula un parchemin que lui avait apporté un messager de notre père. Elle poussa un cri de surprise.

— Qu'est-ce qu'il y a ? demandai-je. Tout va bien ?

Les yeux remplis de larmes, elle hocha la tête avant de m'adresser un sourire éblouissant.

— C'est un message de Trillian ! Il est vivant. Il va bien. Il dit qu'on se reverra en Outremonde cet automne et qu'il rentrera à la maison avec moi. Un sort de vérité a été jeté au parchemin. Ce n'est pas un mensonge !

Attirés par son effervescence, Morio et Flam nous rejoignirent. Je glissai de nouveau la bouteille dans la poche de Delilah. Je n'avais pas à lui dire ce qu'elle avait à faire. Nous en discuterions plus tard.

Tandis que les trompettes résonnaient, les reines de lumière, du crépuscule et de l'ombre s'agenouillèrent devant la reine Asteria pour recevoir leurs couronnes. Alors, je tentai d'oublier toutes mes inquiétudes concernant les seigneurs démoniaques, la politique Fae ou encore les groupes racistes humains.

La beauté de ce monde était partout : dans la vie, dans la mort, et dans toutes les étapes intermédiaires. Il y avait tant de beauté autour de nous… une beauté hideuse, si brillante qu'elle me donnait envie de pleurer.

Titania déclamait ses vœux, s'emparait de son trône. Je cueillis une rose rouge dans un buisson à côté de moi et la portai à mon visage pour en sentir le parfum. Parfois, il fallait repousser ses inquiétudes au fond de son esprit pour se concentrer sur ce qui se trouvait devant nous. Parfois, il fallait oublier sa peur du futur et vivre pour le présent. Parfois, même un vampire devait prendre le temps de sentir une rose.

Principaux personnages

La famille D'Artigo

Sephreh ob Tanu : père des sœurs D'Artigo. Fae.

Maria D'Artigo : mère des sœurs D'Artigo. Humaine.

Camille Sepharial te Maria, aka Camille D'Artigo : sœur aînée ; sorcière de la lune. Mi-Fae, mi-humaine.

Delilah Maria te Maria, aka Delilah D'Artigo : sœur cadette ; chat-garou. Mi-Fae, mi-humaine.

Arial Lianan te Maria : jumelle de Delilah mort-née. Mi-Fae, mi-humaine.

Menolly Rosabelle te Maria, aka Menolly D'Artigo : sœur benjamine ; vampire et acrobate hors pair. Mi-Fae, mi-humaine.

Shamas ob Olanda : cousin des sœurs D'Artigo. Fae.

Les amis et amants des sœurs D'Artigo

Bruce O'Shea : petit ami d'Iris. Leprechaun.

Chase Garden Johnson : inspecteur, superviseur de la brigade Fées-humains du CSI. Amant de Delilah. Humain.

Chrysandra : serveuse au bar et grill *Le Voyageur*.

Erin Mathews : ancienne présidente du club des observateurs de fées, propriétaire de la boutique *La Courtisane Écarlate*. Transformée en vampire par Menolly, son sire, juste avant qu'elle meure. Humaine.

Henry Jeffries : d'abord un client du *Croissant Indigo*, puis un employé à temps partiel. Humain.

Iris Kuusi : amie des sœurs. Prêtresse d'Undutar. *Talon-Haltija*. Esprit de maison finlandais.

Lindsey Katharine Cartridge : directrice du centre d'accueil pour femmes *La Déesse Verte*. Païenne, sorcière. Humaine.

Luke : barman du bar et grill *Le Voyageur*. Loup-garou. Loup solitaire, sans meute.

Morio Kuroyama : amant et mari de Camille. Petit-fils de Grand-mère Coyote. *Yokai Kitsune* (démon renard japonais).

Nerissa Shale : maîtresse de Menolly. Assistante sociale, candidate aux élections du conseil municipal. Puma-garou, membre de la troupe du mont Rainier.

Rozurial, aka Roz : mercenaire, deuxième amant de Menolly. Incube anciennement Fae avant que Zeus et Hera détruisent son mariage.

Sassy Branson : femme du monde. Philanthrope. Vampire (humain).

Siobhan Morgan : amie des sœurs D'Artigo. Selkie (phoque-garou), membre du groupe de phoques du port de Puget Sound.

Flam : amant et mari de Camille. Mi-dragon blanc, mi-dragon argenté.

Tavah : gardienne du portail au bar et grill *Le Voyageur*. Vampire (Fae).

Timothy Vincent Winthrop, aka Cleo Blanco : étudiant/génie en informatique, sosie féminin. Humain.

Trillian : mercenaire sous les ordres de la reine Tanaquar. Amant dominant de Camille. Svartan (Fae).

Vanzir : aux ordres des sœurs, de sa propre volonté. Démon attrape-rêves.

Vénus, l'enfant de la lune : chaman de la troupe de pumas du mont Rainier. Puma-garou.

Wade Stevens : président des Vampires Anonymes. Vampire (humain).

Zachary Lyonnesse : jeune membre du conseil des anciens de la troupe de pumas du mont Rainier. Amant de Delilah. Puma-garou.

Glossaire

Calouk : dialecte commun et vulgaire utilisé par certains habitants d'Outremonde.

Cour et la Couronne (la) : la Couronne désigne la reine d'Y'Elestrial. La Cour désigne les nobles et les militaires qui entourent la reine. Cour et Couronne représentent le gouvernement d'Y'Elestrial.

Cour Seelie : Cour Fae terrienne de la lumière et de l'été, dissoute pendant la Grande Séparation. Titania en était la reine.

Cour Unseelie : Cour Fae terrienne de l'ombre et de l'hiver, dissoute pendant la Grande Séparation. Aeval en était la reine.

Cours des trois reines : Cours des trois reines Fae sur Terre récemment restaurées : Titania, reine Fae de la lumière et du matin ; Morgane, reine mi-Fae du crépuscule ; et Aeval, reine Fae de l'ombre et de la nuit.

Créature surnaturelle : désigne les créatures surnaturelles terriennes qui ne sont pas de nature Fae, en particulier les garous.

Crypto : une des races cryptozoïdes. Les Cryptos comprennent des créatures de légende qui ne font pas techniquement partie des Fae : gargouilles, licornes, griffons, chimères, etc. Vivent principalement en Outremonde, mais possèdent des cousins terriens.

Elqavene : territoire des elfes en Outremonde.

FH-CSI : brigade Fées-humains du CSI, créée par l'inspecteur Chase Johnson, née d'une collaboration entre l'OIA et la police de Seattle. D'autres FH-CSI ont vu le jour à travers le pays, basés sur l'exemple de Seattle. Le FH-CSI prend en charge les urgences médicales et criminelles se rapportant à un visiteur outremondien.

Grande Séparation (la) : époque de graves tourments durant laquelle les seigneurs élémentaires et certains membres de la Cour Fae ont décidé de séparer les mondes. Jusque-là, les Fae évoluaient sur Terre, mêlant leurs vies et leurs coutumes à celles des humains. La Grande Séparation a créé une nouvelle dimension : Outremonde. Au même moment, les Cours jumelles Fae ont été dissoutes et leurs reines ont perdu leurs pouvoirs. Les sceaux spirituels ont été formés, puis séparés pour empêcher les mondes de se rejoindre. Certains Fae ont choisi de rester sur Terre, d'autres ont préféré se rendre en Outremonde. Quant aux démons, pour la plupart, ils avaient été enfermés dans les Royaumes Souterrains.

Garde Des'Estar : armée d'Y'Elestrial.

HSP : humain au sang pur (désigne les humains terriens).

Melosealfôr : dialecte Crypto rare appris uniquement par les Cryptos puissants et les sorcières de la lune.

Mer ionique : courant d'énergie qui sépare les terres ioniques. Certaines créatures, en particulier celles qui sont liées aux énergies élémentaires de la glace, la neige et le vent, peuvent y voyager sans protection.

Miroir des murmures : système de communication magique reliant Outremonde à la Terre. Ressemble à un visiophone magique.

Moissonneurs : seigneurs de la mort ; certains sont aussi des seigneurs élémentaires. Les moissonneurs et leurs suivants (Valkyries, fiancées de la mort, par exemple) fauchent les âmes des morts.

Nectar de vie : élixir capable de rallonger la durée de vie des humains et de la rendre comparable à celle des Fae. Très précieux et utilisé avec prudence. Peut rendre fou si la personne ne possède pas la force émotionnelle nécessaire face aux changements qu'il induit.

OIA : CIA outremondienne. Le cerveau derrière la garde Des'Estar.

Outremonde : terme humain pour désigner le « royaume des fées », dimension différente de la nôtre dans laquelle évoluent des créatures de mythes et légendes, terre des dieux et de l'Olympe. Son nom varie selon les dialectes des races Fae et Crypto.

Portail : portail interdimensionnel qui relie les différents royaumes.

Porte démoniaque : porte à travers laquelle des démons peuvent être invoqués par un nécromancien ou un enchanteur puissant.

Seigneurs élémentaires : êtres élémentaires, mâles et femelles qui, comme les sorcières du destin et les moissonneurs, sont les seuls véritables immortels. Ils sont les avatars de divers éléments et énergies et peuplent tous les royaumes. Ils ne répondent à aucune loi et ne se préoccupent des humains ou des Fae que si on les invoque. Dans ce cas-là, ils demandent un lourd paiement en retour. Les seigneurs élémentaires ne sont nullement concernés par l'équilibre, contrairement aux sorcières du destin.

Sorcières du destin : femmes de la destinée veillant à garder l'équilibre intact. Ni bonnes ni mauvaises, elles observent le cours du destin. Quand les événements ne prennent pas le bon chemin, elles entrent en scène, utilisant humains, Fae, créatures surnaturelles et autres pour rétablir l'équilibre.

Statues de l'âme : en Outremonde, petites figurines créées à la naissance de certains Fae et reliées magiquement au bébé. Ces figurines sont gardées dans le tombeau familial. Quand le Fae vient à mourir, sa figurine se brise. Dans le cas de Menolly, après qu'elle fut revenue à la vie, la statue de son âme s'est reformée, de travers. Si un de ses membres disparaît, une famille peut savoir s'il est toujours en vie s'ils ont accès à sa statue de l'âme.

Terre : tout ce qui existe du côté terrien des portails.

Terres ioniques : elles comprennent le plan astral, les royaumes des esprits, ainsi que d'autres dimensions moins connues incorporelles. Ces royaumes sont séparés par la mer ionique, un courant d'énergie qui empêche les terres ioniques de s'entrechoquer et de provoquer une explosion de proportion universelle.

Triple Menace : surnom que Camille a donné aux trois nouvelles reines Fae terriennes.

Vampires Anonymes : groupe terrien créé par Wade Stevens, un ancien psychiatre. Le groupe cherche à aider les nouveaux vampires à s'adapter à leur nouvel état et à les encourager à ne pas blesser d'innocents. Les Vampires Anonymes cherchent à acquérir davantage de pouvoir. Leur but est de gouverner les vampires états-uniens et, ainsi, de créer une police interne.

Y'Eirialiastar : nom Sidhe/Fae d'Outremonde.

Y'Elestrial : Cité/État d'Outremonde où les sœurs D'Artigo sont nées et ont grandi. Elle a récemment connu une guerre civile, opposant Lethesanar, reine tyrannique sous l'emprise de drogue, à sa sœur Tanaquar qui a réussi à lui prendre son trône. Maintenant que la guerre est terminée, la reine Tanaquar rétablit l'ordre sur ses terres.

Yokai : (vague traduction) démon ou esprit de la nature japonais. Ici, les *Yokai* ont trois formes : animale, humaine et démoniaque. Contrairement aux démons des Royaumes Souterrains, les *Yokai* ne sont pas nécessairement mauvais par nature.

Achevé d'imprimer en septembre 2010
Par CPI Brodard & Taupin - La Flèche (France)
N° d'impression : 59021
Dépôt légal : octobre 2010
Imprimé en France
81120393-1